SUICIDIO PROFESIONAL
O ASESINATO ORGANIZACIONAL

Dr. Donald W.Cole

Traducción, adaptación y comentarios
Eric Gaynor y Carlos Tereschuk

Junio del 2000

Diseño y armado:
Florencia Turek

Hecho el depósito que marca la ley 11.723

I.S.B.N. 987-43-5694-4

Cada vez es mayor el número de profesionales que, trabajando en Empresas, sufren su expulsión independientemente de los atributos de inteligencia, brillantez, creatividad y grado de compromiso que mantienen con la Organización.

Después de una "luna de miel" entre el profesional y la Empresa, suceden una serie de hechos que erosionan la calidad del relacionamiento produciéndose lo que aparece como un inevitable deterioro en el tiempo que culmina con el "Suicidio Profesional o el Asesinato Organizacional".

En este proceso terminal ¿es el profesional que se suicida o es la Organización quien lo asesina?

Este dilema que es confrontado por todos los profesionales después haber invertido mucho dinero, energía y tiempo (unos 16 años promedio) es descubierto, investigado y admirablemente resuelto por el Dr. Donald Cole.

En esta primera edición en castellano, y a sugerencia del Dr. Cole, se ha incluido una importante adaptación a la problemática de los países latinoamericanos. Aquellos lectores que sientan la necesidad de comunicarse con los autores, podrán hacerlo a través del correo electrónico a la siguiente dirección: info@theodinstitute.org

The Organization Development Institute International lo invita a visitar su sitio en Internet: www.theodinstitute.org

CONTENIDO

PALABRAS INICIALES

Cuando nos encontramos con una persona, sea conocida o no, por lo general una de las primeras frases que usamos en nuestro diálogo es: "¿Dónde trabajas?" Y no es raro hoy en día, especialmente si es alguien conocido a quien hemos dejado de ver por un tiempo, que nos conteste: "Estoy AHORA trabajando en... (y nos menciona un **nuevo** sitio laboral)".

Cada vez con mayor frecuencia, cambiamos de trabajo -por decisión propia o de "otros"- ingresando a una nueva Organización, lo que significa la salida de la Empresa en que estábamos trabajando.

Y también es muy frecuente escuchar de aquellos que tienen un nuevo trabajo en una nueva Empresa, algunas quejas, lamento y dolor respecto de cómo transcurrieron los últimos tiempos en su trabajo anterior. En esta situación el NUEVO trabajo aparece como una solución cuando, en realidad, esa solución apenas nos permite "volver a la situación anterior" -por lo general no deseada.

Más doloroso aún, y menos conocido y estudiado por los académicos e investigadores, es la etapa - proceso por la cual se "resuelve" el dilema de la relación de continuidad laboral entre el profesional y la Empresa. Además no estoy familiarizado en la literatura con trabajos donde se hayan analizado las causales de esta relación entre el individuo y la Organización que terminan con su expulsión (o auto-expulsión) y se presenten los antídotos para la resolución de este dilema, con la riqueza de material, conceptos, y evidencia que son relatados en el trabajo del Dr. Cole.

En los siguientes capítulos, más exactamente entre las páginas 33 y 154, usted ha de encontrar una traducción libre del libro "Professional Suicide or Organizational Murder" que en su versión en castellano solamente excluye los apéndices. En esta obra el Dr. Donald W. Cole estudia el fenómeno por el cual profesionales jóvenes, talentosos y con iniciativa, luego de cierto tiempo de permanencia en la Organización, resultan expulsados (o auto-expulsados) de la misma. Esa enorme energía que se desperdicia en la relación Individuo – Empresa durante el proceso que concluye con el egreso del participante organizacional, resulta sumamente doloroso para los individuos y en mi opinión, también lo es para las Empresas. A pesar de ello, poco es lo que se ha hecho para revertir esta situación.

Este monumental trabajo desarrollado por el Dr. Donald Cole, que le ha llevado más de seis años - la "intervención de consultoría" en el cliente tuvo una duración de cinco años - permite analizar las causas que originan la presencia de este dilema y sugiere soluciones para reducir o eliminar el dolor y las subsiguientes consecuencias negativas tanto para las personas como para las Empresas.

Conocí a The Organization Development Institute a mediados de los años 90 y entré inmediatamente en contacto con su Presidente, el Dr. Donald Cole. Tuve el enorme privilegio de contar con su visita en la Argentina un par de años después (durante el año 1997). Allí aprendí algo que no había sido puesto ante mis ojos durante toda mi trayectoria profesional anterior: cómo es que se puede ser riguroso académica y profesionalmente y al mismo tiempo prestar servicios a otros - en este caso a los profesionales. Impulsado por un par de ejecutivos y profesionales que eran Clientes de mi firma, inicié la "unidad de negocios de Career Development", basada en los conceptos y prácticas del Dr. Cole.

Durante esa visita, y en un trabajo compartido con el Dr. Cole en una Entidad Bancaria, me quedó grabada una de sus frases: "Los profesionales bajo estudio, todos ellos capaces, innovadores, ingeniosos, presentaban algunos síntomas de "suicidio profesional" que NO estaban en relación con lo que les había sucedido en su niñez, sino que estaban trabajando demasiadas horas y AHORA no podían ver por mucho tiempo a su esposa, hijos, ni estar en sus casas".

Los lectores – profesionales, han de tener la oportunidad de beneficiarse con este trabajo de campo inigualado en su amplitud y profundidad, donde se estudian y presentan soluciones para situaciones transicionales que son de tan difícil exploración. Un profesor e investigador en mi doctorado mencionaba con frecuencia que *"todo trabajo de investigación es complejo; pero la complejidad mayor se presenta estudiando situaciones transicionales, entre otros aspectos, por la multiplicidad de variables, muchas de ellas "fuera de control"*. De modo que intentar analizar, explicar y predecir un fenómeno de transición de la envergadura de la relación que mantienen los profesionales en las Empresas es un trabajo monumental .

Este trabajo del Dr. Cole es una manifestación más de su permanente vocación de servicio a otros, en este caso los Profesionales. Para conocer más en detalle su modo de pensar, de actuar y de servir a otros, transcribo en el prólogo una traducción libre al castellano de una entrevista con Jim Gustafson realizada en el 21° Congreso Mundial de The Organization Development Institute (Austria, Julio 2001).

El Dr. Cole presenta un trabajo en donde se estudia esta transición presentando una detallada, analítica y puntual descripción del proceso por el cual profesionales talentosos se ven involucrados en mecanismos similares a un embudo / picadora de carne, donde en algún momento, muchos de los que ingresan a la Organización pueden verse obligados a salir *"en pedacitos"* (como me lo manifestara un gerente de una Empresa de servicios).

Las hipótesis del Dr. Cole me parecieron sumamente interesantes, puesto que en parte se distanciaban del enfoque tradicional de los "counselors" en Latinoamérica, que pertenecían mas bien a las Escuelas psicoanalíticas Freudiana o Lacaniana. Por lo tanto, y de allí en más, mi tarea fue focalizar "en profundidad" para estudiar la aplicabilidad de una metodología que pudiera atenuar el dolor de tantos profesionales, que luego de más de 16 años de estudios formales, con una inversión enorme de tiempo, dinero y expectativas, veían interrumpida su "prevista carrera laboral", y muchas veces, por períodos prolongados o para siempre.

Con el propósito de compartir estos hallazgos con colegas, tanto en la profesión independiente como counselors "internos", y asimismo con profesionales del área de Recursos Humanos de Empresas grandes en su mayoría, desarrollamos en 1999 un seminario práctico titulado: "Suicidio

Profesional... o Asesinato Organizacional". Grande ha sido mi sorpresa en aquel momento al escuchar de los distintos participantes que este fenómeno *"no estaba presente en Latinoamérica"*, *"esto no sucede en mi país ni en mi Empresa"*, y algunos, los más avezados y aventados a correr riesgos en cuanto al futuro, *"esto jamás sucederá"*. Por supuesto, estas personas que opinaron de esta manera no sabían lo que iba a ser el mundo de los profesionales sólo un par de años después ... (año 2003).

Ahora bien, a diferencia de los que asistieron al seminario arriba mencionado, algunos profesionales, gerentes y directivos (no eran counselors internos ni profesionales de Recursos Humanos), tenían al parecer una vivencia y un punto de vista distinto. Lo que más me ha impresionado aprender ha sido la respuesta recibida de varios profesionales que se consideraban "despedidos o próximos a serlo" de sus Empresas, al relatarme que

> *"Si hubiera leído este libro, mi salida de la Empresa no se habría producido o, en caso de haberse producido, no habría sido con el dolor y las pérdidas que yo he sufrido"*

Esta situación de desempleo "profesional" se ha agudizado y, en estos momentos, comienzo del año 2003, todos sabemos que uno de los sectores más afectados y con desocupación más alta, es el de los profesionales. Y aparentemente estas estadísticas de "desocupación profesional" están para quedarse en el futuro próximo.

Mi propósito, al divulgar los hallazgos del Dr. Donald Cole y salir con esta primera versión en español, es la de poner a disposición de los profesionales cierto conocimiento de cómo se ha de desarrollar muy probablemente su relación dentro de la Empresa. Esto es absolutamente válido para los jóvenes profesionales como así también para aquellos que ya están ocupando cargos directivos y ejecutivos en las grandes Empresas.

La utilización de los hallazgos del Dr. Cole, las consecuencias resultantes en el tiempo en la relación Profesión / Empresa, y los casos puntuales de asesoría bajo la metodología one-to-one en el área de Career Development, ha permitido a The Organization Development Institute International desarrollar una metodología de asistencia a los profesionales que perciben la necesidad de fortalecer su aprendizaje respecto de su relación continuada en el tiempo dentro de la Empresa. Dicha metodología, junto con casos particulares y puntuales de experiencias en Latinoamérica, son compartidas con todos ustedes en el último capítulo - *Qué pueden hacer los profesionales en Latinoamérica.*

¿Vale la pena comprar este Libro?

Es probable que usted tenga este libro en sus manos por dos motivos principales :

1. Que sea usted una persona curiosa que no piense en beneficiarse económicamente a través de su lectura, pero que le resulte "interesante el tema".

2. Que sea usted una persona que sí piense y desee obtener un beneficio económico directo como resultado de la lectura del libro.

En cualquiera de las dos situaciones, puede ser beneficioso comprarlo, leerlo y familiarizarse con sus contenidos. Si usted no se considerara satisfecho, podría devolver el libro pues The Organization Development Institute International le garantiza la restitución de su dinero, siempre que la devolución del libro sea realizada dentro de las 72 horas de adquirido.

Por otro lado, queremos sugerirle que NO compre este libro en el caso de que:

a. Usted haya heredado lo suficiente como para no tener la necesidad de trabajar para ganar dinero;

b. Usted sea una persona auto-suficiente que no necesita trabajar en Empresas "de otros" para ganarse la vida.

c. Usted NO tenga estudios universitarios, terciarios o de especialización . Es decir, no corresponde a lo que se conoce bajo el nombre de Profesionales.

Propósito

El propósito principal de este libro es el de compartir hechos y vivencias experimentados por profesionales en Organizaciones, que han resultado en dolor para los participantes organizacionales y en consecuencias disfuncionales para las Empresas.

Al contrario de lo que muchos piensan, las estadísticas mundiales muestran que menos del 0,5 % de la PEA (población económicamente activa) encuentra su sustento en Empresas multinacionales y sus filiales, donde existe una fuerte orientación competitiva. Sin embargo, especialmente en Latinoamérica, un porcentaje de los profesionales sumamente más significativo que la cifra mencionada, desea desarrollar una carrera laboral en Empresas con dicho perfil.

Con el desarrollo de la "clase media" en Latinoamérica (que finalizó alrededor del año 1995 en el mejor de los casos) y el acceso a las Universidades de personas pertenecientes a la alta-clase baja, la desproporción entre la oferta de profesionales y su respectiva demanda, ha incrementado aceleradamente la expulsión o auto-expulsión de éstos.

Estoy convencido de que de haberse conocido las experiencias vividas por "otros" – tales como el caso analizado y descripto por el Dr. Donald Cole en los capítulos anteriores -, los aspectos negativos que se sucedieron tanto a nivel individual como organizacional habrían podido evitarse o amortiguado.

Entre otros aspectos se busca :

a. Alertar a los profesionales jóvenes, talentosos, creativos y energizantes que ingresan a la Organización respecto de ciertas "prácticas" organizacionales que impactan sobre su carrera profesional dentro de la Empresa;

b. Alertar a los profesionales que "ya estaban" en la Organización respecto de ciertos mecanismos que están presentes en las Empresas y están relacionadas con el proceso de "deselección";

c. Alertar a los directivos de las Empresas y a sus líderes respecto de su responsabilidad social al tomar decisiones en el día a día sobre profesionales que fueron primariamente contratados para agregar creatividad, trabajo en equipo y manejo de situaciones bajo incertidumbre, y luego, en el quehacer diario, los procedimientos y prácticas diarias estaban orientadas a extinguir (procedimiento de deselección) las mismas características que dieron lugar al proceso de selección.

¿Por qué editamos este libro en castellano?

Desde mis inicios laborales he estado fascinado por dos consideraciones :

1. La relación entre los individuos (participantes organizacionales) con la Empresa como institución, a diferencia de otras formas "libres de ganarse la vida" y

2. lo que sucedía en el tiempo con respecto a la relación entre el individuo y la Organización.

De muy joven no encontraba respuesta al hecho – aparentemente automático - por el cual una multitud de personas, a quienes los economistas llaman población económicamente activa, dejaban en su mayoría de disfrutar su libertad del día domingo, vivir con autonomía, ser auto-suficientes, para encaminarse a trabajar "para otros" (en alguna Empresa), el día lunes por la mañana. Cuando conocí el pensamiento de Ralph W. Emerson, Henry D. Thoreau y José Ingenieros, reforcé aún más mi pensamiento original.

Con el tiempo he pensado que si en los hechos existía una relación continua y sostenida entre los participantes organizacionales y las Empresas, es porque ello resultaría beneficioso para ambas partes. Sin embargo, al constituirme yo mismo en un participante organizacional más - hecho que sucedió a las quince años de edad – experimenté, vivencié y aprendí sobre comportamientos y conductas que no parecían ser beneficiosas para los participantes organizacionales y tampoco para las Organizaciones.

Unos cuantos años más tarde – a los 31 años - comencé mis estudios de doctorado en Business Administration y tuve la oportunidad de beneficiarme con los aportes de Douglas T. Hall, quien resultó ser mi *advisor* a nivel de doctorado, siendo su especialización la de Career Development. ¡Por fin había encontrado la posibilidad de encontrar respuesta a mi curiosidad!

Estaba y sigo estando profundamente agradecido al Profesor Hall por esta oportunidad de aprender sobre los procesos de transición en la carrera laboral de distintos participantes organizacionales. Pero aún no había encontrado respuesta a la complejidad de relaciones que suceden dentro de las Organizaciones donde "algunos" profesionales permanecen mientras otros ven interrumpidos en el tiempo su "carrera laboral".¡Y algunos de ellos para siempre!

Para entonces, ya había intentado integrar las "Best Practices" a las cuales estuve expuesto en las Empresas tanto desde adentro como desde afuera, con las "Best Theories" del mundo académico. Mientras tanto la variable tiempo, que es la única variable que está presente tanto como variable dependiente, independiente e interviniente y que altera casi todas las relaciones entre ellas, hacía estragos al tratar de poner en orden mis hallazgos / teorías / prejuicios. Los estudios longitudinales son muy caros para los practitioners (los Clientes no están dispuestos a pagar por ellos) y bastante impracticables para los investigadores.

Unos cuantos años atrás, y luego de asociarme a The Organization Development Institute, conozco al Dr. Donald Cole, su Presidente, y me familiarizo con uno de sus libros: "Professional Suicide or Organizational Murder". Y es aquí, en esta monumental obra, donde el Dr. Donald Cole describe como consecuencia de un trabajo de consultoría de unos 5 años, un case study donde analiza los procesos relacionales en el tiempo entre los participantes organizacionales y la Empresa, aportando hallazgos y conclusiones que, de ponerse en práctica, habrían de beneficiar tanto al individuo como a la Empresa.

Con el propósito de conocer su grado de aplicabilidad y el beneficio resultante del mismo para los profesionales he hecho uso del Libro del Dr. Cole con Clientes que han estado interesados en entender y aprender algo más sobre su propia carrera laboral. Los Clientes se han mostrado sumamente satisfechos de tener en cuenta la obra mencionada señalando que los ha beneficiado en su trabajo. Tanto aquellos que permanecieron dentro de la Empresa como quienes se encontraban fuera de la misma.

En su obra original el Dr. Cole integra las tres unidades de análisis "sociales" más significativas en forma excepcional. Se estudian las interrelaciones entre los grupos y las Organizaciones como unidades de análisis mayores que un individuo, explorándose cómo los miembros se relacionan e interactúan entre sí, nutriéndose de valores, prácticas y concepciones que enriquecen tanto a los miembros como al conjunto.

En el transcurso del Tiempo, no todos los miembros permanecen dentro del mismo grupo original, desarrollándose por lo tanto, ingresos y egresos a otros grupos y otras Organizaciones. Este fenómeno de QUIÉNES salen, los motivos por los cuales esto sucede, y las causas que lo originan, han sido poco explorados en la literatura y afortunadamente descubiertos, explorados, reconocidos y compartidos en forma brillante por el Dr. Donald Cole.

Deseo agradecer a Carlos Tereschuk por su colaboración en la traducción del libro del Dr. Cole - "Professional Suicide or Organizational Murder"- al idioma castellano. De todas maneras la responsabilidad por la misma es exclusivamente mía. Mis agradecimientos al Dr. Jorge Fiszer, por su habitual don educacional, en su revisión de mi material como así también por las sugerencias realizadas.

Y mis agradecimientos sin límite a dos personas que siguen siendo un par de columnas de la fortaleza y temple de todo el Partenón, sobre las cuales Yo he tenido la fortuna de poder construir, vivir, desarrollar, crecer, gozar, compartir e iluminar mi vida: Jack Gaynor y Mary Jane Butterfield.

Eric Gaynor Butterfield, Ph.D. (abd),
Buenos Aires, verano de 2003

INTRODUCCIÓN

LA ORGANIZACIÓN, como una unidad de análisis adicional

Durante la mayor parte de su existencia los seres humanos han sobrevivido de forma relativamente "independiente" sin relaciones productivas que fueran jerárquicas desde el punto de vista formal con otros seres. Las formas organizadas / Empresariales datan solamente de un par de siglos y, en el comienzo, las personas no se desplazaban a una Empresa para "trabajar". Mas bien, el trabajo era llevado a la casa en que vivían las personas.

En su afán de disfrutar de algunos de los beneficios de la producción estandarizada esta modalidad ha sido modificada, y fueron las personas quienes comenzaron a trasladarse a las Empresas. Por otro lado, la Biblia nos participa cómo Jetró, muchos siglos antes de Cristo, instruye a su yerno Moisés – quien aparentemente dedicaba demasiado tiempo de su vida a atender directamente a su pueblo - de los beneficios de la "delegación" y establecimiento de jerarquías.

La conjunción de estos dos factores, entre otros, tiene una importancia significativa para el surgimiento de "la Organización" como fuerza Empresaria representando una unidad de análisis adicional de la cadena tradicional de:

a. Individuos;

b. Grupos;

c. Nación o Pueblo o Comunidad;

d. Y esta unidad de análisis adicional ("la Organización") que ocupa más tarde el tercer lugar desplazando a la Nación / Pueblo / Comunidad al cuarto lugar.

A partir de allí, la Organización comienza a disfrutar de una importancia tal que requiere, entre otras cosas, focalizar en la relación Individuo vis a vis la Organización en la medida que sea importante alcanzar ciertos resultados Empresariales.

Características típicas de los profesionales : privilegiando el QUÉ (contenido) por sobre el CÓMO (proceso). En realidad es el CÓMO el que asegura una sostenida, continuada e ininterrumpida carrera laboral.

Este libro está principalmente dirigido hacia aquellos que No han heredado lo suficiente como para no tener que trabajar para ganarse la vida y que SI tienen interés en trabajar como profesionales en una Organización, siendo éste su principal sustento. Al parecer, estas personas son una inmensa masa de gente informada y con conocimientos muchas veces especializados en distintas áreas y contenidos que ingresan al mundo laboral – y a las Organizaciones – pensando que su "expertise" les ha de asegurar una extensa, prolongada y sostenida carrera laboral.

La lectura, familiarización, aprendizaje, internalización y puesta en práctica de algunas aplicaciones a que hace referencia el Dr. Donald Cole pueden tener un impacto tremendamente beneficioso en la carrera laboral de estos profesionales. Se estima que las personas a que nos estamos refiriendo han dedicado unos 13 a 17 años promedio de su vida en la juventud "aprendiendo algo" que los ayude a ganarse la vida trabajando en una Organización.

Esto representa una inversión significativa en tiempo y dinero tanto para ellos como para sus padres; en tiempo solamente son unos 4 millones de minutos, y lo paradójico es que es muy poco lo que aprenden durante todo este tiempo sobre CÓMO deben desempeñarse dentro de las Organizaciones para permanecer en ellas. Una de las sugerencias a tener en cuenta es que es el CÓMO desempeñarse, es decir el proceso, lo que otorga ventajas competitivas para que una persona pueda extender su carrera laboral en una Empresa. A comparación de esta enorme inversión en tiempo, el libro del Dr. Cole ¡puede leerse en un par de días! Cuando estos lectores adquieran este volumen directamente a través de The Organization Development Institute pueden incluso pedir el reembolso de lo gastado si lo hacen dentro de los 3 días subsiguientes a la compra.

El estudio del proceso por el cual "egresan" personas de la Empresa

Se da por entendido que en esta relación entre el Individuo y la Organización es necesario que ingresen personas para convertirse en participantes organizacionales. A su vez, estas personas por distintos motivos, egresarán de la Organización en algún momento produciendo en el tiempo un flujo continuo de ingresos y egresos sólo interrumpido por aquellos que permanecen dentro de la misma.

Gran parte de la literatura en las áreas de Comportamiento Organizacional y Desarrollo Organizacional ha sido dedicada a los procesos de Selección y Reclutamiento de Personal. Tanto los académicos e investigadores como los "practitioners" han dedicado mucho tiempo a explorar, aprender y luego poder aplicar las "mejores prácticas" en relación al **ingreso** de individuos a la Organización. Existen miles de libros, artículos, informes, disertaciones y presentaciones donde los autores exponen sus conclusiones y puntos de vista en relación al ingreso de individuos a la Organización. Sin embargo, la literatura no es tan extensa cuando nos referimos a los individuos que **egresan** de la Empresa.

Esta obra del Dr. Donald Cole representa un monumental trabajo de seis años sobre un "case study" – intervención realizada en una Empresa de "high-tech" donde se decidió explorar los egresos de personal profesional altamente calificado, que idealmente, la Empresa habría preferido "retener".

Alcance y Profundidad del estudio de la salida de los Profesionales de la Empresa.

Como se ha mencionado más arriba, son pocos los trabajos que se ocupan de esta materia que es tan vital para el desarrollo individual como organizacional. Y más raro aún es encontrar trabajos en esta temática tanto en relación a su alcance (abarcativa a lo ancho) como en cuanto a su profundidad (abarcativa hacia abajo).

No estamos familiarizados con ningún trabajo de similar envergadura en el cual, además de focalizarse en los procesos de expulsión - o auto expulsión -, se haya estudiado :

1. La tipología preferencial de Clima Organizacional, y cómo un tipo en particular predispone y facilita la expulsión de los Profesionales;

2. El proceso por el cual el "Profesional" se expulsa - o es expulsado - de la Empresa eligiendo caminos alternativos para ganarse la vida;

3. Las formas o arreglos organizacionales y cómo uno de ellos da origen a una nueva profesión: Desarrollo Organizacional;

4. Las características del Individuo que facilitan su expulsión (o auto-expulsión);

5. Las características organizacionales que facilitan la expulsión de algunos profesionales en lugar de otros profesionales;

6. La importancia del modelo que los Profesionales tienen en su "cabeza" respecto de cómo funciona la Empresa, y cómo su contraste con la realidad gatilla el proceso por el cual puede facilitarse su egreso de la Empresa.

Si bien se trata de un trabajo de investigación eminentemente práctico, realizado en una Empresa durante varios años, donde el Dr. Donald Cole se apoya en suficiente evidencia empírica, encuentra asimismo el autor un importante sustento en las contribuciones de académicos e investigadores de diferentes disciplinas: psicología, psiquiatría, psicología social, sociología y psicología laboral, psicología industrial y educación, lo cual no es común en la literatura existente.

Finalmente, una contribución adicional y sumamente significativa, es el hecho de hacer referencia al comportamiento de otras especies animales que, además de dar al ser humano la oportunidad de disminuir su nivel de soberbia, le da la posibilidad de aprender cómo muchas de nuestras prácticas, en este caso prácticas profesionales realizadas en Empresas, no se diferencian mayormente de las respuestas que dan las otras especies (gatos, perros, cabras, ovejas, y monos entre otros). A todo esto el Dr. Donald Cole agrega lo que hemos aprendido en ciencias del comportamiento humano (behavioral sciences) en situaciones de cautiverio y privación, y su relación con el comportamiento de los participantes organizacionales poniendo foco en su egreso de las Organizaciones.

A este exhaustivo trabajo del Dr. Donald Cole, y por sugerencia suya, se incluye un capítulo desarrollado por Eric Gaynor Butterfield dedicado especialmente a encontrar soluciones prácticas en Latinoamérica a la expulsión de "algunos" profesionales en lugar de otros, ya que no todos son expulsados de la Organización.

En el caso de los servicios de Career Development que presta The Organization Development Institute International, existe suficiente evidencia de profesionales que se han beneficiado directamente como consecuencia de la lectura de este excelente trabajo del Dr. Donald Cole, lo que les ha permitido consolidar su posicionamiento y extender su carrera laboral en la Empresa.

En otros casos, aquellos que ya habían sido expulsados (o auto-expulsados), la mayor parte de los profesionales ha reconocido que habrían podido evitar su "salida no deseada" de la Empresa, junto con el "dolor" psicológico y económico que le ha acarreado su salida, si hubiesen leído a tiempo el libro del Dr. Cole. Como lo manifestara más de un paciente: *"Tanto tiempo aconsejado bajo la metodología Freudiana para resultados (laborales) inexistentes"*. Otro: *"De todas maneras creo que Freud (Sigmund) ha sido un excelente escritor"*.

Si Usted es un profesional interesado en formar parte de una Organización en la que tenga los beneficios de la seguridad de un salario a fin de mes combinado con la "posibilidad" de convertirse en el CEO de la Empresa, seguramente ha de sacar muy buen provecho a este libro; la continuidad de su carrera laboral en dicha Empresa ha de depender en gran medida de variables que son analizadas con detenimiento en los próximos capítulos por el Dr. Donald Cole.

En el último capítulo Eric Gaynor Butterfield comparte experiencias, aprendizajes y vivencias respecto del "Proceso Relacional entre el Individuo y la Organización – PRIO® en el tiempo". Se trata de una metodología que permite tanto a la Empresa como al profesional, identificar en qué etapa del proceso de Suicidio Profesional o Asesinato Organizacional se encuentra.

Los profesionales en Latinoamérica confrontan una situación sin igual, y los que no estén preparados, probablemente han de recibir resultados que seguramente no han anticipado y, eventualmente, alejados de sus propias expectativas.

El trabajo pionero del Dr. Cole, ahora integrado con las experiencias recientes en Latinoamérica, se orienta a asistir a los profesionales para su fortalecimiento en el PRIO® (Proceso Relacional entre el Individuo y la Organización) si es que tienen real interés en mantener una relación continuada, creciente, sostenida y beneficiosa en el tiempo.

A MODO DE PRÓLOGO

PARA CONOCER UN POCO MÁS AL DR. DONALD COLE

Traducción libre de la entrevista realizada por Jim Gustafson al Dr. Donald W. Cole en el 21° Congreso Mundial de The Organization Development Institute (Austria, 2001).

"Un tributo a la leyenda del Desarrollo Organizacional ***Don Cole****: Una Conversación con un Respetado Pionero Social en un Castillo de Viena", por Jim "Gus" Gustafson (Vicepresidente & Director General, MECHdata, Inc. y estudiante de doctorado en la Benedictine University).*

"Muchos de los aproximadamente 75 participantes al 21er. Congreso Mundial de Desarrollo Organizacional, realizado durante el mes de julio pasado en Viena, dirían que uno de los aspectos más destacados del programa fue el emocionado relato acerca de la historia del "Organization Development Institute", como asimismo de todo el campo del Desarrollo Organizacional, realizado por Don Cole. Resulta realmente irónico el hecho de que Don no tenía intención de hablar sobre ese tema. Estaba en su agenda el tema "Suicidio Profesional y la Evolución de los Estilos de Management".

Sin embargo, gracias a una firme – aunque cariñosa – presión, Don aceptó compartir algunas historias muy personales con todos nosotros. En su humildad, estoy seguro de que Don pensaba que nadie estaría interesado en su perspectiva, a pesar de las risas, lágrimas y abrazos de muchos de los asistentes al finalizar su apasionada presentación.

Don aceptó cordialmente ser entrevistado, de manera que ahora puedo compartir con los lectores del OD Journal que no estuvieron presentes en Austria, algunos de sus ricos e íntimos pensamientos. Para aquellos que nunca han estado junto a Don, les digo que es una de las figuras más humildes y de modales y modo de hablar más tiernos que usted pueda imaginarse. Es más probable que usted lo encuentre acomodando las sillas en el fondo del salón antes de alguna presentación, que verlo a él mismo sobre el escenario dirigiendo la discusión. Sin embargo, ese hombre de modales tan tiernos, es un verdadero pionero en nuestro campo y es la persona que ha conducido e impulsado al OD Institute, tal como lo conocemos en la actualidad.

Él escribe personalmente cada palabra del Newsletter, los ensobra y pega las estampillas antes de llevarlos al correo. A los 76 años, tiene una vida más vibrante y significativa que la mayoría de las personas con la mitad de su edad. Y cuando le pedí que hiciera un análisis de toda su vida a fin de determinar cuál había sido su experiencia más importante, me respondió que justamente había sido esa mañana, a las 9:00 h., en relación al problema de Irlanda del Norte. Aquí tenemos el caso de una persona que vive sus experiencias más importantes cada día de su vida, en lugar de mirar hacia atrás en la historia; a pesar de ello, todo lo que hace contribuye activa y positivamente en la historia!

Gus: *Don, primeramente me gustaría conocer acerca del nacimiento e iniciación del O.D. Institute. Por favor, recuerde su primer pensamiento acerca de la noción, de la necesidad de una Organización como el O.D. Institute. Qué pasaba por su mente, por su vida, por su ambiente y por el mundo cuando surge la necesidad y oportunidad del O.D. Institute? Por favor, cuéntame la historia del nacimiento del O.D. Institute.*

Don: *Bien, si quieres, puedo comenzar desde antes del O.D. Institute. Puedo retroceder hasta la época en que percibí por primera vez la necesidad de la disciplina "Desarrollo Organizacional"*

Gus: *Por favor...*

Don: *Esto ocurrió en 1956, cuando el Estado de Washington me pidió desarrollar un centro residencial para el tratamiento de niños con disturbios emocionales en el edificio de un hospital / prisión. Yo estaba preocupado por el hecho de tener que organizar una unidad de tratamiento dentro de la estructura administrativa de un hospital / cárcel estatal y por eso escribí a los centros residenciales de tratamiento más importantes de aquella época en los EE.UU., tratando de averiguar si conocían algún antecedente o si había alguna experiencia anterior sobre el tema de centros residenciales de tratamiento construidos en medio de un ambiente carcelario. Las respuestas fueron que nadie ni nunca había visto algo similar. En realidad, había una unidad carcelaria para menores en el Estado de New York, en la que habían desvinculado a todo el personal con la esperanza de crear un ambiente de tratamiento, en lugar de lo anterior, que era un ámbito carcelario. Sin embargo, a pesar de cambiar la totalidad del personal, fueron incapaces de lograr su meta; el sistema de prisión continuó vigente.*

Otro tema que me impactó fue darme cuenta que los problemas de salud mental en todo el mundo, no se solucionarían con tratamientos clínicos individuales. De hecho, no había suficiente cantidad de clínicos para lograr ese objetivo. Teníamos que encontrar alguna tecnología que fuera capaz de permitirnos promover la salud mental con mayor eficiencia y efectividad que los tratamientos basados en relaciones individuales.

En Chicago vivía un joven llamado Bruno Bettelheim, que había escrito varios libros en los que trataba un concepto llamado "Milieu Therapy". Milieu Therapy era la creación de un entorno que podría ayudar a resolver problemas de salud mental.

Esta percepción se me terminó de componer cuando me fue encargada una investigación en la TRW – una Compañía aeroespacial – sobre suicidio profesional. La Empresa definía el problema como la existencia de algo negativo que sus brillantes ingenieros y ejecutivos se hacían a sí mismos. De esa manera, yo los veía dentro de un contexto clínico, tratando de ayudarlos en sus problemas. Y lo que en realidad hice fue escucharlos sobre lo que ellos me querían decir. Y lo que querían decirme era que tenían una bella familia, con bellos hijos y con una bella mujer, pero que no conseguían verlos muy seguido. Que la causa del citado problema era la Compañía. Fue así que comencé a pensar en los aspectos que la Empresa debería cambiar para que esa gente no solamente permaneciera, sino que además aumen-

tara su productividad.

En aquella época, fui a buscar a un colega llamado Herb Shepherd, de Case Western Reserve que estaban comenzando el primer Programa de Desarrollo Organizacional en los EE.UU.

Gus: *¿Cuándo fue esto?*

Don: *Esto habrá sido en 1964. En 1965 la Compañía me envió a un entrenamiento en su programa interno a Bethel, Maine, de manera que tuve de ellos 5 semanas de prácticas en Desarrollo Organizacional. Regresé al próximo año por un programa de 2 semanas sobre Resolución de Conflictos y comencé a tomar cursos en Case Western Reserve – y me quedé allí por 3 años - tomando cursos sobre Desarrollo Organizacional.*

Entonces me incorporé a la industria mediante el aprendizaje a través del laboratorio. Además había otras personas en la industria que también estaban interesadas en el tema de los laboratorios de aprendizaje como una manera de ayudar a las Empresas a funcionar mejor. Los laboratorios de aprendizaje comenzaron su actividad focalizándose en el ambiente educacional. El original NTL fue el sector de investigación de la National Education Association. Los educadores estaban precisamente buscando una manera de enseñar mejor a la gente y el nuevo concepto de laboratorio de aprendizaje parecía ser lo indicado. De esta manera el laboratorio de aprendizaje comenzó a funcionar en educación. De allí siguió en la religión y finalmente en 1963 se extendió a las corporaciones.

En ese entonces NTL inauguró algo que se denominó "Industrial Network", para personas que trabajaban en la industria, que poseían alguna experiencia en laboratorios de aprendizaje y que deseaban utilizar esa experiencia para la mejorar sus Empresas. Ante la quiebra de NTL, nació una institución independiente llamada O. D. Network con Warner Burke como Ejecutivo Jefe.

El encuentro fundacional del O.D. Network se llevó a cabo en 1968 en las afueras de Cleveland. Allí me di cuenta de que muchos de nosotros batallábamos de manera solitaria. El grupo sugirió que sería conveniente dividirse en sub-unidades geográficas. Se creó el Boston Group, el New York Citi Group, el Philadelphia Group, el Chicago Group, el California Group – y resolvimos analizar cómo podríamos ayudarnos entre todos. Yo estaba en el Grupo de Ohio, que resolvió reunirse dos veces al año en Columbus. Así, dos veces por año viajaba 400 millas para un encuentro de una jornada en Columbus con los otros tres fundadores.

Después de unos 3 años de encuentros entre los cuatro, comenzamos a abrirlos para permitir que otras personas vinieran a juntarse con nosotros. Decidimos que esto nos sería útil en la medida que compartiéramos nuestros conocimientos con alguien de la especialidad que fuera de primer nivel, para saber qué tenían para decirnos. De esta manera comencé un programa llamado "Un día con..." y tuvimos un día con Chris Argyris, un día con Ed Schein, un día con Gordon Lippit – un día con algunos de los nombres más importantes de la especialidad.

El resultado fue que las acciones que nosotros estábamos realizando nos parecieron más excitantes y actualizadas que las cosas que hacían las personalidades invitadas.

Ante esa realidad, comenzamos una Conferencia basada en el modelo "mostrar y contar". Invitaríamos a cualquiera que quisiera venir a la conferencia para hablar acerca de lo que hacía y que quisiera contarnos sus dificultades en el campo práctico. Todavía estamos utilizando ese modelo.

Gus: *¿Los participantes en las conferencias eran más profesionales que académicos?*

Don: *Sí. La gente comenzó a enterarse de lo que hacíamos y pronto estábamos recibiendo personas de afuera de Ohio. Nos autodenominamos por algunos años "O.D. Network del medio-oeste". Pero como nuestra fama se extendió de costa a costa, el nombre ya no era apropiado y yo realmente no quería tener conflictos con el O.D. Network. Como ellos ya realizaban una conferencia en la costa este y otra en la costa oeste, nosotros decidimos hacernos internacionales. Nos llamamos entonces Organization Development Institute y comenzamos a buscar activamente gente que se dedicara al desarrollo organizacional fuera de los EE. UU.*

Gus: *¿Qué medios usaron?*

Don: *El boca a boca o simplemente estando atentos para descubrir a aquellos que hacían algo y yo les escribía. Una de las personas a las que les escribí fue un joven especialista en desarrollo organizacional en Ciudad de México. Le pregunté si le gustaría iniciar una red de OD en México y me dijo que no. Había pocos especialistas allí y me dijo que OD era un producto para una sociedad próspera, inapropiado para un país pobre como México. Agregó que México era un país con una sociedad pre-industrial, que por lo tanto se caracterizaba por su burocracia. Por supuesto que yo estaba en los EE.UU. tratando de ayudar a las Organizaciones a escapar de la burocracia y por lo tanto trabajábamos en caminos opuestos. A pesar de esto, organicé una conferencia en Toronto, Canadá llamada "International OD" – a la cual invité a personas de todo el mundo para que vinieran a contarnos que clase de OD estaban haciendo.*

Uno de los efectos de la conferencia fue la situación de India. Allí existían Empresas familiares que cuando resultaban exitosas, el cabeza-de-familia enviaba a su hijo al Harvard Business School. El joven volvía a su país afirmando que la Empresa necesitaba un Departamento de Personal, otro de Producción, de Marketing y que debían departamentalizarse. Mientras tanto en los EE. UU. Estábamos tomando Empresas departamentalizadas para construir en ellas equipos de trabajo. Y en la India ya poseían equipos de trabajo antes de enviar a sus hijos a Harvard.

Pareciera que a pesar de que los países en desarrollo utilicen nuestra tecnología y que además adopten nuestras técnicas de las ciencias sociales, igualmente sus propias ciencias sociales son superiores a las que adopten de nosotros. Otro ejemplo de esto, por supuesto, es el sistema médico integral "rooming in". Los más avanzados hospitales en los EE.UU. están recién comenzando a adoptar el sistema por el cual las madres tienen contacto con sus bebés. Esto es muy común en los países no desarrollados. Esto nos sugiere que así como se puede enseñar mucho desde los países desarrollados, también hay ciertas cosas que se pueden aprender de los países en desarrollo.

Gus: *¿Cuándo fue la primera Conferencia Internacional?*

Don: *Alrededor de 1978*

Gus: *Entonces ¿qué ocurrió después?*

Don: *Bien, el próximo gran evento ocurrió alrededor de 1981. Yo estaba en la Conferencia del OD Network en Snowmass, Colorado y había allí un muchacho que se había dedicado a trabajar como consultor en ciencias del comportamiento en la policía inglesa de Irlanda del Norte. Como yo estaba muy interesado en el conflicto, le pregunté cómo andaban las cosas por Irlanda del Norte y su respuesta fue "no muy bien". Me contó que habían tenido más de 500 casos de violencia (rodillas y codos destrozados). Al preguntarle sobre cuáles eran según él las posibilidades de resolver el problema, me respondió que solamente podría resolverse aumentando la violencia.*

No podía creer lo que estaba escuchando, en especial tratándose de un especialista en ciencias del comportamiento. Le pregunté si había entendido bien y su respuesta fue "si". Era un especialista en ciencias del comportamiento y no creía que la situación en Irlanda del Norte mejoraría sin un AUMENTO de la violencia. Yo pensé que para él debería ser terrible haber llegado a esa conclusión, y estuvo de acuerdo a pesar de continuar en su idea. Le propuse un encuentro con otros especialistas en ciencias del comportamiento para tratar de encontrar otras opciones. Me respondió que "de ninguna manera". En esa época Lord Mountbatten había sido asesinado por el IRA y él comentó que si el IRA lo había juzgado y había descubierto quién realmente era, la ejecución era correcta. Ante ese comentario, me alejé del sujeto.

Pero a la mañana siguiente nos encontramos durante el desayuno y le pregunté cómo había dormido esa noche; su respuesta fue "no muy bien". Que estuvo pensando sobre nuestra charla y que había llegado a la conclusión de que estaría interesado en participar de un debate si se le garantizaba el anonimato. Acepté la condición e inmediatamente me puse a buscar en el mundo especialistas en comportamiento que estuvieran interesados en participar de una conferencia. Uno de los primeros que contacté fue Leonard Dube de Yale, quien había trabajado en Irlanda del Norte además de haber participado en conflictos fronterizos en el África. Me prometió asistir.

Después contacté a Terry Prothro, a la cabeza del Centro de Ciencias del Comportamiento de la Universidad de Beirut, en el Líbano. Existían muchos conflictos en ese país y me contestó que estaría encantado en concurrir. Así convoqué a unas 70 personas de todo el mundo para una conferencia en Nashua, New Hampshire en 1982. Escribí un libro sobre la conferencia y los documentos que se habían presentado, además de trabajos de reconocidos profesionales en el área de resolución de conflictos. El libro, disponible en el OD Institute, está agotado en este momento pero espero que sea re-editado.

El grupo que se reunió en New Hampshire fue muy interesante. Uno de los participantes, el Dr. Josip Obranovich, de la Universidad de Zagreb en Croacia, sugirió un siguiente encuentro en Dubrovnik. Así que el año siguiente fuimos a un encuentro en Dubrovnik, Yugoslavia – una bella ciudad amurallada, de las más bellas del mundo. Al año siguiente fuimos a la Universidad de Southampton. El próximo fue en un castillo en Zeist, Holanda. Fuimos a Israel. Después teníamos agendado ir a Polonia, pero este país estaba bajo el régimen comunista y la gente pertenecía a un comité dirigido por comunistas que desconocían OD. (Consideré que no era el lugar indicado para una conferencia de OD y la cancelé). En su lugar, la realizamos en un barco, viajando durante 10 días por el Río Volga. Como a la gente le gustó la idea del río, alquilé para la próxima conferencia un barco en el Río Yangtze en China, donde navegamos durante una semana. El año siguiente fuimos a Saalback, Austria, sobre los Alpes. Después fuimos a Maribor en Eslovenia, a Berlín, y a Lituania. Después a Volgograd, Rusia y a la Universidad de Oxford en Inglaterra. Seguimos en Nepal, El Cairo – donde juntamos a las partes en conflicto en Chipre – a México para hablar con alguien de Chiapas. Después fuimos a Dublín, a Zimbabwe, a Goa, en la India y por supuesto este año estamos en Viena, Austria.

Gus: *Esos eventos internacionales equivalían a lo que hoy conocemos como Congreso Mundial de OD?*

Don: *Si.*

Gus: *¿Cómo ha evolucionado en el tiempo?*

Don: *Creo que la evolución a través del tiempo está relacionada con la acumulación de una base de información, parte de la cual ha sido llevada de una conferencia a otra. Hay un grupo de gente que siempre concurre y dado que el Congreso es altamente participativo, existe la posibilidad de transferir informaciones de conferencias anteriores a las nuevas. No se trata de un encuentro para analizar qué novedades aparecen en la literatura. Mi sensación es que los conocimientos sobre OD tienen un promedio de 6 años de vigencia. Como por lo menos lleva unos 6 años escribir un libro, cuando tienes un libro listo para entrar en edición, seguramente ya está desactualizado. Nosotros no alentamos la incorporación de libros o artículos publicados. Preferimos recibir los relatos e informes de personas que están en este momento haciendo cosas y de ellas aprender las últimas experiencias prácticas, más que conocer qué es lo que se ha escrito sobre los mismos asuntos.*

Gus: *La estructura actual de los encuentros consiste en estimular a los inscriptos al Congreso a que presenten sus experiencias y esto crea un ambiente muy fluido. Ha sido siempre así?*

Don: *Si, ha sido nuestro modelo. Es una reunión de colegas, más que una conferencia académica. En lugar de publicitar algunos nombres como oradores, colocamos a todos en el programa. Esta particularidad crea un contexto muy enriquecedor que favorece el aprendizaje.*

Gus: *Ayer, durante tu presentación, has compartido una historia impactante y emotiva al recordar tu experiencia militar. Puedes, por favor, compartir esa historia?*

Don: *Bien. Fui reclutado por el ejército durante la segunda guerra mundial y fui al frente porque lo pedí. Podría haberlo evitado valiéndome de mi problema visual, pero preferí luchar por mi país. Yo le disparé a otras personas cuando era militar y estaba orgulloso por mis servicios. No sentía ningún remordimiento. Pero después de finalizar la guerra, comencé a sentir que deberían existir métodos para resolver problemas, que fueran mejores que crear enormes ejércitos para exterminar lo mejor de la juventud de un pueblo. Fue así como ingresé al movimiento pacifista. Después de mi experiencia en Snowmass, Colorado – con el científico conductista que trabajaba como consultor de la policía inglesa – si yo quería encontrar otros modos de resolución de conflictos que no fueran más violencia y más muertes, tenía necesariamente que ir a lugares violentos. Por eso me uní a un grupo que iba a Nicaragua durante la guerra de ese país. Los Contras, que habían sido creados por Ronald Reagan, Ollie North y toda esa gente, y que reemplazaron a las tropas de la Guardia Nacional de Somoza, cuando estas habían abandonado el país, luchaban para retomar Nicaragua para Somoza. Así fue como se especializaron en torturar. Nosotros fuimos al frente porque ellos no atacarían si hubieran ciudadanos norteamericanos en la zona. Entonces nos presentamos como rehenes voluntarios para proteger a esas familias de pequeños agricultores, ante el peligro de ser asesinados por las fuerzas de los Contras. Habíamos oído terribles relatos de torturas. En una de esas pequeñas ciudades, hablé con una mujer que había enviudado por culpa de los Contras y también hablé con pequeños niños cuyos padres habían sido asesinados por los Contras.*

Nunca me sentí muy mal por lo que habíamos hecho en Europa – creíamos estar salvando al mundo de Hitler. Pero me sentí terriblemente mal por lo que estaba ocurriendo en Nicaragua. Al volver a casa, lloré durante una semana, especialmente por esos pequeños niños.

En el Congreso Mundial de 1985 en Holanda, apareció un tipo proveniente de Sudáfrica. Todos sabíamos las cosas terribles que los blancos de Sudáfrica hacían a los negros. Temíamos que una persona como esas apareciese en un Congreso de OD. Hasta que nos enteramos que estaba allí porque había vendido su casa en la playa para financiar un programa que enseñaría a los líderes comunitarios – la mayoría de ellos negros – cómo cambiar su país sin violencia. Nos explicó que al enterarse de que yo había escrito un libro titulado "Técnicas para Resolución de Conflictos", quiso invitarme a su país para poder ver directamente la situación en el lugar y participar de alguno de los talleres. Entonces viajé a Sudáfrica en 1986, durante la vigencia del Apartheid. Aterricé en el aeropuerto de Johannesburgo y al bajar del avión, estaba Loew esperándome. También pude ver a un negro enorme en pleno aeropuerto. Me habían comentado que en ese aeropuerto no podían entrar los negros. Mientras caminábamos en dirección de su auto, Loew me susurró que el tipo era Tammy Saluma, un príncipe Suazi, que era el alcalde de una pequeña ciudad cercana. Agregó entonces que el hombre debía andar armado porque la ANC lo quería matar. El motivo de la amenaza era que él quería cambiar las cosas utilizando métodos no violentos y la ANC –que era considerada "comunista" – sentía que la manera de cambiar un país es asesinando y matando a la clase media. (Porque la clase media nunca dejaría el poder, a menos que fuera exterminada)

Pues ahí estábamos. Loew – un sudafricano blanco, yo – un tipo blanco de los EE.UU. y ese negro grandote cargando un arma. Nos dirigimos al Holiday Inn en el centro de Johannesburgo. Allí había una gran sala de conferencias, en la cual me invitaron a disertar en ocasión de la ceremonia de graduación de uno de los grupos de Loew. Había en el salón unas 100 personas, de los cuales 90 eran negros y unos 10 eran blancos. Después de mi discurso, me impresioné con las preguntas inteligentes que me hicieron. Evidentemente eran todos brillantes y, por supuesto, líderes comunitarios. Después de las formalidades del acto, fuimos al comedor – en el lobby principal de un hotel en pleno centro de Johannesburgo durante el Apartheid – y me puse en la fila del buffet entre dos negros. Cuando me dirigí al baño, había un negro a mi izquierda y otro negro a mi derecha – esto era el Apartheid en Sudáfrica.

Loew me invitó a uno de sus talleres en la montaña. Estuve allí una semana y conseguí saber algo sobre las personas que figuraban en el programa. Por la mañana temprano, yendo hacia el baño, me cruzo en el camino con un colega que me dice: "¡Oh, qué suerte que eres blanco!" Asustado, le pregunté por qué me decía eso. Su respuesta fue "todos los negros americanos son gángsteres". Por supuesto que muchos negros habían ido a Sudáfrica comprometidos con la violencia para lograr la liberación del Apartheid. Pero el debate en Sudáfrica no era realmente negro o blanco sino una discusión tribal. No todas las tribus eran anti-blancos. Los blancos habían liberado a algunos de ellos de la esclavitud de negros hacia negros. Los Zulúes construyeron un imperio y esclavizaron a muchas de las tribus. Las tribus fueron liberadas de los Zulúes y algunas sentían amistad hacia los blancos.

El conflicto en los EE.UU. era entre blancos y negros, porque éstos últimos llegaron a América habiendo perdido su herencia tribal. Pero en Sudáfrica no hay, como en Europa, un concepto de discriminación por el color de la piel. Yo sabía que en los EE.UU. no me creerían si yo les contara – como hombre blanco – lo que yo había visto allí en relación a cómo estaban ocurriendo las cosas. Entonces les pedí a los participantes del taller que escribieran algo. Cuando regresé a Johannesburgo, me aguardaba una carta de uno de los tipos del taller, en la que decía algo así como "No quiero hablar al mundo sobre la sangre de mis hermanos". Esta era la posición del comunismo – crear mártires. Decía que no quería hacer tal cosa. Deseaba encontrar una manera pacífica y esto lo ayudaría a lograrlo.

Cuando regresé a los EE.UU. conocí a gente que no creería nada de lo que yo les dijera, de manera que convoqué a un equipo de consultores en OD – unas 20 personas. Viajamos a Sudáfrica y alquilamos un ómnibus en el que viajamos por el país, siendo una mitad blancos y la otra mitad líderes comunitarios negros. Paramos en los mismos hoteles, en los mismos restaurantes, tomamos el mismo vino – y esto era en Sudáfrica durante el Apartheid. Fue una experiencia muy impresionante para todos nosotros.

Un tiempo después, me interesé en los problemas de Croacia. Invité a alguien de Croacia para que viniera a hablar en una de nuestras conferencias, con la condición de que ella podía invitar a un serbio para que la acompañara y así nosotros podríamos escuchar a los dos lados. Así lo hizo y al año siguiente trajimos un equipo entero de los Bacanes. Con este antecedente, fui invitado a Croacia (en parte por mi libro). Hicieron posible que yo fuera al frente de batalla y trataron de que pudiera ingresar a la parte croata ocupada por Serbia, pero estaban con miedo porque como en mi pasaporte había una visa croata, pensarían que yo tenía esa nacionalidad y me matarían. Por eso no conseguí pasar, pero vi partes de Croacia que habían sido destruidas por las fuerzas de ocupación serbias y pude ver ejemplos de las inscripciones que habían dejado sobre las paredes de las casas que habían ocupado. Cuando dejaban una casa, debían romper todo – sanitarios, paredes, destruir todo. Los graffiti que dejaban eran muy obscenos y no tenían nada que ver con los graffiti que dejaban los americanos en los lugares en que habían estado. Los serbios dejaban inscripciones describiendo las cosas que harían a las mujeres que capturasen. Que le arrancarían los ojos a los crucificados y amenazaban hacer lo mismo con las mujeres. Era un período de grandes atrocidades.

Yo esperaba llevar algunas personas de esos sitios a la conferencia, pero por variados motivos no podían ir. Fue una experiencia que me impactó mucho.

También llevé un equipo a Polonia, cuando Polonia estaba bajo el comunismo. Viajamos por una semana con 15 americanos, 15 miembros del OD Internacional y nos encontramos con 15 especialistas polacos en OD. Me interesaba el caso Gdansk, el astillero en que había sido fundado Solidaridad. Yo entendía que allí había un proyecto de OD. Por supuesto que en Polonia se estaba dando una transición sin la existencia de muchas muertes. Los tanques rusos nunca rodaron. Me pareció que podría ser un caso aplicable en Irlanda del Norte.

Gus: *Hemos hablado acerca de la historia del O.D. Institute a través de tu propia vida y de los acontecimientos en el mundo por aquellos tiempos. Yo tenía otras preguntas específicas para hacerte, pero me gustaría saber si tienes algo más que agregar acerca del O.D. Institute que no hayamos cubierto.*

Don: *Me pregunté muchas veces, cuál es la diferencia entre el O.D. Institute y el O.D. Network. Este último constituye una gran Organización, que organiza una muy buena conferencia anual – una gran conferencia. Mi experiencia es que no hay en esos eventos muchas oportunidades para los participantes, o para conocer gente. Estar en el programa es muy difícil porque está dominado por una cantidad relativamente pequeña de gente. La mayoría de los participantes no tiene oportunidad de hablar sobre las cosas interesantes que hacen. El O.D. Institute se asemeja al O.D. Network de sus primeros tiempos. Además, yo desarrollé como una misión del O.D. Institute, la posibilidad de ayudar a crear la profesión de O.D. El O.D. Network no está interesado en este tema.*

Cuando yo figuraba en el consejo del O.D. Network, traté de interesarlos en redactar un código de ética para el O.D. pero me respondieron ásperamente que ellos no eran ese tipo de Organización. Se trataba en realidad de una Empresa comercial. (No lo dijeron, pero se percibía que estaban interesados en vender cursos sobre "cómo hacer" más que ser una entidad interesada en la problemática mundial). Además, no les importaba el tema del campo profesional del O.D. Este tema sólo era discutido en el Registro Internacional. Si alguien quisiera mayores informaciones, podría obtenerlas allí.

Gus: *Sin tratar de ser modesto, podrías decirnos cuáles son tus características y cualidades que han permitido movilizar la increíble iniciativa del O.D. Institute?*

Don: *Mi madre fue Congregacionalista, una derivación de los Pilgrims que eran fuertemente calvinistas. La religión calvinista sostiene la posición que uno no está en este mundo para tener un buen pasar; que hemos sido puestos en este planeta para hacer alguna contribución para dejarlo un poco mejor de lo que lo hemos encontrado. Esta idea lentamente fue introduciéndose en mí. Y en lugar de desarrollarla en los círculos religiosos, sentí que sería más efectivo llevarla al ambiente de las ciencias del comportamiento. En vez de pregonar en las esquinas, trabajar en la realidad de las cosas.*

Tuve la fortuna de haber podido estudiar y de haber estado en el lugar adecuado y en el momento correcto para aprovechar las oportunidades que me permitieron hacer cosas que jamás hubiera podido de otra manera. Por eso estoy muy agradecido por las oportunidades que la vida me brindó.

Gus: *Don, antes nos contaste la historia de un científico especialista en comportamiento que no la pasó bien después de la primera discusión contigo. Que a la mañana siguiente te contó que no pudo dormir bien. Qué crees tú que hubo en tu conversación para que influyese tan profundamente en él, al punto de hacerle cambiar la mente?*

Don: *Bien, creo que se encontró en medio de una discusión – en buenos términos – que lo preocupó. Creo que los dos sentimos una suerte de coincidencia en imaginar que había un lugar en el mundo que necesitaba un cambio y que él no sabía cómo hacerlo. Tal vez percibió que podía aprender alguna manera de cambiar las cosas. Creo que pudo apreciar y disfrutar la oportunidad de aprender que había alguien que estaría deseoso y complacido en ayudarlo a resolver su problema. Además, alguien que tenía los recursos para ayudarlo – en aquella época yo tenía una red internacional de la cual podía conseguir gente – no era de mi agrado empezar de la nada. Así que tenía a la gente y cuando tienes a la gente interesada, consigues los fondos necesarios. Yo tenía los recursos para ayudarlo, que otra gente no tenía.*

Gus: *Le diste cierta esperanza que él quizá no tenía por entonces?*

Don: *Correcto. Y tal vez hubiéramos podido encontrar una manera mejor de hacerlo.*

Gus: *En el momento en que te separaste para formar el O.D. Institute, pensaste que iba a crecer tan global, rico y amplio en materia de impactos positivos en tantas vidas, como lo es hoy por hoy? Por qué sí o por qué no?*

Don: *Cuando era más joven, yo debía tener un camino trazado para mi carrera. Yo debía pensar, "bueno, en 3 años espero llegar a Supervisor. En otros 3 años espero ser Director."*

Yo tenía ese tipo de metas para mi vida. A medida que fui creciendo, los objetivos que me imponía se me iban cumpliendo cada vez más rápido. Y en realidad ahora se me dan en un mes o seis semanas en parte porque se me abren muchas oportunidades maravillosas. Y están abiertas todo el tiempo. Estoy francamente pasmado por las riquezas de aquello que se puede hacer si colocas en tu mente que lo quieres hacer. Tuvimos una experiencia interesante en Polonia. Conversamos con ellos para iniciar una red de O.D. en ese país y mandamos un equipo de consultores varias veces. Después de haber discutido el tema de la red de O.D. en Polonia, volví a ese país al año siguiente y les pregunté cómo les estaba yendo. Me respondieron que no habían hecho nada. Cuando les pregunté el motivo, respondieron que "por no tener nada de dinero". Les pregunté cuánto creían que necesitaban y me dieron una cifra. Me dirigí al equipo de consultores americanos y les pregunté si creían posible reunir ese monto. Me respondieron que estaban seguros y comenzaron a juntar la plata necesaria para fundar el O.D. Network de Polonia en un sombrero. Cuando los polacos vieron lo que estaba pasando, dijeron que también querían colaborar con plata y empezaron a ponerla en el sombrero. Muy rápidamente, los mismos polacos habían reunido el dinero suficiente para sus necesidades y pudieron devolverle su plata a los americanos

***Gus:** Mirando hacia atrás, sobre toda tu experiencia en el O.D. Institute e inclusive en tu vida, por favor piensa en algún momento en que te sentiste más activo, más comprometido y más orgulloso de tu emprendimiento. Por favor, comparte la experiencia conmigo.*

***Don:** Debían ser las 9:00 de la mañana cuando comenzamos a oír a la gente de Irlanda del Norte que hablaba acerca de la inutilidad de su trabajo y su sensación de que habían intentado de todo – mientras yo pensaba que ellos no habían tenido contacto con desarrollo organizacional. Estuve allí por 10 días como parte de una observación para determinar cómo los 30 consultores en O.D. voluntarios (que habían viajado a su cargo) podían ser mejor aprovechados. Escuchamos a un miembro del Sinn Fein que, escondido en un tacho de basura pudo ver cómo un compañero suyo era baleado por la policía y en la misma agenda a un unionista que podía ser asesinado por su interés en colaborar porque su partido pensaría que se estaba vendiendo. Ver a esa gente juntos y hablando y tener en el auditorio gente que había debatido en Zimbabwe, Sudáfrica, los Balcanes y Lituania. Asistir al inicio de este tipo de diálogo me hace sentir muy humilde a pesar de haber tenido participación en la convocatoria de esas personas, lo cual significa la posibilidad de un cambio real en su mundo y de formas muy positivas. Así que estoy completamente feliz por ello.*

***Gus:** Debe ser lindo tener una experiencia impactante casi todos los días de tu vida!*

***Don:** Sí! El e-mail ha sido una ayuda fantástica para que casi todos los días yo pudiera saber de alguien que está comprometido en alguna clase de lucha solitaria. Me gusta saber que soy capaz de ayudarlo.*

***Gus:** En un sentido general, quisiera preguntarte ahora sobre aquello que valorizas profundamente, específicamente las cosas que valorizas sobre tú mismo y sobre tu trabajo. Qué valo-*

rizas más en ti mismo como persona (padre, marido, cabeza del O.D. Institute, miembro de la comunidad, etc.)?

Don: *Bien, mi gran tarea durante la mayor parte de mi vida ha sido cómo enviar a mis cinco hijos a la facultad. Y no solamente a mis cinco hijos, sino también a mi esposa y yo mismo tengo diez años de estudios sobre mi persona. No sé cómo, pero ha sido para mí algo maravilloso poder hacerlo por ellos.*

Gus: *Un dicho afirma que una tarea clave en la vida es descubrir y definir el propósito de nuestra vida y, entonces, tratar de realizarlo con lo mejor de nuestras capacidades. Por favor, comparte con nosotros el relato de algún momento, o de un período en el cual surgió de ti claramente cuál era el propósito de tu vida – por ejemplo, un momento que llamarías de felicidad, en el cual hubieras tenido un estímulo o enseñanza, una experiencia o evento especial, donde hubieras recibido alguna visión que te haya orientado. Ahora, después de esa historia, qué sientes que te ocurrirá después que esta vida se termine?*

Don: *Bien, estoy en una situación muy afortunada, porque todo eso lo estoy haciendo de lleno precisamente ahora, en el día a día. No es como el relato del tipo que en su lecho de muerte revive todas las cosas de su vida que no hizo – todo aquello que no completó. Yo tuve un montón de cosas incompletas, pero ocurrieron y me hicieron sentir muy afortunado.*

Gus: *Hubo algún momento particular de tu vida en el cual dudaste del sentido de tu vida o de qué cosas debías hacer?*

Don: *Sí, hubo. El negocio aeroespacial había recibido un golpe y en vez de buscar más desarrollo organizacional y mejorar la administración, ellos quemaban a sus ejecutivos. Es obvio que no necesitaban un director para Desarrollo de Management ni un director para Desarrollo de Liderazgo, así que yo me eché a descansar. Aun hoy me veo sentado en el jardín del fondo de la casa, curioso por saber qué iba a hacer. Tenía cinco hijos, una hipoteca, dos autos, un hijo con un problema de riñón – y yo curioso por saber qué iba a hacer. Me habían pagado un cierto dinero y me dije que iría a considerarlo como un tiempo de vacaciones. Me propuse hacer todo aquello que no podía a causa de un trabajo tan duro. Fue cuando realmente comencé a poner energías en el O.D. Institute y a generar las conferencias, encuentros, proyectos y todo tipo de materiales.*

Gus: *Entonces el O.D. Institute fue para ti vacaciones*

Don: *Cierto –yo veía esa situación como una oportunidad para realizar ciertas cosas interesantes, en lugar de inmovilizarme por el problema. Era primavera y yo, en el jardín pensando qué hacer de mi vida.*

Gus: *Fue un momento triste o de miedo para ti?*

Don: *Fue un momento confuso para mí, porque en esa época tenía cuatro hijos en la facultad o en colegio privado. Pero todo terminó muy bien. Finalmente resultó que yo tenía dos trabajos full time y cuatro part time y podía deducir todos los gastos en educación de mis* *impuestos. Inicialmente, yo creía que iba a tener que liquidar todo para hacerme de fondos – pero no fue necesario. Pude deducir del impuesto a las ganancias y el resultado fue que logré un buen capital a mi disposición para hacer con él las cosas que me interesen. Por eso me siento muy afortunado de no tener problemas financieros.*

Gus: *Don, finalmente quisiera tomarte un momento para una mirada hacia el futuro. Digamos que esta noche, después de esta entrevista, te quedaras dormido hasta el 2011. Sería un gran sueño, un sueño maravilloso, y despertarías descansado y fresco. Durante tu largo sueño, habría ocurrido un gran cambio – tal vez algo milagroso – y el mundo sería exactamente como tú quisieras verlo. Imagina que el mundo trabajaría tal como tú piensas que debería hacerlo. Las relaciones, la educación, la economía, el medio ambiente, y así todo. Cómo sería el O.D. Institute? Qué habría cambiado en él y cómo tú lo sabrías?*

Don: *Tengo miedo que al despertarme dentro de 10 años no encuentre lo que hacer. Sería una muerte en vida porque todos los problemas se habrían resuelto y el O.D. Institute se habría retirado de los negocios. Lo lamento, pero no se me ocurre una respuesta. Nuestro futuro está en el aquí y en el ahora. Está en el aquí y en el ahora, casi mes a mes. Tenemos un Congreso planificado para Ghana – pero después de eso no hay nada. Y entre hoy y el Congreso no hay algo definido.*

Gus: *Hmmm – cómo se vería el mundo dentro de 10 años si estuviera de acuerdo con tu visión perfecta sobre el futuro?*

Don: *Los míos acostumbraban a pasar las vacaciones en una isla sobre la costa de Maine en la que no había electricidad, ni teléfono, ni agua; teníamos que cargar el agua en baldes desde una cascada. Mi madre solía decirnos que cierta gente iba a hoteles extravagantes y se recostaban en la playa por una semana y volvían a sus casas tristes porque sus vidas no eran como en la playa. Nos decía "nosotros no haremos eso. Iremos a lugares primitivos y el resto del año disfrutaremos todas las comodidades en casa."*

Por eso creo que todas las comodidades y todos los deseos de alguna manera se cumplirán dentro de 10 años y no quedará nada para que yo haga.

Gus: *Y eso sería bueno?*

Don: *No, eso me haría un solitario, no tendría objetivos, nada que conseguir. Porque todo eso ya estaría conseguido y yo no tendría energía para pensar acerca de algo nuevo para lograr.*

Gus: *Yo creo que tu probablemente lo harías.*

Don: *Puede ser, pero no lo se. Siento que afortunadamente todas esas oportunidades de hacer, se materializan en mi camino. Así fue como me llevaron a Irlanda del Norte.*

Con estas palabras, Don tuvo que volver deprisa para sumergirse en otro diálogo que, estoy convencido, hará alguna contribución positiva a para alguna situación.

Al agradecerle por el regalo de su tiempo y por haber compartido esos sinceros e íntimos momentos, Don (con su manera tan humilde) se sorprendió de que alguien podría interesarse en su historia, me agradeció A MI por cederle mi tiempo. Es realmente un RPS (Respetado Pionero Social) y nos sentimos bendecidos por tenerlo como líder – no, como una leyenda viva – en nuestro campo!

PREFACIO

Existen diferentes clases de suicidio. Está el suicidio físico en el cual muere el cuerpo de las personas, hay un suicidio psicológico en el cual mueren emocionalmente, y hay un suicidio profesional en el cual mueren profesionalmente. Este libro trata sobre el problema del suicidio profesional.

He definido al suicidio profesional como el proceso por el cual personas creativas, con iniciativa, bien educadas y altamente inteligentes, repentinamente toman decisiones que sólo pueden conducir en una dirección negativa a sus carreras en las Organizaciones. Lo hacen de distintas maneras:

1. Algunos de pronto renuncian a su trabajo por otros trabajos que están muy por debajo de sus capacidades.
2. Algunos se vuelven disruptivos y hacen cosas por las cuales saben que serán despedidos.
3. Algunos repentinamente se "retiran" en el mismo trabajo y lo hacen con el mínimo esfuerzo.
4. Otros, tomados por las crisis del día-a-día del trabajo, no se mantienen técnicamente actualizados y se tornan gradualmente obsoletos.
5. Otros desarrollan quejas psicosomáticas de dolores de espalda, de cabeza y úlceras.
6. Y algunos, a quienes sus médicos les aconsejan bajar el ritmo, no lo hacen y parecen dirigirse al suicidio físico.

El presente libro describe un proceso que parece estar ocurriendo con acrecentada frecuencia en muchas Organizaciones, e incluye descubrimientos de estudios acerca de este problema poco reconocido, con sugerencias acerca de las posibles soluciones.

El Capítulo 1 describe las metas más comunes hacia el Suicidio Profesional, y luego plantea las grandes categorías de problemas de la Organización que provocan respuestas de Suicidio Profesional. Se indican los requisitos para una relación compañía-empleado mutuamente beneficiosa, seguida de un breve resumen de intentos organizacionales de crear un entorno de trabajo más saludable desde el punto de vista psicológico.

El Capítulo 2 traza la evolución histórica de varias filosofías de conducción y de los factores que las influenciaron. Se clarifica la relación entre la filosofía de conducción y el suicidio profesional, y se recomienda un examen de la política de conducción, proponiéndose una mera dirección que generará la corrección de los problemas.

El Capítulo 3 describe el recorrido característico del Suicidio Profesional, las diversas etapas a través de las cuales los individuos se dirigen a él.

Los Capítulos 4 y 5 enfocan los factores específicos que contribuyen en los individuos y en el ambiente. El Capítulo 6 describe la investigación relevante en individuos y animales para ayudarnos a comprender mejor en teoría el problema del proceso del Suicidio Profesional.

El Capítulo 7 plantea el antídoto para el problema. El Capítulo 8 resume los descubrimientos y recomendaciones; y los Apéndices detallan las cinco fases del estudio que inspiró este libro, las características del talento creativo, el sistema de premios de una Organización, y un ejercicio grupal que clarifica "el dilema del gerente".

Este no es un libro acerca del modo en que los gerentes intentaron que las cosas ocurran, ni un libro sobre el modo en que los gerentes pensaron retrospectivamente cómo sucedieron las cosas; este es un libro sobre el modo en que las personas dentro de una Organización percibieron los sucesos en su devenir. La situación estudiada y los descubrimientos son tan válidos hoy como lo eran cuando se efectuó el estudio.

Donald W. Cole

Agradecimientos:

En cuanto a los agradecimientos de Donald Cole, favor de hacer Referencia al libro "Professional Suicide or Organizational Murder" (1981), McGraw-Hill Book Co.

UNO
EL PROBLEMA

Por cada gerente que hoy triunfa en los negocios, decenas quedan relegados a un lado del camino. Miles de gerentes y ejecutivos potencialmente brillantes cometen Suicidio Profesional y no saben qué hacer para revertir el proceso. Los directivos observan a buenos empleados deteriorándose y disminuyendo su utilidad para la Organización y no saben cómo modificar esta tendencia. El deterioro de estos individuos talentosos se manifiesta de siete maneras diferentes que detallamos a continuación:

1. Renuncian a su trabajo por otros empleos donde se ubican muy por debajo de sus habilidades.

2. Se vuelven rebeldes y hacen cosas por las cuales saben que serán despedidos.

3. Dejan de trabajar a pleno y gradualmente se "jubilan en el trabajo".

4. Se dejan atrapar por la corriente de crisis cotidianas, no se adaptan a la tecnología en rápido cambio, y después de cierto tiempo se sienten fuera de moda y obsoletos.

5. Desarrollan malestares típicamente psicosomáticos como dolores de cabeza, úlceras, ciática, y otros. El alcoholismo, que habitualmente es identificado por la comunidad como una forma de Suicidio Profesional, no se presentó con frecuencia considerable en el grupo de estudio integrado por gerentes, ingenieros y científicos, y posiblemente esto se deba a que los individuos que tratan de resolver sus problemas con el alcohol no son promovidos a estos niveles, o tal vez, los gerentes, ingenieros y científicos tienen suficiente experiencia y preparación como para enmascarar su problema de modo que no haya sido descubierto durante la investigación.

6. Después de haber sido altamente productivos en el pasado se ubican en trabajos en los que, por varias razones, son notablemente subempleados. Incapaces de resolver el problema con sus jefes, y sin deseos de renunciar, silenciosamente comienzan a deteriorarse por el sentimiento constante de ser considerados inútiles por sus pares.

7. No son capaces de aminorar la marcha, ni de perder peso, ni de dejar de fumar, y parecen encaminarse hacia el suicidio físico.

Algunos investigadores y observadores han sospechado durante años de la existencia de estas inclinaciones suicidas. La tendencia de algunas personas en ciertas Empresas para iniciar el proceso del Suicidio Profesional fue confirmada por un estudio singular y profundo realizado en una gran corporación norteamericana. En el Apéndice se pueden observar los detalles de este estudio y el modo en que fue realizado. Pero es más importante ahora considerar las conclusiones del estudio, las que puede ser aplicadas a muchas personas que usted supervisa hoy. También a usted mismo. En cualquier caso, el conocimiento de estas conclusiones y el reconocimiento de los síntomas del suicidio profesional le posibilitarán planificar acciones correctivas ahora, antes de que sea demasiado tarde.

Posteriormente vamos a examinar cada problema descubierto en el estudio y sugerir modos de interpretarlos y tomar acción preventiva, pero primero vamos a categorizar los principales problemas:

1. Expectativas no claras o irreales y situaciones nebulosas. Muchos gerentes nunca estuvieron lo suficientemente seguros respecto de su posición en la Organización ni de aquello que se esperaba de ellos. Muchos aguardaban que el "management" les proveyera las respuestas, mientras que las expectativas del management eran que ellos podrían resolverlo por sí solos.

2. Filosofía de conducción de "running lean", lo que con frecuencia significa que nunca se tienen los recursos suficientes para hacer correctamente la tarea, pero siempre se tiene lo suficiente para volverla a hacer. Existió uso abusivo de las horas extras "voluntarias", no siendo poco común que se trabajasen entre 60 o 70 horas semanales.

3. Filosofía de conducción basada en la "subordinación al compromiso", lo cual significa que el progreso no se fundamentó tanto en la excelencia técnica del trabajo realizado (que fue pobremente definido en el mejor de los casos), como en el esfuerzo y el compromiso demostrado al efectuar la tarea.

4. Planeamiento escaso y fatiga. Cuando las personas están lo suficientemente cansadas durante un período suficiente de tiempo, responden solamente a las situaciones de crisis. El resultado de esta Organización fue que los empleados estaban totalmente desgastados por las intervenciones para resolver conflictos graves y rechazaban cualquier esfuerzo ordenado y constructivo con el fin de planificar y reducir crisis futuras.

5. Escasa comunicación y particular renuencia a informar a las personas su posición dentro de la Organización respecto de la seguridad laboral y de los ascensos. Mucho esfuerzo fue dirigido a aplacar a los subordinados con trivialidades que los dejaban en total ignorancia de su posición real.

6. Rechazo o miedo de comunicar los planes, lo cual generaba en las personas una mala o somera comprensión de la Organización así como del objetivo a lograr y de donde ubicarse.

7. Demasiado poco reconocimiento o incluso ninguna conciencia del buen trabajo que se estaba realizando, y una preocupación general con problemas superados o presentes. Esta situación obviamente no fortalecía la confianza individual imperscindible para efectuar las difíciles tareas que necesitaban ser enfrentadas.

8. En muchos casos, una gran preocupación por mantener "feliz a la gente", al costo de paliar o disfrazar los problemas tanto tiempo como fuera posible para finalmente resolverlos por una repentina transferencia de un área a otra. (Esta transferencia fue acompañada con elogios, dejando a los individuos y a la Organización frustrados y confundidos respecto de lo que realmente había sucedido).

9. La responsabilidad por el cumplimiento de las tareas de la organziación se colocó en líderes "carismáticos" y comprometidos que obtendrían resultados con un mínimo empleo de los recursos de la Empresa. Tales personas, una vez detectadas, enfrentaron una gran demanda y sucesivamente se les dio para resolver problemas cada vez más difíciles (generalmente con casi ninguna oportunidad de desarrollo o ayuda formal por parte de la Organización). Cuando finalmente fallaron, sus capacidades fueron "reevaluadas", y eventualmente las esperanzas de la Organización fueron transferidas a nuevas personalidades.

10. Aunque el gerenciamiento adosaba grandes esperanzas en los líderes carismáticos y comprometidos, a largo plazo sus pares y la misma Organización los consideraban con frecuencia como amenazas.

Con los objetivos de la Organización pobremente definidos, con la escasa comunicación en las relaciones y con amplia contención de la autoridad para hacer el trabajo, se volvió cada vez más difícil para tales líderes obtener cooperación voluntaria de sus pares ya muy ocupados con propias tareas. Se asumió también como algo común que dar demasiada ayuda a un par podía dar como resultado terminar subordinado a ese compañero.

Habría sido algo realmente sorprendente si algunos líderes no hubiesen buscado oportunidades alternativas para emplear sus energías, puesto que además las recompensas de la Organización parecían alejarse cada vez más y la alegría de la tarea cumplida se sentía con menos frecuencia (por causa del crecimiento de la resistencia de la Organización o de la fatiga, o de ambas situaciones).

Lo que hace a estas conclusiones más devastadoras es que los gerentes típicos, ya inmersos en el proceso del suicidio, manifiestan las siguientes opiniones:

"Quiero hacer un buen trabajo. Estoy comprometido. Pero simplemente no puedo ver lo que la conducción pretende realmente obtener de mí."

"Nunca he tenido una evaluación constructiva y de buena fe de mi desempeño. Nadie me aclara lo que se espera de mí."

"Me gustaría hablar con alguien sobre mis frustraciones personales, considero por momentos que mis sentimientos son irrelevantes para la Organización; pero además no hay nadie en quien sienta que puedo realmente confiar."

Obviamente, cuando en una Organización las personas potencialmente capaces comienzan a actuar en contra de sus mejores intereses, el gerenciamiento responsable debería eliminar las condiciones destructivas y establecer relaciones que conduzcan a un desempeño productivo. Los requisitos para una Organización efectiva incluyen:

1. Propósito: el talento creativo debe tener un propósito bien definido con el fin de poder ser empleado con efectividad. No son adecuados los conceptos vagos tales como "informar ganancias y crecimiento".

2. Plan: el talento creativo no puede ser empleado efectivamente sin un plan bien diseñado para este fin.

3. Equipo: el talento creativo se emplea más efectivamente acordando con otros la dirección de los objetivos comunes de la Organización.

4. Evaluación periódica de los resultados: las personas creativas necesitan percibir alguna sensación de logro, lo cual es difícil sin una evaluación periódica de los resultados. También se necesita, periódicamente, ayuda para enfocar la energía en los objetivos relevantes de la Organización.

5. Programas de entrenamiento: el talento creativo necesita entrenamiento sostenido para poder mantener y desarrollar nuevas capacidades. Es esencialmente importante desplegar habilidades interpersonales y de comunicación.

6. Reclarificación frecuente del contrato psicológico y de las reglas del juego: nada desalienta más rápido a las personas valiosas para la Organización que descubrir que el contrato psicológico y las reglas del juego han sido cambiadas sin su conocimiento o previa consideración.

7. Alivio periódico de la presión: solamente con la programación continua de la liberación de la presión excesiva, el talento puede permanecer creativo y energético. Dos semanas de vacaciones una vez al año no es el descanso adecuado para personas en posiciones de elevada tensión.

8. Mantenimiento del sistema de ansiedad en un nivel razonable: en medios productores de ansiedad y de alto estrés es extremadamente difícil mantener una atmósfera objetiva e innovativa la cual es sumamente necesaria para que las personas creativas den lo mejor de sí. En toda Organización el mantenimiento de un estado de ansiedad demasiado alto conduce eventualmente a la resolución inmadura de los problemas.

9. Evaluación regular del talento y de la planificación de la fuerza de trabajo de la Organización: el empleo efectivo del talento creativo requiere una evaluación periódica de la combinación de la fuerza de trabajo y cierta dirección para aquellos que pueden estar aplicando sus energías de maneras irrelevantes para los fines de la Organización.

10. Un programa de desarrollo de la Organización: las Organizaciones, como las máquinas, se vuelven obsoletas, y deben existir mecanismos para diagnosticarlas periódicamente y mejorar su efectividad. Las personas creativas que se dan cuenta que están gastando demasiado tiempo y energía luchando contra estructuras obsoletas de la Organización, eventualmente desarrollan otros planes para sí mismas o se vuelcan hacia alguna forma de suicidio profesional.

Antecedentes históricos

En el pasado, la mayor parte de la actividad en salud industrial se ha preocupado del esfuerzo físico requerido en función del resultado industrial. Bajo la presión del costo que surge de las compensaciones a los trabajadores en el cumplimiento de la legislación laboral, las Empresas han establecido departamentos de seguridad responsables de proteger a los empleados del posible daño o la inhabilitación física y de la extrema fatiga. En muchas áreas, se han establecido rangos respecto de cuánto ejercicio físico puede tolerar un trabajador antes de que se deteriore su rendimiento. Aunque han sido establecidos los límites para el estrés físico, formalmente se ha hecho relativamente poco para establecer los límites sobre el nivel de estrés mental que puede soportar un sujeto durante períodos prolongados.

Con el aumento de la mecanización cada vez es mayor el trabajo físico industrial que es realizado por máquinas. Las tareas comerciales requieren hoy para su realización cantidades de actividad mental apreciablemente mayores que las del pasado. Aún así solamente muy pocas de las

Empresas más progresistas han establecido programas diseñados para prevenir la fatiga mental y el agotamiento. Tal vez, una de las razones para esto sea la creencia ampliamente sostenida de que nuestro saber en este campo es todavía muy poco como para ser útil. Tenemos mucha más confianza en nuestro conocimiento de aquello que constituye la enfermedad física que en lo que sabemos sobre las enfermedades emocionales y mentales. En una época en el cual alrededor de la mitad de las camas de los hospitales en los Estados Unidos son ocupadas por enfermos mentales, el gran obstáculo no es físico sino la incapacidad emocional y mental.

El procedimiento para el mantenimiento de la maquinaria ha sido conocido por largo tiempo. Sabemos que periódicamente se necesita un reacondicionamiento. Una Organización exitosa planifica para esto. Pero lo que nosotros desconocemos es durante cuánto tiempo los seres humanos pueden continuar sin una pausa, sin un programa de entrenamiento, o alguna otra forma de atención por parte de la Organización, antes de que su rendimiento comience a deteriorarse o se vuelva contraproducente. Ahora advertimos que las personas no pueden vivir plenamente su vida profesional sin un regular "reacondicionamiento" de su conocimiento y de sus habilidades. Como resultado de la tecnología en rápido cambio, la vida promedio de un ingeniero se estima que es de aproximadamente 10 años. Tal vez, las prácticas comerciales deberían tratar a los recursos humanos como el activo de capital de la Empresa, con asignación de porcentajes por la depreciación, el mantenimiento y el desgaste general, etc.

Hoy en día, muchas Empresas reconocen que el éxito de una Organización depende en mayor grado de la resolución efectiva de sus problemas humanos. Además, las decisiones judiciales sobre la compensación de los trabajadores han mostrado una tendencia creciente a reconocer al trabajo estresante como el responsable del daño en la salud mental de los empleados. Tales decisiones pueden pronto forzar a los directivos a establecer procedimientos para el cuidado y el mantenimiento adecuado de la salud mental de su personal.

Por muchos años ha crecido la toma de conciencia sobre la importancia de las personas en relación con las ganancias de la Empresa y, en consecuencia, ha aumentado la preocupación respecto del empleo efectivo de la gente. En el pasado el éxito provenía de la posesión de máquinas y tierras; más recientemente, puede haberse asegurado por ser propietario de las patentes o por conocer los procesos de industrialización; pero ahora, la clave para la continuidad exitosa de una corporación es la habilidad innovadora y ejecutiva de su plantel.

Se dedicó mucha atención al diseño de programas para aumentar la efectividad del personal y a la demostración de la preocupación de la compañía por sus empleados. El programa de relaciones humanas en la Empresa donde se realizó nuestro estudio incluía amplios aspectos sociales y recreacionales. Se realizaban periódicamente encuestas masivas de opinión entre los empleados, y regularmente se contrataba part-time consultores psiquiatricos y psicológicos para ayudar a superar las dificultades a través de la consulta de los problemas individuales del personal. A medida que los empleados aumentaron su concurrencia, fueron más capaces de sugerir sus propias actividades sociales y recreativas.

Se ha dicho que las encuestas de opinión de los empleados tienden a poner de manifiesto aquello que produce "descontento" (las cosas sobre las cuales la gente se queja, cuya modificación no ayuda a que trabajen más efectivamente), en lugar de aquello que los "desmotiva" (las situaciones que evitan que las personas sean más productivas). Además las encuestas de opinión con frecuencia dan por resultado recomendaciones adicionales y más trabajo para los gerentes que ya están sobrecargados.

Un acercamiento más efectivo podría ser ofrecer a los empleados oportunidades y apoyo para corregir los problemas que los preocupan personalmente. En lugar de contratar consultores part-time, podría ser útil emplear un profesional tiempo completo que pudiera experimentar personalmente las presiones y tensiones de la Organización. Un individuo tiempo completo estaría en mejor posición por su mayor familiaridad con la Organización, no sólo para ayudar a los individuos en sus dificultades, sino también para efectuar recomendaciones a la dirección con el fin de mejorar el medio ambiente laboral para prevenir problemas recurrentes. Buscar soluciones a los problemas humanos puede ser el proyecto más crucial que una compañía puede encarar, porque, como lo señalara Forrest H. Kirkpatrick:[1]

> *"En una economía libre, el progreso de una Empresa respecto de otra a largo plazo sólo se apoya en sus recursos humanos. Las ventajas que surgen de la apertura de nuevos mercados, del mejoramiento tecnológico, de costo de materiales o mano de obra inferiores, eventualmente demuestran ser a corto plazo. Esto significa que cualidades tales como la iniciativa, el impulso, la imaginación, la motivación y la inteligencia que son parte de lo que denominamos "recursos humanos", constituyen el elemento más importante y más significativo con el que puede contar una compañía para su supervivencia y crecimiento."*

En interés del desarrollo más efectivo de los recursos humanos, tanto para el logro del individuo como para la mayor productividad de la Organización, examinaremos las condiciones que inhiben la creatividad de los empleados, con la esperanza de que la comprensión motivará el cambio.

---

[1] *"Guidelines for Management Development", The Personnel Administrator,* Julio-Agosto 1963, p.1.

DOS
EL CLIMA DE LA ORGANIZACIÓN

Cuando pensamos en el liderazgo, no es extraño tener en mente algún tipo de relación altamente personal y de inspiración entre el líder y los seguidores. El liderazgo tiene su lado de inspiración, pero el énfasis en este aspecto tiende a desviarnos del reconocimiento de las habilidades reales requeridas para producir el rendimiento deseado en una Organización compleja. El criterio fundamental del liderazgo efectivo debe ser la calidad del rendimiento demostrada por el personal de la Organización, tanto individualmente como en un grupo. Un líder ha fallado si no mejora, o al menos mantiene el rendimiento de las capacidades de la Organización que le han sido confiadas. El sostenimiento del rendimiento es una necesidad tanto para el logro del objetivo como para probar su liderazgo. El liderazgo es un proceso de influencia entre los individuos y las Organizaciones con el fin de obtener los resultados deseados. [2]

Un problema fundamental para aquellos envueltos en el proceso del suicidio fue que los modelos de conducción que llevaban en sus mentes no se correspondían con el modelo empleado en la Organización. Inicialmente se habían comprometido e interesado en realizar un buen trabajo, por ello presionarían hasta que lo que ellos esperaban sucediera. Como no comprendían las reglas del juego (y nadie los ayudaba para que las entendieran), cometían errores. Luego de cometer muchos errores y de recibir el castigo sutil por ellos, comenzaron a sentir que el juego no era muy divertido. En consecuencia, presionarían más duro hasta que lograran su propósito o renunciarían.

Los cuatro estilos de conducción a través de los cuales las Organizaciones han progresado y están progresando en la actualidad podrían ser descriptos como un triángulo, un triángulo invertido, un cuadrado o un círculo. *La conducción piramidal*, representado por un triángulo, es el modelo de dirección que la mayoría de los gerentes tienen en sus mentes. El jefe se ubica en la punta de la pirámide con los gerentes medios en el medio y los trabajadores en la base. El jefe toma las decisiones, las que son trasmitidas a los empleados en la base para que actúen. Hasta que el jefe toma una decisión no es mucho lo que sucede en la Organización. La información fluye, en principio, de la punta a la base.

El estilo de conducción piramidal invertida, representado por un triángulo invertido, funciona de forma diferente. Los gerentes van tomando conciencia lentamente de que los empleados, que son quienes están en contacto con los problemas, con frecuencia tienen las mejores respuestas. A medida que el jefe en la punta de la pirámide trata con una Organización que crece en complejidad, la pirámide se revierte gradualmente. Los empleados se mueven hacia el vértice superior porque, generalmente, tienen las mejores soluciones para los problemas de la Organización y el tiempo de reacción más rápido. Los gerentes medios se convierten en un apoyo para los empleados, y la dirección en el vértice opera como apoyo para los gerentes medios. La información fluye, como

[2] Joseph A. Olmstead, ***The Skills of Leadership***, Military Review, Marzo de 1967,pp. 62-70

en el caso anterior, al principio de la punta a la base, pero cuando la pirámide se invierte, la corriente de información también se revierte. El principal problema con la pirámide invertida es que toda la Organización se apoya en un punto. Esto hace que la Organización sea inestable y sobrecargue este punto. Al soportar el peso de toda la Organización, el jefe empieza a buscar un estilo alternativo de conducción. La solución obvia es ensanchar la base de la pirámide invertida, convirtiéndola en un cuadrado.

El estilo matriz de conducción representado por un cuadrado, fue un esfuerzo para resolver los problemas del estilo de conducción de la pirámide invertida. Además de gerentes funcionales en ambos lados del cuadrado, se ubicaron gerentes de proyecto en los vértices superiores, lo cual significa, que cada persona en la Organización repentinamente tenía dos jefes. Una regla fundamental en toda Organización hasta este momento ha sido que cada persona en una Empresa debería tener solamente un jefe. Como lo señalara Lincoln *"Una casa dividida contra sí misma no puede sostenerse".* Con el el estilo de conducción matriz, una persona tiene dos jefes, algo nuevo en la historia de las Organizaciones. Esta situación requiere un conjunto nuevo de habilidades, que nunca antes fueron necesarias, para hacer posible que una persona funcione con dos jefes en una misma Empresa. No sorprende en absoluto, que aquellos comprometidos con la Organización tuvieran dificultades y comenzaran a enredarse con un comportamiento errático y hacer cosas que los demás no podían comprender. Pero esto no fue suficiente, la situación empeoró más aun.

El estilo de conducción circular, representado por círculos superpuestos, fue el siguiente paso en la evolución de los estilos de gerenciamiento en las corporaciones americanas típicas. Se originó en la industria aeroespacial, en la cual una amplia variedad de altas tecnologías tenían que ser integradas en soluciones prácticas cuando era obvio que ninguna persona tenía el conocimiento suficiente para tomar buenas decisiones por sí sola. Para colocar una cápsula en el espacio, las decisiones que tienen que ser tomadas requieren conocimiento de transferencia de calor, aerodinámica, materiales, radios de peso y choque, medidas, sistemas de supervivencia, etc. Ninguna persona podía saber lo suficiente para tomar decisiones tan complicadas, fue necesario entonces desarrollar un estilo de conducción que permitiera a las personas asumir el liderazgo cuando sus áreas de conocimiento eran tratadas, registrar la información necesaria cuando otras tecnologías que afectaran sus áreas se analizaran y desarrollar modos de tomar las decisiones finales como un equipo en lugar de como una persona o un comité de decisión. A medida que otras Organizaciones han desarrollado tecnologías cada vez más sofisticadas, que las decisiones del mercado son cada vez más complejas, y que las normas de calidad son más severas, más y más Organizaciones han tenido que moverse en la dirección de este estilo de conducción. Desafortunadamente este cambio gradual en el énfasis en muy pocos casos fue obvio para los miembros de la Organización. Como resultado de este proceso se creó una nueva profesión denominada "Desarrollo de la Organización", con el fin de resolver los problemas que se precipitaron al aumentar la complejidad de la vida comercial.

El clima interpersonal y psicológico dentro de la Empresa son factores significativos que influyen en la actitud y el comportamiento de los trabajadores. El aspecto más crucial del clima de la Organización es obviamente la relación entre el jefe y el empleado. Nos ayudará a explicar el clima de la Organización y su influencia en la gente en la compañía que hemos estudiado si seguimos el desarrollo de la filosofía de conducción de esta Empresa y su actitud hacia las personas. La experiencia del autor en una amplia gama de Empresas ha demostrado que la evolución de la filosofía de conducción en esta Organización no ha sido atípica.

Todas las Organizaciones cambian con el tiempo. Antes de proseguir es importante observar la psicología del medio ambiente laboral y algunos de los cambios que han sido realizados a través de los años. Estos cambios parecen dividirse bastante naturalmente en cuatro períodos, con una filosofía de conducción y un clima de la Organización característicos de cada uno. He llamado a estos períodos: (1) la era de la conducción científica; (2) la era de las relaciones humanas; (3) la conducción por "Compromiso del subordinado"; y (4) la conducción por compromiso de equipo. Hemos detectado que las filosofías de gerenciamiento que analizamos generalmente han sido un paralelo de las filosofías que han operado en otros negocios y Organizaciones durante los últimos cuarenta años.

La Era de la Conducción científica.

Después de la Gran Depresión de 1929-33 y hasta el comienzo de la Segunda Guerra Mundial predominó en todo el país el estilo de Conducción Científica de Taylor [3]. La Empresa en este estudio fue un gran minorista durante este período, y se comprometió en la producción masiva de partes relativamente simples. En razón de esto, las relaciones entre las personas eran más personales que contractuales. Los empleados eran predominantemente obreros, muchos de ellos inmigrantes. Las tareas que se realizaban eran lo suficientemente simples como para que la mayoría de la información relevante pudiera ser retenida por el gerente en su cabeza, sin necesidad de mayor plantel o de sistemas de información amplios. Los gerentes conducían al personal con la típica mano dura puesto que creían en los supuestos de la Teoría X de McGregor:[4]

1. Las personas son inherentemente perezosas, agentes pasivos, que necesitan ser manipulados y controlados por la Organización, y que deben ser motivadas a trabajar por la conducción.

2. Las personas son motivadas principalmente por los incentivos económicos y harán todo lo que los lleve a incrementar sus ganancias.

3. Las Organizaciones pueden y deben ser diseñadas de tal manera que neutralicen y controlen los sentimientos de la gente y en consecuencia sus tendencias impredecibles.

4. Los objetivos naturales de la gente van en contra de los de la Organización, las personas son básicamente incapaces de mucha autodisciplina y autocontrol, y deben ser controladas por fuerzas externas para asegurar que trabajen en la dirección de los objetivos de la Organización.

5. Mientras que la mayoría de las personas son compatibles con los supuestos delineados, existen unos pocos individuos automotivados, autocontrolados, menos dominados por sus sentimientos; y este último grupo (al cual he descubierto que la mayoría de las personas creen que pertenecen) debe asumir la responsabilidad de la conducción por los otros.

[3] Frederick Winslow Taylor, **Scientific Management**, Nueva York Harpers, 1911.
[4] Douglas Mc Gregor, **The Human Side of Enterprise**, Nueva York: Mc Graw Hill, 1960.

Estos supuestos paternalistas no fueron necesariamente inapropiados considerando el porcentaje de obreros de aquel período. La Depresión (cuando muchas familias no tenían siquiera lo suficiente para comer) todavía estaba muy vívida en las mentes de muchos trabajadores, por lo cual el empleado promedio estaba fundamentalmente interesado en satisfacer las necesidades fisiológicas de alimento, ropa y vivienda.

El rol del gerente durante este período fue esencialmente lo que Etzioni llama "calculador". La Organización compró los servicios de los empleados por beneficios económicos y asumió la responsabilidad de dirigir y motivar a los trabajadores y a sí misma a través de un sistema racional de premios y controles. Ciertas posiciones incluían autoridad, y se esperaba que los empleados obedecieran a las personas que tenían estas posiciones en consideración de sus personalidades o de su experiencia. El rendimiento de la Organización era responsabilidad de la conducción. La Organización establecía los límites de los trabajos de los empleados, y se esperaba que los empleados hicieran solamente lo que se les decía. Esto parecía razonable, considerando la relativa simplicidad de las tareas y la falta de educación de la mayoría de los empleados.

La Conducción por las "Relaciones Humanas".

Con la Segunda Guerra Mundial llegó (1) la necesidad de expandir la fuerza de trabajo al mismo tiempo que los hombres se enrolaban en las Fuerzas Armadas, dio por resultado escasez de mano de obra; (2) aumento del empleo de mujeres; y (3) la concesión, bajo contratos gubernamentales, de cubrir costos por contratar gente y mantenerla satisfecha. Se volvió cada vez más importante sostener feliz a los trabajadores, y la mayoría de estos gastos podían ser soportados por los contratos gubernamentales de "costos+un plus". Los trabajadores también comenzaron a cambiar. Con la escasez de mano de obra, y tantos otros trabajos disponibles, los trabajadores estaban más seguros y menos preocupados por perder el beneficio económico en el trabajo. Las "memorias" de la Depresión comenzaron a ceder, y los trabajadores comenzaron a buscar empleos que ofrecieran otras ventajas más allá del dinero.

Quedó demostrado que el aumento en el tamaño de un grupo disminuye la cohesividad y reduce la satisfacción de sus miembros. La Segunda Guerra Mundial expandió el negocio rápidamente justo en el momento cuando, a causa de la escasez de mano de obra, los trabajadores podían ser más móviles. En consecuencia, tenían que descubrirse formas de incrementar la satisfacción del personal.

Casi al mismo tiempo, los Estudios de Hawthorne se conocieron ampliamente y alentaron cambios respecto de cómo los gerentes podían tratar a sus trabajadores. Tres descubrimientos de este Estudio provocaron alteraciones drásticas en la filosofía de conducción. Primero, los experimentos en la sala de prueba de la línea de montaje mostraron que la atención que los supervisores y los expertos de Harvard daban a los trabajadores era más importante para el mejoramiento del rendimiento que los cambios experimentalmente controlados de la luz, los períodos de descanso, etc. Algunos científicos sociales y gerentes de personal interpretaron estos descubrimientos para significar que el medio ambiente y la satisfacción con el trabajo no eran importantes y que el clima social entre el supervisor y el subordinado era todo lo que realmente importaba.

Segundo, se entrevistó a varios miles de empleados respecto de sus actitudes y sentimientos sobre sí mismos, sus colaboradores, sus supervisores y la compañía. Este programa y sus descubrimientos dirigió la atención hacia fuera de los trabajos que los empleados realizaban, y enfatizó sus respuestas psicológicas internas al medio ambiente laboral como si fuera lo más importante.

Tercero, Roethlisberger y Dickson, los autores del informe, concluyeron que la fábrica había sido establecida y estaba siendo administrada como si sólo se preocuparan por los objetivos de la Organización y muy poco por los objetivos de las personas involucradas. Esta aproximación frecuentemente apuntaba al comportamiento (como un resultado restrictivo) que no estaba de acuerdo con los mejores intereses de la Organización. Para algunos científicos del comportamiento, estos descubrimientos probaban que el medio ambiente social de trabajo era más importante que el medio ambiente físico laboral, y que los objetivos de los individuos eran más importantes que los de la Organización en el desarrollo del cumplimiento de tareas eficientes. La amplia suposición que marcó gran parte de esta investigación fue que la personalidad humana está inalterablemente opuesta a las Organizaciones formales. Las personas podían, no obstante, ser motivadas a través de beneficios y concesiones.

Durante los años cuarenta y cincuenta, el grueso de la investigación de los científicos del comportamiento en la industria se enfocó hacia la tendencia de la Organización formal a impedir el crecimiento, frustración y hacer del trabajador individual una nulidad apática. Aunque desde entonces él mismo ha modificado considerablemente su posición, Chris Argyris dedicó un capítulo completo de su libro *Personality in Organization* a mostrar cuán incompatibles eran las necesidades de las personas con las demandas de la Organización. El libro de White, *The Organization Man* es otra expresión del mismo punto de vista.

Como resultado de las condiciones comerciales del tiempo de guerra y de la influencia de estudios como los mencionados, algunas compañías, incluyendo la de nuestro estudio, desarrollaron "programas de relaciones humanas". Se lanzaron programas extensivos de actividades sociales - cenas, fiestas, buffets, partidos de golf, ligas de baseball o de bowling, picnics, y días libres en parques de diversiones. Se colocó el énfasis en la compañía como "un buen lugar para trabajar". El acercamiento fue efectivo. Las personas se movieron en manadas en dirección al trabajo y mucho del costo de estos programas fue soportado por los contratos de "costo + un plus".

Estos cambios en el medio ambiente de la Organización dieron por resultado una filosofía de conducción basada en los siguientes supuestos:

1. Las personas básicamente están motivadas por necesidades sociales y obtienen su sentido básico de identidad a través de las relaciones con otros.

2. Como resultado de la revolución industrial y de la racionalización del trabajo, lo significativo no es el trabajo en sí mismo y debe, en consecuencia, ser buscado en las relaciones sociales en el trabajo.

3. Las personas responden más a las fuerzas sociales de su grupo de pares que a los incentivos y controles de la conducción.

4. La gente responde a la conducción en la medida en que los supervisores pueden satisfacer las necesidades sociales de los subordinados y las necesidades de aceptación.

Durante la era de las relaciones humanas, la conducción no podía por más tiempo limitar su preocupación solamente al rendimiento de la tarea eficiente. Tuvieron que preocuparse también de las necesidades sociales de sus trabajadores. Se desarrollaron departamentos de personal más extensos, cuya principal obligación fue mantener continuamente la vigilancia de la moral de los trabajadores individuales. A medida que los sentimientos de los empleados aumentaron su importancia, las responsabilidades de los gerentes comenzaron a cambiar desde la planificación, la Organización, la motivación y el control hacia el funcionamiento como intermediarios entre los subordinados y la dirección superior. La iniciativa para trabajar empezó a variar desde la responsabilidad a cargo del gerente hacia la responsabilidad del empleado. En lugar de ser planificadores, organizadores, y motivadores de trabajo, los gerentes fueron despachadores de comprensión. En teoría, ellos establecían los objetivos, pero permitían mayor latitud en los medios por los cuales los subordinados lograrían alcanzar esas metas.

Una explicación por la efectividad relativa de la conducción de las relaciones humanas durante este período fue que los trabajadores habían sido entrenados en la filosofía de conducción científica. Esperaban ser tratados del modo autoritario de la Teoría X, y el acercamiento de las relaciones humanas fue un bienvenido alivio. Por un tiempo esto generó un momento de entusiasmo y su concomitante aumento de la producción.

Después de la Segunda Guerra y al final de la Guerra de Corea finalizaron temporariamente los contratos de "costo + un plus", disminuyeron los contratos de manufactura militar, y aumentó la disponibilidad personal por horas o de asalariados. El regreso al mercado civil generó un aumento en el énfasis para reducir los costos y la necesidad de volverse más competitivo. La declinación en las contrataciones de "costo + un plus" significó que el costo de los programas de relaciones humanas tenía que ser cubierto cada vez más con dinero que de otra manera podría haber sido agregado a las ganancias.

Durante la Segunda Guerra, el énfasis había sido ubicado en la producción masiva de altos volúmenes de partes relativamente fáciles de fabricar, pero durante los años de guerra habían existido tremendas expansiones en tecnología. Con la decisión de crecer, la Organización avanzó hacia nuevos mercados requiriendo tecnología altamente compleja y complicada, la cual, a su tiempo, requirió una clase diferente de trabajador. La proporción de empleados respecto de la de obreros cambió drásticamente de 1 a 20, en una división, a 1 a 1. El acercamiento social-motivacional de la conducción de relaciones humanas fue menos apropiado para las necesidades más sofisticadas de los empleados (científicos y doctores), que estaban siendo contratados en número siempre creciente. Estas personas estaban más orientadas al desarrollo y avance profesional que a la filosofía de las relaciones humanas con sus fiestas y eventos deportivos.

Hubo un correspondiente estrés en la conducción. De pronto, se encontró a sí misma intentando manejar una diferente clase de persona, que rendía a través de tecnología avanzada y diversificada. La conducción tenía poco entrenamiento o familiaridad con estos campos. Al fabricar aspiradoras o válvulas, un gerente podía saber casi todo lo necesario sobre el proceso de producción. Pero al construir items altamente complejos, tales como sistemas de poder en el espacio y cohetes, muchos de cuales nunca habían sido construidos con anterioridad, muchas de las decisiones más críticas tenían que ser delegadas en las manos de los expertos técnicos subordinados. Ya no era posible realizar las cosas siguiendo el objetivo de una mente. Ya era imposible que un superior estuviera en conocimiento de todo y decidiera los objetivos y las responsabilidades de funcionamiento para las personas comprometidas en la fabricación de productos tan altamente sofisticados.

Como resultado de las distintas presiones del medio ambiente externo, del aumento de la competencia, de la tecnología avanzada, de un diferente tipo de trabajador no motivado por técnicas que fueron útiles anteriormente, y un nuevo y diferente trabajo a realizar, se desarrolló una nueva filosofía de conducción para manejar estas fuerzas complejas dentro de la Organización. Esta filosofía se denominó de diferentes maneras: conducción por excepción, conducción por omisión, conducción por compromiso individual, conducción existencial y conducción por "Compromiso del Subordinado", que es el término que nosotros emplearemos.

Conducción por "Compromiso del Subordinado".

Warren Bennis la describió como "Organización por mancha de tinta", "...un actor se introduce clandestinamente en un basural esperando impaciente y paranoico la hora en que le den las órdenes que nunca llegan". Bajo este estilo de conducción los únicos objetivos, fuera de los fines amplios tales como "crecimiento" o "maximizar las ganancias", son la coalición de individuos o grupos. Cualesquiera hayan sido los objetivos que han existido en la Organización se guardan en secreto porque, como bien dijo un gerente, *"si la gente supiera cuáles son los objetivos de la Organización, sólo trabajarían contra ellos"*. El trabajo del gerente básicamente es dirigir a su manera a través de las presiones de los distintos individuos y subgrupos mientras intenta complacer tantas personas como puede y ofender tan pocos empleados como le sea posible.

A continuación aparecen algunos de los supuestos implícitos asociados con la conducción bajo "Compromiso del Subordinado":

1. Las personas sólo se interesan en sus objetivos personales. No están básicamente interesadas en lograr los objetivos de la Organización, y es mejor no elaborar los objetivos de la Empresa con ellos porque solo trabajarán en su contra.

2. El mejor modo de dirigir una Organización es contratar personas con iniciativa que puedan responder a múltiples presiones. El mundo está cambiando tan rápido y las presiones sobre la conducción son tan variadas y complejas que de cualquier manera no puede existir ningún objetivo de la Organización.

3. El mejor modo de motivar a las personas es ofrecerles la oportunidad de confrontar desafíos y de autorrealización. (No obstante, si los desafíos son demasiado grandes o llegan demasiado pronto, mientras la compañía provee solamente mínimas recompensas, entonces los "suicidios" empiezan a suceder. Como señaló una persona, *"empieza a parecer que confrontar los desafíos exitosamente solamente me proporciona más desafíos a confrontar".)*

4. La autoridad raramente es delegada porque esto ubicaría algún tipo de responsabilidad por los errores en la persona a la cual se le ha delegado. En lugar de ello, las personas son dejadas en "libertad" de hacer cualquier cosa en tanto sea "lo correcto" hacerlo.

5. No se asignan responsabilidades, pero debería ser asumida ansiosamente a través del compromiso de la gente. Los empleados son evaluados según la medida de su compromiso. (Este término es tan vago que deja mucho espacio para la interpretación individual e insustancial, agregándose al clima general de ansiedad y dando por resultado que la gente trabaje más y más horas como un medio de demostrar su compromiso).

6. Los títulos y las prerrogativas de la Organización no son importantes para la gente comprometida. (Esto reduce la presión en la conducción de determinar quién logra las recompensas limitadas, así como reduce la necesidad de tomar decisiones respecto de las contribuciones de que personas son más valiosas).

La conducción busca ansiosamente líderes carismáticos que puedan inspirar a los demás a realizar el trabajo necesario sin hacer demandas a la Organización. Quieren subordinados que cambien actitudes derrotistas en actitudes positivas del tipo "se puede" (y en razón de que creen que los buenos líderes nacen, no se entrenan, ven poca necesidad de desarrollar programas de liderazgo.)

Puesto que la conducción por "Compromiso del Subordinado" es destructiva para los individuos brillantes, con iniciativa, comprometidos dentro de la Organización, esta filosofía, eventualmente, daña a la Organización en sí misma. A los jóvenes brillantes que podrían desarrollarse como líderes de inspiración, se le asignan tareas cada vez más difíciles de realizar hasta que, eventualmente, se topan con alguna que no pueden manejar solos. Cuando esto sucede, tiene lugar una reevaluación y la Organización arriba a la conclusión de que no era competente después de todo.

Como se espera que las personas trabajen individualmente y no oficialmente (uno podría decir hasta subrepticionalmente) en las tareas, usualmente son incapaces de alterar significativamente el curso de una gran Organización excepto a gran costo para sí mismos. El martirio y el suicidio, con frecuencia, son el resultado final. Sin dirección de líderes reconocibles, la Organización avanza subordinada al entusiasmo, el cual pocas veces es igual a la tarea por un período extenso de tiempo.

El contrato psicológico es aquel por el cual se espera que el trabajador se comprometa de todo corazón para el logro del objetivo de la Organización que tiene significado personal para el empleado. Este objetivo con frecuencia no es comunicado a los demás en la Organización, con los cuales el individuo debe frecuentemente competir por el tiempo y los materiales escasos. Las personas no comprometidas pueden retirarse, pero la gente comprometida (como los pilotos Kamikaze de la Segunda Guerra) continúan peleando contra los grandes obstáculos hasta que algo -usualmente autodestructivo- finalmente sucede.

La conducción por "Compromiso del Subordinado" es esencialmente un acercamiento oportunista a la conducción, en el cual se espera que los subordinados se comprometan mientras que la gerencia permanece sin comprometerse. Como consecuencia de que hay tantos aspectos desconocidos (o de que la conducción es agobiada por lo que no sabe), no pueden existir planes reales. Se acepta la filosofía de que cada uno tiene que arreglárselas día a día, crisis por crisis. La clave para la supervivencia es "permanecer libre" y ser oportunista, cuando aparece la oportunidad. Todo se vuelve conjetura, y no investigar en absoluto suele ser mejor que una investigación pobre por la cual uno podría volverse responsable. En consecuencia, las decisiones se demoran hasta que son forzadas por las circunstancias, usualmente una crisis de algún tipo. Las decisiones que se toman bajo el estrés de la crisis, no obstante, suelen ser creativas.

Hay ciertas ventajas para *la conducción por "Compromiso del Subordinado"*, por ejemplo, cuando los trabajadores altamente entrenados desempeñan tareas complejas y rápidamente cambiantes para un gerente tradicional ignorante de esas tareas. Las ventajas, no obstante, pueden ser anuladas por efectos negativos tales como la confusión respecto de los objetivos y sus prioridades, la competencia individual, la falta de confianza y de esfuerzo cooperativo, y la pérdida de las buenas personas que este estilo de conducción parece provocar.

Conducción por Compromiso del Equipo.

Un estilo alternativo de conducción "Compromiso del Subordinado" es la que podría ser llamada "conducción por compromiso del equipo". Bajo este tipo de conducción se definen objetivos inclusivos para todos (primero entre el subordinado y el jefe y luego, lo más importante, con el equipo). Como resultado, el equipo se concentra en logros comunes en lugar de individuales. Con la generalidad de los objetivos definidos, el empleado tiene un modo de determinar cuáles de las diferentes alternativas es más probablemente apreciada y recompensada por la Organización, y así puede elegir canalizar los esfuerzos hacia la Organización en lugar de puramente atender sus objetivos personales. Se establece una base de confianza y cooperación porque aquellos que trabajan en áreas similares tienen algo en común. Como los objetivos de los demás son conocidos, se puede ofrecer y recibir asistencia en cierta medida no solamente por la ventaja personal.

Los supuestos fundamentales respecto de la gente en una filosofía de conducción por compromiso del equipo son los siguientes:

1. La mayoría de los empleados quiere trabajar y contribuir a algún propósito u objetivo más amplio que ellos mismos.

2. Cada individuo es único y la conducción debe ser individualizada; es decir, ningún modelo de conducción va a funcionar para todos.

3. Los individuos son lo suficientemente flexibles como para ligar sus objetivos personales con los del equipo si el equipo conoce esos objetivos.

4. Para coordinar los esfuerzos de muchas personas (y liberar energía): primero, debe existir comunicación *significativa* entre los miembros del grupo; segundo, deben determinarse objetivos coordinados para que la energía del equipo se canalice constructivamente; tercero, se requiere una nueva clase de liderazgo y aprender nuevas habilidades.

Las personas bajo presión (y la mayoría en los negocios hoy están bajo presión) no pueden cooperar por mucho tiempo solos a partir de su propia iniciativa. Necesitan ayuda de un líder para decidir respecto del propósito común y del plan común para poder lograrlo. En los grupos informales el líder, usualmente, surge del grupo para cumplir esta función. En los grupos comerciales con un vacío de liderazgo, el surgimiento de un líder del grupo plantea una amenaza (real o imaginaria) para el líder designado. La confianza y la cooperación no se fomentan en grupos sin líder o sin propósito, sino que surgen del trabajo conjunto en un esfuerzo común hacia un objetivo común en el cual tanto el grupo como los individuos que son miembros están interesados.

Los problemas con otros estilos de conducción eran: demasiado énfasis en los objetivos de la Organización (conducción científica), demasiado poco énfasis en los objetivos de la Organización (conducción de relaciones humanas), o demasiado énfasis en los objetivos individuales (conducción por "Compromiso del Subordinado"). La falta de liderazgo, o los grupos sin propósito no logran resultados valiosos excepto a través de tremendos sacrificios (suicidios) de los miembros individuales. Hay demasiadas personas con quien pelear en una gran Organización. En una Organización en la que los recursos son a corto plazo, las personas voraces, que se quieren autorrealizar, que son capaces de tomar de los demás lo que necesitan, probablemente sobreviven; mientras que los individuos humanitarios, que se autosacrifican, que son incapaces de satisfacer las necesidades de un grupo tan amplio, se van "secando" y eventualmente pueden finalizar como suicidas. El liderazgo en el futuro no será liderazgo por omisión o liderazgo solamente con subordinados comprometidos, sino más bien un liderazgo caracterizado por el logro de un objetivo grupal, construcción del equipo, y la satisfacción de las necesidades de los subordinados con base individual. A medida que las personas y sus tareas cambian, el clima psicológico y el tono de conducción de la Organización también cambiará. Esta evolución debería ser en una dirección que aliente a retener a las buenas personas y al logro eficiente y efectivo de las tareas necesarias. La tabla 2-1 muestra la evolución de los estilos de conducción típicos en corporaciones de los Estados Unidos y los diferentes factores responsables por cada nuevo estadio.

La moral de una Organización y los resultados que obtiene de sus empleados son los productos del comportamiento de la conducción a través de los años. Son los productos del proceso total de gerenciamiento. No es posible pedir actitudes favorables a los empleados en tiempos de crisis luego de años de relativo rechazo. Las impresiones de los empleados en cualquier momento son una acumulación de la red de impresiones sobre el individuo de todo lo que la conducción *está haciendo y ha venido haciendo* por un largo período, no aquello que la conducción *dice* que está haciendo o ha venido haciendo.

Las actitudes de los empleados y la moral de la Organización son un resultado del modo en que los empleados son introducidos en la Organización, la clase de trabajo que se les asigna, el modo en que son supervisados y compensados, y la manera en que avanzan en el trabajo. También son afectados por el modo en que la Organización pone en marcha los cambios, el modo en que se realizan los despidos, y la reputación de la conducción respecto de la buena fe y la información honesta.

El comportamiento de la conducción está bajo constante escrutinio y es continuamente evaluado por los empleados así como también por los accionistas y la comunidad financiera. Obviamente, la tarea de complacer a todos no es fácil. En el pasodo, demasiado poca información confiable estaba disponible, y lo que sí ha estado disponible ha sido el producto del rumor, el pensamiento deseoso de los hombres de personal y los supervisores, o los resultados cuestionables de las encuestas.

Una tarea fundamental al encarar la conducción es realizar una revisión realista de los programas y las políticas de conducción y reevaluar y reformar el rendimiento presente y los objetivos a largo plazo a la luz del medio ambiente en constante cambio y las necesidades rápidamente cambiantes. La tradición no es suficiente, y las buenas intenciones tampoco. Una Organización será tan ineficiente como su conducción pueda tolerar; la ineficiencia se previene en proporción directa al interés de la conducción.

"Si la conducción se preocupa por la falta de motivación y de objetivo dirigido en el comportamiento entre los empleados, tiene que mirarse a sí misma para descubrir la razón y debe tratarse a sí misma si quiere alcanzar como efecto la cura." [5]

Tabla 2-1: Evolución de los estilos de conducción en una compañía típica.

Estilo de Conducción	Científica	Relaciones Humanas	Compromiso del Subordinado	Por Compromiso del Equipo
Cúando fue más prevaleciente	Anterior a la Segunda Guerra Mundial.	Fin Segunda Guerra Mundial y Fin Guerra de Corea. Fin de la contratación Costo + un Plus.	Fin de la Guerra de Corea hasta el presente.	Futuro.
Tareas	Simple.	Simple.	Compleja, requiere bajo grado de interacción grupal.	Compleja, requiere alto grado de interacción grupal.
Medio ambiente comercial	Estable con menor riesgo.	Cambiante con poca competencia.	Rápidos cambios con competencia en aumento.	Cambiando rápidamente, altamente compleja, con aumento de riesgos.
Tipo de contratos	Firmes, precios fijos.	Costo más derechos fijos.	Costo más derechos fijos.	Precio fijo.
Roles dominantes	Ingeniero industrial (simplificación de tareas).	Gerente de personal y el organizador de fiestas.	Gerente de Proyecto y el científico trabajando sólo.	Planificador, generador de equipo e ingeniero en sistemas.
Fuerza motivadora	Presión de la conducción.	Gratitud subordinada a la satisfacción de las necesidades sociales.	Subordinados jóvenes con alto compromiso a las tareas personales.	Compromiso grupal a las tareas grupales.

[5] Charles Hughes, **Goal Stting**, Nueva York: American Management Association, 1965. p.56.

Estilo de Conducción	Científica	Relaciones Humanas	Compromiso del Subordinado	Por Compromiso del Equipo
Medio ambiente psicológico	Trabajo duro pero resentimiento por la presión de la conducción.	Atmósfera social.	Frenesí, ansiedad, confusión.	Trabajo duro bajo presión internalizada y de los pares de grupo.
Base filosófica	Calvinismo (el propósito de la vida es el trabajo duro)	Psicología infantil freudiana (evitar la frustración) y Christian Science (manipulaciones mentales pueden superar los obstáculos)	Psicología existencial (existencia sin propósito excepto individualmente definidos en el aquí y ahora)	Psicología del ego (desarrollo de la orientación de la realidad hacia el medio ambiente) y Psicología de grupo (definición grupo (definición de lo que se necesita para alcanzar los objetivos grupales).
Seguidores: Técnicamente	Inexperto.	Experto.	Experto y profesional.	Experto y profesional.
Psicológicamente	Quieren satisfacer necesidades materiales.	Quieren satisfacer necesidades sociales.	Quieren oportunidades para realizar y probarse a sí mismos (ej. Reconocimiento)	Quieren oportunidades de servicio y sentido de logro.
Expectativas de los subordinados	Obediencia y trabajo duro.	Felicidad.	Total compromiso y habilidad para corregir problemas con mínima o ninguna asistencia de la organziación.	Resolver problemas con ayuda de la Organización.
Líderes: Técnicamente	Erudito.	Erudito.	No erudito.	Erudito.
Psicológicamente	Autoritario. Toma decisiones. Retiene la autoridad.	Mitigador. Calculador. Mantiene relaciones amigables y sostiene a la gente feliz.	Defensivo. Toma pocas decisiones. Retiene la autoridad. Rechaza responsabilidad.	Abierto. Ayuda al grupo a tomar decisiones. Comparte la autoridad y la responsabilidad.

Estilo de Conducción	Científica	Relaciones Humanas	Compromiso del Subordinado	Por Compromiso del Equipo
Responsabilidad de la conducción	Planifica. Organiza.	Trabajadores felices pero sólo cuando son calmados.	Provee desafío y observa como la gente trabaja. Ve que los empleados tengan tarea pero provee menos recursos que los necesarios. Pasa alguna información.	Ayuda al grupo a obtener los objetivos. Facilita el proceso grupal. Acepta la responsabildiad por el funcionamiento efectivo del grupo. Integra los objetivos de los subordinados con los de la Organización.
Ventajas	Conducción por las fórmulas más simples posibles.	Reducción de esfuerzos hacia los objetivos de la Organización.	Puede ignorarse el conflicto. Los gerentes pueden conducir sin conocimiento técnico. Muchas personas pueden trabajar con mínima dirección técnica, pero no pueden ser orientados hacia objetivos grupales.	Grupo orientado hacia la Organización, no sólo objetivos personales. Posibilidad para muchas personas de hacer aportes al objetivo de la Organziación.
Desventajas	Sólo los gerentes tienen alto impacto en los objetivos de la Organización. Resentimiento en los trabajadores. Formaciones de subgrupos anti-Organización.		Personas trabajan con objetivos cruzados. La ausencia de objetivos grupales deja poca oportunidad para el reconocimiento excepto al satisfacer necesidades individuales, que pueden no ser relevantes para la Organización. El compromiso no puede modificarse rápidamente, muchas veces perdura aunque ya no es útil. Suicidio de gente útil.	Los gerentes tienen que desarrollar habilidades en: Establecimiento de objetivos. Dinámicas grupales. Resolución de conflictos. Confrontación. Versatilidad. Competencia interpersonal. Negociación. Empatía

TRES
EL PROCESO DEL SUICIDIO

Los ejecutivos de la Empresa son los más explotados emocionalmente,
Los más solitarios, infelices, los menos representados y
los más incomprendidos grupos de trabajadores en nuestra sociedad.[6]

No podemos esperar que todos continúen "aceptándolo"
Mientras los exhortamos a hacer un "buen ajuste social"
A circunstancias y trato obviamente desmoralizante.[7]

Las bases para el suicidio posterior son tendidas cuando un individuo primero se une a la Organización, acepta un contrato indefinido y no público e ingresa a un sistema donde los objetivos (y en consecuencia los sucesos para alcanzarlos) son pobremente definidos y donde la filosofía es la de dirigir mediante el "Compromiso del Subordinado". Al ingresar en la Organización, el nuevo empleado acepta esta situación de buena fe, pero a medida que el tiempo pasa crece la desilusión, y los problemas por necesidades no cubiertas aumentan más y más. La disparidad entre las expectativas y la realidad es desconcertante, y produce un severo estrés interno. El resultado final es algún tipo de acción, precipitada o gradual, a la que hemos denominado aquí suicidio profesional.

El suicidio también es un resultado de las reacciones psicológicas al compromiso extralimitado. Cuando las personas se preocupan muy profundamente por algo, esto se vuelve demasiado importante en caso de que las cosas no vayan del todo bien.

El proceso del suicidio profesional puede dividirse en siete estadios que se combinan o sobreponen: (1) aceptación de un contrato indefinido; (2) el período de la luna de miel; (3) puesta a prueba del contrato y el apoyo de la Organización; (4) conflicto del empleado respecto del contrato; (5) la búsqueda de apoyo o resolución por parte del jefe (el sistema formal); (6) búsqueda de apoyo por parte de los pares (el sistema informal); y (7) la formación del síntoma. Cada una de estas etapas será tratada más detalladamente.

Aceptación de un contrato indefinido.

El proceso del suicidio profesional con frecuencia comienza cuando el individuo primero es contratado y se le provee solamente un contrato impreciso respecto de lo que se espera de él. No es excepcional en Organizaciones con tasas altas de suicidio profesional que a un nuevo empleado se le asigne un contrato sin el respaldo formal de la Organización. Bajo la filosofía del gerenciamiento a través del "Compromiso del Subordinado", se realiza un gran esfuerzo para contratar una per-

[6] William F. Miller, **"Experts Finds Executives Ineps at Job Hunting"**, The Plain Dealer, 2 de septiembre de 1968.

[7] Laureen K. Frank, **The Promotion of Mental Health**, Mental health in the United States, The annals of the American Academy of Political and Social Sciences, vol. 286, marzo de 1964, p. 169.

sona "capaz" que, con una definición vaga y con mínima retroalimentación, pueda resolver los problemas y ayudar a la Organización a alcanzar sus objetivos. El jefe se aproxima al empleado sobre una base personal más que organizacional por (1) la falta de compromiso del jefe o (2) la incapacidad de comprometer a la Organización con lo que el jefe quiere que se realice o (3) miedo de disgustar a los demás porque el contrato del nuevo empleado se solapa con lo que algún otro par ya está realizando.

La complejidad de los negocios modernos hace difícil especificar precisamente todo lo que el nuevo empleado hará, pero éste no es el tema aquí. Los contratos, con frecuencia, se plantean vagamente a propósito, porque el jefe es incapaz o renuente a pensar más profundamente lo que debe ser hecho, porque esto requeriría mayores especificaciones. De igual manera, los contratos más precisos requieren mayor clarificación sobre la solapación entre el contrato de la nueva persona y los contratos existentes. Los jefes frecuentemente son renuentes a aclarar quien hace que, prefieren que los subordinados "luchen" para definirlo por su cuenta. En el proceso de la lucha generalmente alguno sale herido. (Las Tablas 3-1 y 3-2 presentan algunas de las ventajas y desventajas de los contratos no claros desde la óptica del gerente y de los subordinados).

Tabla 3-1: Ventajas y Desventajas de los Contratos no claros desde el punto de vista del gerente.

Ventajas	Desventajas
Ahorro de tiempo (en el corto plazo)	Costos de tiempo (a largo plazo)
Ahorro de energía (en el corto plazo)	Costos de energía (a largo plazo)
Ahorro de estrés emocional (en el corto plazo)	Costos de estrés emocional (a largo plazo)
No es necesario dedicar tiempo a clarificar temas difíciles.	Los temas no clarificados tan completamente como fuere posible al principio tienden a empeorar.
No es necesario confrontar (en el corto plazo) los problemas de la Organización por contratos que se superponen por quién hace qué.	El problema de los contratos que se superponen y de quién hace qué, es cada vez más difícil de resolver en el tiempo excepto teniendo como resultado el suicidio.
Muchas personas responsables por todo. (Alguna persona lo hará).	Cuando muchas personas son responsables por todo, nada se hace. Las responsabilidades se pierden en el vacío cuando la superposición es tan intensa.
Como resultado de que el problema atañe a un tema de "interpretación", el gerenciamiento es menos probable que sea tachado de responsable.	Los pares se molestan cuando alguien toma la iniciativa de trabajar en la conducción. Puede entenderse que el trabajo del jefe no es lo suficientemente bueno si alguien más tiene que empezar a ayudar.

Tabla 3-2: Ventajas y desventajas de los contratos no claros desde el punto de vista de los subordinados.

Ventajas	Desventajas
Si soy hábil, seré capaz de desarrollar este trabajo.	Si no soy lo suficientemente capaz, puedo ser aislado con asignaciones vagas y el sistema puede impedirme lograr mucho.
Puedo conducir, manejar y hacer lo que quiero.	La conducción y dirección de los demás me confunde y me quita efectividad.
Si sostengo la situación tan vaga como sea posible, tal vez, para mi provecho se defina lo inespecífico.	Me pongo ansioso porque no se cuál es realmente mi trabajo o por qué resultados seré juzgado.
	La falta de dirección clara y pública hace que los demás se pregunten qué estoy haciendo. Crea ansiedad, sospecha y hostilidad respecto de mí y mi rol en la Organización.
	Si no defiendo constantemente mi posición, mis responsabilidades pueden ser asumidas por algún otro. En consecuencia, soy reacio a aceptar ayuda o permitir que alguien aprenda demasiado sobre mi actividad.

El nuevo empleado no siempre puede averiguar fácilmente la falta de apoyo formal de la Organización. El encargo del jefe es aceptado de buena fe, pero la falta de apoyo de la Organización se hace sentir insidiosamente por manifestaciones de los pares tales como: *"¿Quién dijo eso?"* o *"¿Qué piensa el jefe de tu jefe?"*. El grado de real apoyo de la Organización también se mide por cuánta autoridad y cuántos recursos realmente son delegados al individuo. En toda Organización hay muchas demandas sobre cada miembro. Los miembros más experimentados desarrollan habilidad para determinar cuáles actividades realmente tienen un potencial de ganancia para ellos (ganarán algo de la Organización), y cuáles necesidades y actividades son relativamente insignificantes (no les van a aportar absolutamente nada).

El contrato psicológico es la suma total de estas expectativas, escritas y no escritas, habladas y no habladas, entre los empleados y el empleador. Las expectativas no se tratan completamente en el momento de la contratación o subsecuentemente porque son esperanzas y promesas no establecidas que podrían ser rotas si se discuten muy explícitamente o porque cada una tiene supuestos implícitos (y conflictivos) que parecen demasiado obvios de tratar. Las expectativas cambian con el tiempo y con el contacto con los demás miembros de la Organización. Como resultado de esta situación, el status individual y el rol en la Organización puede volverse poco claro al poco tiempo en razón de que el medio ambiente está cambiando constantemente. Una de las principales causas del suicidio profesional son los cambios reales o percibidos en la naturaleza del contrato psicológico entre el empleado y el empleador. Los esfuerzos frustrantes de un empleado para aclarar una posición vaga con el jefe que tiene dificultades en ser abierto, frecuentemente señalan el ingreso del empleado en el proceso del suicidio.

Las personas envueltas en el proceso del suicidio profesional parecen ser los jóvenes dinámicos e idealistas con los cuales es posible que se identifiquen los jefes maduros. Para alentar a estos jóvenes a trabajar duro, se plantean promesas que pueden no ser enteramente realistas, por ejemplo, *"Trabaja duro y podrás llegar a presidente de la compañía"*. Los empleados mayores, más prácticos, más experimentados pocas veces se permiten ser arrastrados por tales pactos.

Además de no tener posiciones claras, los nuevos miembros deben competir por una porción de sus tareas con los más antiguos, que han desarrollado relaciones a través de toda la Organización y saben muchas maneras informales de facilitarse la vida y de dificultársela a los que se inician. El tiempo que los individuos pueden seguir trabajando en posiciones indefinidas y no públicas está relacionado directamente con sus niveles de competencia personal, y al grado en el cual pueden operar de manera que no amenace a la Organización formal cuando tratan con obligaciones que la Organización no acepta o comprende en su totalidad.

La falta de claridad en los objetivos de la Organización es un problema muy real, estrechamente relacionado con las posiciones indefinidas. Aunque las personas en la mayoría de los sectores manifestarían estar interesadas en el crecimiento y las ganancias de la Organización, muchas de sus acciones parecen dirigidas a perpetuar una estructura de poder particular y el statu quo.

El período de la luna de miel.

Luego de la aceptación del empleado de un estatuto poco claro, usualmente sigue un corto tiempo que podría ser llamado "el período de la luna de miel". Como consecuencia de la falta de estructura y de roles claramente definidos, todo empleado nuevo es visto con recelo como un potencial competidor, pero también como una posible fuente de ayuda. Dado que no se sabe si el nuevo empleado ayudará o herirá, inicialmente son muy útiles. Como están inseguros de cuánto poder tiene realmente el recién llegado, al principio cooperan.

Durante el período de la luna de miel todos parecen tan amigables que el individuo puede caer en revelar demasiadas cosas de sí mismo, las cuales pueden ser un chisme que circula por vías secretas para luego ser empleado contra el nuevo empleado.

Puesta a Prueba del Contrato.

Tarde o temprano la gente descubre que el nuevo empleado no es superman y no puede resolver solo todos los problemas en la Organización. Entonces generalmente hay ciertas pruebas de cuánto poder tiene realmente el individuo, y tal vez, alguna separación porque el individuo no ha sido tan útil como se fantaseó. Durante esta fase se pone a prueba cuánto del contrato indefinido puede sostener la Organización y cuánto tendrá que ser ejecutado sobre una base personal e informal. Se prueba tanto a la Organización como al individuo para ver qué recursos estarán disponibles para hacer el trabajo. Los recursos vitales pueden ser asignados o retirados. Estos pueden ser clasificados como recursos materiales, recursos humanos y autoridad. Los recursos materiales incluyen cosas tales como oficina, teléfono, y los diferentes equipos. Los recursos humanos incluyen el tiempo de la gente, que puede estar oficialmente garantizado o no. La autoridad es el derecho a aprobar o desaprobar ciertas acciones de la Organización. Un recursos adicional son ciertos símbolos de prestigio dentro de la Organización, que pueden ser asignados o retirados, tales como espacio privado de estacionamiento y llaves del edificio. Estos símbolos indican cierta autoridad, establecen cierta clase de status organizacional (no importa cuánto sea negado formalmente) y así ayudan a obtener cooperación.

Durante la etapa de la prueba comienza la desilusión de la Organización. Pocos gerentes se dan cuenta de cuánta información obtienen los empleados, no por lo escrito o la palabra hablada sino, más bien, por su propia experiencia y la experiencia de los demás. *"Con demasiada frecuencia parece que en este trabajo, al menos, cuando le doy a mi empleado lo que dice que quiere, parece tener muy poco que ver con lograr lo que yo quiero."*

Conflicto del Empleado.

La fuerza psicológica proviene de ser incluído, respetados y de la confianza. En un medio individualmente competitivo, donde el estilo de conducción es el del "Compromiso del Subordinado", esta fuerza es difícil de encontrar, porque es una ventaja competitiva a corto plazo para los empleados antiguos no incluir, respetar o confiar en los nuevos empleados. Durante esta etapa, las personas con frecuencia experimentan lo que ha sido llamado el shock cultural. Los nuevos empleados no comprenden a la Organización, no pueden comunicarse de manera significativa, no son respetados (el respeto se gana a través de la comunicación), y no se los considera competentes porque no pueden comunicarse.

Cuando las personas son forzadas a tratar con situaciones ambiguas, se vuelven mayormente ansiosas y recelosas. Como alguien perdido en una jungla sin saber de qué dirección vendrá el próximo ataque, pueden reaccionar con pánico, disparando salvajemente hasta que se quedan sin municiones, trabajando con ahínco con los ojos vacíos, o sentarse inmovilizados esperando que el destino les alcance la confianza en sí mismos. El *comportamiento* específico se relaciona con la propia personalidad del individuo, pero el *problema* es estar perdido. Es necesario un propósito, una dirección, y un plan, que ayudaría a enfocarse en una solución y daría a los empleados algún sentido de dominio sobre su destino.

Obviamente, algunos establecerán objetivos personales y, reuniendo un grupo de amigos a su alrededor, avanzarán en dirección de esos objetivos. Pero la mayoría, creo, preferiría trabajar en dirección de los objetivos de la Organización si tales objetivos pudieran ser establecidos y apoyados por la misma.

La Búsqueda de la Resolución del Jefe (el sistema formal).

La frustración individual aumenta al darse cuenta gradualmente que se ha aceptado el compromiso para un proyecto que no ha sido sancionado oficialmente y las dificultades que eso acarrea; tales como hostilidad de los pares respecto del temor de infringir la posición, alentar la competitividad individual y su resultado de falta de confianza, problemas de comunicación y falta de conocimiento respecto de lo que está sucediendo, y la ansiedad y las presiones de tiempo que hacen difícil establecer relaciones fuertes entre compañeros de grupo. El individuo gradualmente se da cuenta de que algunas de estas dificultades son el resultado de una Organización y una conducción inadecuadas. Los esfuerzos para confrontar al jefe con estos problemas suelen generar que el superior se sienta culpable y se ponga a la defensiva y comience a evitar al subordinado que le provoca esos sentimientos. Un subordinado que puede mantener contactos personales frecuentes con su jefe se siente apoyado. No obstante, como otras demandas presionan cada vez más, y como el subordinado aplica más presión en pos de la clarificación, el jefe comienza a estar más y más a la defensiva y resuelve la situación dedicándole cada vez menos tiempo al subordinado.

Lo que se necesita es un aviso oficial de la Organización respecto del estatuto del individuo y de las responsabilidades que implica. No obstante, el problema que hizo que la posición sea indefinida en primer lugar, sigue sin clarificarse. Sin aclaración, los problemas continúan desarrollándose, las satisfacciones prometidas no llegan, el caos no se alivia; sino que, en su lugar, con más presión, las dificultades empeoran. El individuo lentamente se da cuenta de que la situación no es lo que originalmente parecía ser. La ayuda indiferente de la Organización y las diferentes objeciones planteadas por los pares hacen que el jefe sienta que intentar clarificar el estatuto no sería políticamente recomendable en ese momento. El jefe asume que si el subordinado fuera lo suficientemente competente, no habría necesidad de clarificar la posición. Y, así, las presiones por la clarificación del estatuto alienan cada vez más al subordinado del jefe. Cualquier esfuerzo de clarificar la posición con el jefe del jefe es obviamente visto como una amenaza y podría comprometer seriamente al subordinado.

La Búsqueda de Apoyo de los Pares (el sistema informal).

Además de intentar encontrar una solución con el jefe, el individuo también intenta resolver la situación con sus pares. Un problema fundamental aquí es la lucha competitiva entre los compañeros. En la conducción bajo el "Compromiso del Subordinado", cualquiera en el mismo nivel o en un nivel superior es un rival potencial. Teóricamente, uno puede avanzar haciendo un buen trabajo, pero en una Organización donde sólo cuenta la crisis presente y el recuerdo de los buenos trabajos hechos en el pasado es efímero, los antiguos empleados se han dado cuenta de que el avance con frecuencia se puede lograr más rápidamente facilitando la competencia que haciendo un buen trabajo ellos mismos. Entonces emplean mucho tiempo de la Empresa para conocer los problemas de sus rivales y haciéndolos circular para desventaja de esas personas. Los rivales pueden ser separados, considerados insignificantes o ineficientes a través del uso sutil del chisme y la no cooperación. Es importante hacerlo cuidadosamente de manera de que ninguna palabra vuelva en su contra e incite una contraofensiva.

Cuando las personas no tienen en claro lo que deberían estar haciendo, generalmente se vuelven ansiosas y quieren aprender algo del buen trabajo de los demás. Cuánto más competente parece un recién llegado, más es de temer. Con posiciones indefinidas, hay grandes oscilaciones en las actividades de la Organización, dependiendo de lo que parece ser importante para el jefe en cada momento. Gradualmente el recién llegado aprende que si le dice a una persona de su área lo que está haciendo, la ansiedad generada por este conocimiento de lo que hace (mientras no tiene claras sus propias responsabilidades) tiende a que ellos digan *"no es lo suficientemente importante para ti, no deberías estar haciendo eso"*, o *"yo debería estar haciendo eso"*. En consecuencia, los compañeros parecen dedicarse a remover cualquier actividad de la jurisdicción del recién llegado.

En la vida de Organizaciones complejas con sólo vagas definiciones de roles, los empleados no pueden descansar solamente en las evaluaciones de sus jefes de su efectividad o de la utilidad de sus actividades. Deben sostener diálogos continuos con las personas en toda la Organización para descubrir aquello que verdaderamente es lo más útil. Para ser exitoso, es importante mantener buenas relaciones con los pares; pero, desafortunadamente, los objetivos y los valores de los pares, con frecuencia, corren en la dirección contraria a la de los objetivos y los valores de la Organización formal.

Formación del Síntoma.

El individuo que descubre la imposibilidad de cumplir el compromiso asumido con un jefe supuestamente benévolo se frustra y se enoja cada vez más. La frustración y la agresividad (la cual usualmente no puede explicarse a las figuras de autoridad sin aumentar la posición defensiva por parte del jefe) gradualmente, si no se resuelven, son más y más perversas. Los intentos de resolver la situación con los pares (quienes uno tiene la esperanza que comprenderán) pueden fracasar y solamente dan por resultado mayor alienación. Si el problema continúa sin corregirse, el individuo primero se enoja y se aísla, luego se deprime y se aísla. Sin alguien benévolo que lo escuche, los intentos de romper el modelo pueden dar por resultado más derrotas, pérdida del respeto para sí mismo, y aislamiento. A medida que el proceso continúa, el individuo está más atrapado por compromisos personales con una tarea que, se ha dado cuenta ahora, nunca tuvo el apoyo completo de la Organización; y eventualmente empieza a negociar con las relaciones personales para cumplir las tareas asignadas. Por la falta de apoyo de la Organización, finalmente, el empleado agota sus relaciones personales y al mismo tiempo se encuentra en competición abierta con la Organización formal. Es entonces cuando la mayoría abandona la Organización o se retira en pos de una relativa inactividad.

Los individuos cuyos compromisos son suficientemente grandes y cuyas esperanzas para sus proyectos son aplastadas repentinamente tendrán reacciones más violentas contra las figuras de autoridad y la Organización, la cual sienten que los ha traicionado. Los intentos de hablar de su enojo y su frustración serán vistos como un ataque, lo cual son. La figura de autoridad cuya inseguridad es en parte responsable de la decepción original se sentirá amenazada por esta situación y luchará para defenderse rechazando cualquier responsabilidad. Esto, por supuesto, intensifica los sentimientos del individuo de injusticia, frustración y enojo, y se suma al sentimiento de abandono. Además, el individuo ahora es un recordatorio constante de la propia incapacidad del jefe para apoyar el trabajo, lo cual, a su tiempo, aumenta la culpa y el enojo del jefe, e inspira el deseo consciente o inconsciente de remover la fuente de irritación tan pronto como fuera posible.

Atrapado en el vértice de estas emociones, el individuo es como una persona suspendida de una soga, consciente de que luchar sólo puede servir para tensar la cuerda. La elección es morir quietamente o luchar para liberarse, sin ayuda de aquellos que observan las luchas mientras racionalizan que el individuo eligió estar en esta situación. Y, tal vez, en cierta medida, fue así; si el empleado no se hubiera comprometido con una tarea de la Organización para la cual existía un apoyo inadecuado, esta situación podría no haber surgido.

Los miedos indefinidos hacen que el individuo se cierre y sea menos accesible, lo excluyen de las relaciones y de la comunicación necesarias para tener éxito en el cumplimento de las tareas. Se debilita la confianza, se desarrollan barreras, que lo separan gradualmente de los demás y del apoyo necesario para permanecer saludable y crecer profesionalmente.

Una Organización *necesita* un medio ambiente cooperativo. Alienta el compromiso; y una persona en crecimiento *necesita* estar comprometida. Una persona que es parte de algo tiene una razón para ser responsable. La mayoría de las personas quieren ver algo que valga la pena como resultado de sus esfuerzos, y con frecuencia trabajarán a pesar de la prohibición de la Organización. Algunos de estos esfuerzos (especialmente aquellos que realizamos en soledad, tales como la invención) eventualmente son recompensados, mientras que otros solamente generan un aumento en la hostilidad de la Organización. Sacrificar el propio tiempo y esfuerzo es válido y puede ganarnos el elogio de la conducción; no obstante, al sacrificarse demasiado, el empleado puede no ser una ventaja para la Organización. Un factor clave en el suicidio profesional es que algunas personas se comprometen demasiado con Organizaciones que les proveen demasiado poca seguridad (y eso no parece importarles).

La falla en cumplir las expectativas del jefe y de la Organización con frecuencia es considerada como una conducta errónea voluntaria, no sólo por los jefes y la Organización, sino también por los mismos individuos. La falta de éxito (incluso en la ejecución de tareas casi imposibles) es acompañada por una fuerte reacción de culpa y el consiguiente deseo de autocastigo, el cual la Organización hace muy poco para evitar. Cuando la cultura (nacional u organizacional) considera el suicidio (en el sentido físico) como un modo honorable o noble de resolver un problema, los suicidios suceden con mayor frecuencia. La tasa de suicidio es mucho mayor en Asia que en los Estados Unidos o en Inglaterra, y el "suicidio profesional" es mucho más prevalente en algunas compañías que en otras.

Los suicidas potenciales se distinguen fácilmente, al menos en las fases finales, por su ansiedad o la depresión evidentes que exhiben abiertamente y la poca ansiedad o depresión que manifiestan respecto de su estado. El suicidio parece ser más atractivo para ellos que la continuación de su existencia insatisfactoria. El suicidio profesional es visto como la solución apropiada para un dilema imposible de resolver. Para ser aceptable, el suicidio profesional debe reunir cuatro condiciones: reducción de los conflictos; compatibilidad con los ideales del ego; continuidad de las relaciones personales, y cumplimiento de las fantasías.

Cuando las experiencias de frustración han tenido lugar con amabilidad y consideración, no hay forma legítima de expresar enojo y frustración, y entonces cobra intensidad la culpa. Pareciera que la culpa y la pérdida del respeto a sí mismo que se produce al no verse como realizando un buen trabajo retiene a las personas en una Organización mucho tiempo después de que debieran haberse ido.

Incluso un recién nacido puede sentir la diferencia entre ser tratado con respeto o como una nulidad. El sentimiento de no ser respetado o querido inicia el proceso de cierre, que conduce a alejarse cada vez más de los demás, y, si se completa, da por resultado el suicidio. Kobler y Dtotland descubrieron que el suicidio con frecuencia es el resultado de una serie de interacciones sociales insatisfactorias. El suicidio profesional, como el suicidio físico, tiene lugar en aquellos que se sienten rechazados y cuyos recursos psicológicos y físicos se han agotado. La soledad es un factor frecuente en ambos tipos de suicidio, el profesional y el físico.

La crisis suicida puede comprenderse mejor en las últimas etapas por el quiebre progresivo de la conducta de adaptación en las personas agotadas emocionalmente. Los primeros síntomas del suicidio potencial incluyen hablar sobre el tema, autoagresión y descuido de sí mismo y depresión y pánico.

Un terapeuta que reconozca una crisis suicida debería explorar amablemente los sentimientos de desesperación de la persona. El antídoto para estos sentimientos es aumentar el apoyo por parte de la conducción, en lugar de observar al empleado como una falla irrecuperable.

La guía para la terapia de los suicidas físicos potenciales se basa en el mantenimiento del contacto con los pacientes y el restablecimiento de su comunicación con el resto del mundo. Los pacientes necesitan ayuda para reconstruir su sentido de identidad. Se benefician por el apoyo psicológico emergente y la estimulación de la acción constructiva. La comunicación libre es lo más importante. La familia, los amigos, y la comunidad debería movilizarse para ayudar al paciente. Los individuos que intentan matarse a sí mismos todavía desean ser rescatados o evitar su muerte. La prevención del suicida requiere reconocer que el individuo está en un estado de equilibrio inestable entre el deseo de vivir y el deseo de morir.

CUATRO
CARACTERÍSTICAS INDIVIDUALES QUE CONTRIBUYEN AL PROCESO DEL SUICIDIO

"El individuo en nuestra sociedad que tiene orientación agresiva en la resolución de conflictos es, con frecuencia, considerado de malos modales. Y como todos saben,
¡es mucho más fácil portar el estigma de la inmoralidad que el de los malos modales!
El que resuelve conflictos es considerado un descarriado,
y hacer un buen empleo de él es uno de los mayores desafíos de nuestra sociedad.
Un revelador experimento fue realizado por Shepard.
Administró un problema a una serie de grupos creados con el propósito del experimento.
Algunos de estos grupos estaban compuestos por "descarriados", otros no.
En todos los casos, el grupo que tenía "desviados" realizó un análisis más enriquecedor del problema y diseñó una solución más elegante.
El siguiente paso fue solicitar a cada grupo que excluyeran un miembro. ¡Siempre echaron al descarriado!
Mientras el grupo trabajaba con él, el resultado era creativo, pero enfrentados con la elección,
El grupo encontró más fácil continuar sin esta persona
que forzarse para enfrentar el conflicto e integrarlo. [8]

Existe un cierto número de características de la personalidad que contribuyen para que los individuos se sumerjan en el proceso del suicidio profesional. La principal entre todas ellas es una orientación humanitaria de la vida hacia el autosacrificio, que los empuja a involucrarse y comprometerse con situaciones en las que se preocupan menos de la protección de sí mismos que de hacer un buen aporte. La conducción por "Compromiso del Subordinado" alienta al individuo a comprometerse con la Organización, pero la Organización permanece ampliamente descomprometida con el empleado.

El resultado final de la conducción por "Compromiso del Subordinado" es la generación de grandes cantidades de frustración para el subordinado. Se espera que determine sus propios objetivos, sus propios planes, su propia coordinación, que reúna su propia información, que obtenga cooperación por su cuenta, y que haga todo esto con la mínima autoridad negociando a partir de su simpatía personal. Se espera que asuma cada vez más responsabilidad y que subsista con recursos de la Organización extremadamente limitados. Se espera que permanezca optimista y energético.

Nuestro estudio descubrió que el suicidio profesional es el resultado de la interacción entre ciertas características individuales y ciertas características en el medio ambiente de la Organización. Primero trataremos las características individuales que contribuyen al proceso del suicidio. Estas pueden dividirse en dos amplias categorías: (1) las características o necesidades normales que, si

[8] Elsie Boulding, **Conflict Management in Organizations**, Ann Arbor: Foundation for Research on Human Behavior, 1961, p. 54.

no se satisfacen, generan severas dificultades en los empleados y tal vez incluso el eventual suicidio, y (2) ciertas características básicamente autodestructivas del individuo (usualmente un resultado de la severa frustración) que provocan o aceleran el proceso del suicidio.

Hay ciertas necesidades básicas comunes para todos los seres humanos. Una Organización que no reconoce estas necesidades o no las satisface probablemente tenga muchas personas que renuncian o se vuelvan un obstáculo a medida que se frustran en sus intentos de obtener la satisfacción. El medio ambiente que dificulta proveer estas necesidades puede ser llamado estresante. Las personas no pueden resolver la satisfacción de sus necesidades ya sea por características dentro del medio ambiente de la Organización o por las características propias de las personas bajo estrés.

Las necesidades básicas comunes de todo ser humano, según A. Maslow, son:

1- Necesidad de alimento, vestimenta y vivienda.

2- Necesidad de un sentido de seguridad.

3- Necesidad de pertenencia.

4- Necesidad de reconocimiento y un sentido de autoestima.

5- Necesidad de crecer y desarrollarse (o autorrealizarse).

Además de las cinco necesidades básicas descriptas por Maslow, hay otras dos señaladas por Erik Fromm en su lista de necesidades básicas humanas, pero que generalmente no son reconocidas por los existencialistas (o por aquellos cuya filosofía de conducción es la de "Compromiso del Subordinado"):

6- La necesidad de un sentido de propósito ("propósito en la vida")

7- La necesidad de una estructura desde la cual visualizar el mundo.

Las personas necesitan alimento, vestimenta y vivienda. Las Organizaciones deben satisfacer estas necesidades o sino las personas necesitarían trabajar en algún otro lugar. Es la necesidad de casa, comida y vestimenta la primera que acerca a las personas a los grupos y hacen que trabajen juntas. En el moderno estado benefactor, no obstante, pocas personas mueren de hambre. Puesto que en una sociedad opulenta el alimento, la vestimenta y la vivienda pueden conseguirse sin trabajar es necesario descubrir otros medios de motivación para trabajar más efectivos. Pocas Empresas intentan obtener trabajadores sin un plan que satisfaga estas necesidades bien reconocidas, pero no pueden aceptar o incluso reconocer algunas de las otras necesidades.

Las personas necesitan un sentido de seguridad, que en nuestra sociedad generalmente es provisto por las obras sociales o los sistemas de bienestar social o los beneficios de las compañías, y usualmente fuera del proceso de trabajo. Esta necesidad parece estar satisfecha sin considerar cuán inefectivamente o creativamente trabaja el empleado y en consecuencia existe poca motivación para hacer un buen trabajo.

Los individuos necesitan pertenecer a algún lugar. Y lo que es más importante, el sentido de pertenencia surge del trabajo de la persona. Podemos pertenecer a una familia, a una iglesia, a un albergue, a un club de golf, pero lo más importante usualmente es el trabajo -especialmente para los profesionales y en Organizaciones que requieren alto "compromiso del yo". La era de la conducción de las relaciones humanas reconoció la necesidad de pertenencia y generó grupos sociales y de recreación. Pero, nuevamente, estos fueron organizados en el medio ambiente de trabajo pero no relacionados al proceso de trabajo en sí mismo. Además, a medida que la gente confluía más, ya no necesitaban de la compañía para satisfacer esta necesidad. Podían reunirse en grupos sociales en la comunidad para satisfacer sus necesidades de pertenencia.

Una filosofía de conducción por "Compromiso del Subordinado" inhibe la satisfacción de la necesidad de pertenencia porque el individuo debe competir con otros en el mismo medio y es así que rechaza una relación de apoyo con ellos. De hecho, es posible que tenga lugar un daño a la personalidad en el mismo sentido en el cual el sistema nervioso se daña si los niveles de estimulación social son inadecuados. Esto puede ser muy destructivo. Solamente a través de la conducción por compromiso de equipo, el establecimiento de objetivos mutuos y la cooperación de equipo que la Organización puede satisfacer, se presenta la necesidad de pertenencia dentro del proceso de trabajo en sí mismo.

Las personas dejan de luchar si la lucha los complica demasiado dentro del sistema. Un método favorito de castigo es el aislamiento y la denegación de la información. Esta puede ser un arma muy potente porque las personas que hemos estudiado (gerentes medios e ingenieros) necesitan información para rendir efectivamente, y depende de sus pares de grupo para conseguirla. Bajo la conducción por "Compromiso del Subordinado", los individuos son responsables de recopilar su propia información.

La persona inteligente y agresiva que ingresa en una Organización donde el avance se gana por la contribución personal con frecuencia ve a sus pares de grupo como una amenaza. Hay muchas maneras en que los grupos tratan con los recién llegados que son percibidos como amenazas. La más común es el aislamiento. Es importante que los novatos reconozcan que demasiados comentarios críticos o demasiadas contribuciones activas ponen a la gente a la defensiva, y pueden terminar como proscriptos.

Las personas comprometidas que trabajarán largas horas como algunos de estos empleados acostumbran, se quedan terriblemente solos. Necesitan alguien con quien poder hablar... alguien que los acepte y trate de entenderlos.

Hay un cierto número de razones por las cuales las personas son aisladas socialmente y se les niega el sentido de pertenencia. Eventualmente, las personas abandonan la lucha (cometen suicidio profesional) si la lucha los aísla y les complica demasiado la vida en el sistema informal.

Durkheim descubrió que la tasa de suicidio de una comunidad varía en relación con lo que cada individuo se identifica con el grupo social que controla y define las actividades de las personas. Cuanto más identificado está el individuo, es menos probable que cometa suicidio. Sainsbury encontró que las tasas de suicidio eran superiores donde tanto la clase como la movilidad social eran altas e inferiores donde prevalecía la vida y estabilidad familiar. Descubrió que la soledad es un factor frecuente en los suicidios. El ejecutivo exitoso es aquél que puede evitar que sus subordinados se sientan perdidos y deserten de la compañía.

La Necesidad de Reconocimiento y de un Sentido de Autoestima.

Las personas también necesitan reconocimiento, autoestima, y un sentido de autovalidación. Para la mayoría de los individuos, el sentido de autovalidación surge de sus trabajos y la contribución al mundo que realizan de esta manera. Muchas grandes corporaciones han reconocido y empleado este factor para motivar a sus trabajadores. Los esfuerzos para ganar más por cada acción para los accionistas han sido gradualmente reemplazados por lemas como "El progreso es nuestro negocio más importante" o "Un mejor mundo a través de la investigación". La gente necesita un propósito valioso para sus vidas, y trabajaran mucho más duro alentados por tales lemas que por incrementar las ganancias de una acción de la compañía por unos pocos centavos.

Todos aquellos que estudiaron fueron altamente orientados hacia el reconocimiento de las necesidades. Para la mayor parte, sus necesidades de alimento, vestimenta y vivienda ya habían sido satisfechas, pero mostraban una intensa necesidad del sentido de logro. La dirección superior, integrada por hombres mayores con títulos y oficinas de fantasía, han logrado satisfacer suficientemente sus necesidades de reconocimiento. Lo que ofrecían a sus subordinados era el desafío y las oportunidades para la autorrealización. Los subordinados asumían que en algún lugar del camino serían satisfechas sus necesidades de reconocimiento. Cuando fue obvio para ellos que sus jefes no estaban interesados en satisfacer estas necesidades, comenzaron a mostrar varios síntomas del suicidio profesional.

Las personas necesitan hacer algo y sólo pueden soportar una cierta cantidad de aislamiento y de ocio forzado. La inhabilitación para hacer cosas es debilitante. Los bajos logros o los avances no confirmados dan por resultado sentimientos de baja autovalidación y de culpa, e inician una espiral descendente de deterioro del ego. Algunos abandonan repentinamente la Empresa cuando se dan cuenta de que el sentido de logro y de reconocimiento que quieren no está disponible. Sus decisiones pueden relacionarse no a alguna falta real de logro, sino sólo a la falla de la Organización en cuanto a la confirmación del mismo.

Casi fue parte de la política de la compañía que el reconocimiento y el status individual se menospreciaran. El departamento de personal expresó gran orgullo por no separar el salón comedor para los ejecutivos junior. Mientras que los espacios de estacionamiento privado y las oficinas más amplias estaban disponibles para los mandos superiores, los esfuerzos de los otros empleados para obtener estas ventajas eran ridiculizados. Los cargos y las relaciones de información eran semisecretas, mientras que todos los esfuerzos eran para mantener a la gente feliz mediante "la participación en una familia ampliada". En función de los informes de rendimiento (es decir, oportunidades periódicas para el reconocimiento y la autoestima) que no se difundían, los empleados no sabían cuál era su lugar, y se jugaban juegos para medir las realizaciones. Las personas altamente motivadas deseaban lograr algo. Si la compañía no establecía las reglas para medir los logros, medirían por su cuenta. Tales mediciones como "cuán cercana es mi oficina de la del jefe", "cuántas horas paso en la planta cada semana", etc., se volvieron medios de ganar un sentido de realización.

De tanto en tanto, cada uno de nosotros medimos e informamos nuestra propia posición en relación con aquellos que nos rodean. Este cómputo constante de nuestro valor parece ser un cálculo del valor de la vida de la Organización en sí misma. Si en algún punto hemos tenido que aceptar una derrota inevitable e inolvidable, fue lo más necesario para buscar en cualquier lugar una victoria compensadora. La autoestima dañada y los estados agudos o crónicos de baja visibilidad casi automáticamente necesitan seguridad que salve las apariencias en alguna otra área. Somos más sensibles y susceptibles sobre las mediciones de los demás exactamente en esos puntos donde más deseamos estar seguros -donde la intensidad de nuestro deseo de ser valorados hace de todo pero la más convincente de las confirmaciones aparece como inadecuada y muestra descontento y donde nuestra autodefensa hiperansiosa se ve como agresión. Es imposible juzgar los efectos de estos empeños u otras condiciones de trabajo aparte de las relaciones que el trabajo permite con otras personas. Lo que todo trabajador sabe es que la alegría final del trabajo no es determinada, ni por el trabajador ni por el empleador, sino por la sociabilidad garantizada por los compañeros ciudadanos. Un sentido amplio de autodependencia de las relaciones emocionales con otros significativos y la constante confirmación de su parte.

Si nos consideramos a nosotros mismos como inteligentes y atractivos, y aún así la confirmación de los otros de nuestra percepción falla porque se retienen las referencias o los cumplidos, se torna difícil continuar sosteniendo la propia percepción. En los campos de prisioneros de Corea principalmente fue la humillación, la denigración y la persecución de los compañeros de celda lo que sirvió para negar a los prisioneros cualquier rol o sentido de sí mismos. Los prisioneros no podían obtener ninguna respuesta positiva (aprobación o incluso atención sostenida) de otros prisioneros a menos que desearan asumir el rol de "criminal culpable". Esta fue una experiencia muy deteriorante y contribuyó a la alta tasa de pérdida de la esperanza.

Varios estudios han demostrado que la adecuación de su ajuste es directamente proporcional al grado en que los individuos se perciben a sí mismos como poseedores de un rol significativo en grupos o subgrupos claramente delineado que le da el status de su rol. Una alta necesidad de aprobación da por resultado la inhibición del comportamiento agresivo como un medio de superar una situación, porque este sentimiento puede conducir a la desaprobación social. En un experimento con un cómplice que los engañaba, los sujetos con fuertes necesidades de aprobación deseaban continuar interactuando después de haber operado de modo cobarde, mientras que aquellos con baja necesidad de aprobación no. Las personas que estudiamos tenían altas necesidades de logro y bajas necesidades de aprobación. Cuando son tratadas de maneras que consideran injustas, tienden a no aceptarlo.

Los individuos reaccionan sobre la base de cómo observan el medio ambiente. Los sujetos con altas necesidades de aprobación eligen estrategias basadas en su evaluación de la conducta necesaria para preservar las relaciones sociales. Si creen que a sus compañeros les interesa la objetividad, se comportan de acuerdo con esta creencia.

La guerra no continúa meramente porque los hombres disfrutan la prueba de los momentos supremos y por ello llegan a amar la lucha por la lucha misma. La verdad es que los hombres en todas partes sienten la necesidad absoluta de "cuidar las apariencias", y la guerra ofrece unas pocas arenas donde la derrota le da al adversario escasamente menos honor que la victoria.

Un estudio mostró una inusual severa incidencia del suicidio entre los Indios Cheyenne adolescentes. En los inicios de la historia de la tribu, los suicidios eran raros. Cuando un hombre se deprimía o perdía el sentido por alguna razón, el modo usual de tratar esta crisis era organizar una pequeña fiesta de guerra. Durante la lucha, el guerrero realizaría alguna proeza de bravura, la cual renovaba su autoestima, o algún acto valiente suicida en el cual era asesinado (aunque esta situación no era considerada como suicidio).

Luego de que los indios fueron confinados a las reservas, se les prohibió su Danza del Sol y otros rituales "bárbaros" y cazar el casi extinguido búfalo; y, porsupuesto, toda lucha entre tribus también se eliminó. Los hombres indios fueron obligados -por razones de salud- a cortar su cabello largo, un símbolo de su fuerza, y como no podían sostener a sus familias, el gobierno estableció un programa de bienestar social. Todo esto solamente se agregó a la rápida espiral en crecimiento descendente de dependencia y a la pérdida de su autoestima. Dos síntomas principales de su deterioro cultural son el alcoholismo y el alto índice de daños violentos, suicidios, homicidios y accidentes. Pareciera que a medida que se perdieron sistemáticamente los modos culturales de renovar la autoestima y de tratar con la agresión, la agresión comenzó a manifestarse por sí misma de maneras culturalmente autodestructivas.

Los principales requisitos para el desarrollo de la conducta competente y efectiva y de los sentimientos de alegría interior y de aceptación son: expectativas de éxito (esperanza), motivación para el logro, iniciativa, y la habilidad de tratar con la ansiedad. El requisito más importante para el comportamiento efectivo, y central para el problema en su totalidad, es la autoestima. Ha sido ampliamente reconocido que los sentimientos del valor personal son cruciales para la felicidad humana y para su efectividad.

En la pubertad la tarea del ego es afirmarse a sí mismo tan rápido y tan completamente como le sea posible haciendo valer los impulsos instintuales con los cuales tiene que hacer una alianza incondicional. Si el ego falla en esta tarea, el suicidio ofrece en sí mismo un sustituto paradójico.

La Necesidad de Crecimiento y Desarrollo (para la Autorrealización).

La gente necesita crecer y desarrollarse y tener algún sentido de autorrealización. La Organización en estudio generó muchas oportunidades para que los empleados estudiaran y aprendieran (programas de educación nocturna, ayuda educativa, etc.) pero como existía poca oportunidad de satisfacer las necesidades de reconocimiento y de autoestima, las personas estaban tan preocupadas con estos temas que no podían tomar ventaja de las oportunidades de autorrealización.

Maslow ha señalado que las necesidades humanas son jerárquicas. Una persona no se siente motivada hacia la autorrealización hasta que las necesidades de seguridad, pertenencia y reconocimiento están satisfechas. Las oportunidades de autorrealización son percibidas como irrelevantes cuando otras necesidades más básicas permanecen insatisfechas.

Los gerentes cuyas necesidades más básicas han sido satisfechas ofrecen a sus subordinados aquello que los motiva a ellos mismos y aparentemente no se dan cuenta de que los subordinados están en un nivel diferente dentro de la jerarquía de necesidades. En la tabla 4-1 se observan los distintos niveles de comportamiento humano, los sistemas motivacionales, los sistemas de valores, y el sistema de conducción apropiado para cada nivel, según Clare Graves.

Tabla 4-1: Niveles de Comportamiento Humano

Naturaleza de la Existencia	Descripción	Sistema Motivacional	Sistema de Valores	Sistema de Conducción Apropiado
	(Están en proceso niveles superiores aún indefinidos)			
Pacifista. Individualismo.	Necesidades de "conducción aceptada". Tómame como yo soy. Requiere que la Organización se adapte a él. Construye un mundo no orientado según la Organización y hace un trabajo pasable pero no excelente. Orienta hacia los fines más que los medios.	Información.	Cognitivo.	Aceptación y apoyo.
Agresivo. Individualismo.	No le gusta a la mayoría de los hombres de negocio -ya no motiva el miedo. No dirá cuándo, cómo o dónde trabajar. Cree que la tarea del gerente es dar las herramientas para el trabajo. Excelente productor si puede establecer los medios hacia el objetivo. La mejor manera es ayudándolo. Altamente inclinado al "suicidio profesional" porque aunque es un excelente productor, se rehusa a adaptarse al molde.	Autoestima.	Personal.	Establece los objetivos sin establecer los medios para lograr los objetivos.
Actitudes sociocéntricas. Agresivo.	Se preocupa por lo social más que por lo personal o los asuntos materiales. Estilo 5,5, preocupación intermedia por la gente y las tareas 1,9. Más para la vida que el trabajo duro. El mayor deterioro es cuando los gerentes del quinto nivel conducen personas del tercer y cuarto nivel.	Pertenencia. (cree que hay otras razones para vivir además del trabajo duro - responde a lo grupal).	Mentalidad de grupo.	Participativo sustitutivo Conducción 5,5

Naturaleza de la Existencia	Descripción	Sistema Motivacional	Sistema de Valores	Sistema de Conducción Apropiado
Búsqueda de poder.	Cree en el poder del yo. El derecho divino de cambiar las cosas en la dirección que cree correcta.	Cree que el trabajo duro es la medida del hombre.	Poder.	Precepto personal y dura carga.
Despertar aterrorizado.	No responde a la autonomía y a la participación -elige la autocracia. Intenta construir un mundo ordenado, predecible y sin cambio para operar con el fluir de la estimulación. Vive en un mundo descripto moralmente.	Cree en la obligación moral para dar lo mejor de uno.	Constrictivo.	Conducción moralista y prescriptiva 9,1
Animista. Existencia.	Inicio individual para despertar. Necesita supervisión próxima e inmediata, la fuerza funcionará si no entra en conflicto con los tabúes. (La fuerza no funcionará con las personas del primer nivel).	Supervivencia.	Tótem y Tabú.	Demostración simple. Fuerza.
Autista. Conducta.	Las energías del hombre se preocupan de sobrevivir. Ve pocos problemas más allá del sostenimiento, la enfermedad, la reproducción y las disputas. En ningún estado del esfuerzo productivo se debe dar y dar con la esperanza de que se crecerá.	Fisiológico.	Amoral.	Intenso cuidado y nutrición.

La Necesidad de un Sentido de Propósito.

A medida que las personas están más en la opulencia ya no pueden ser motivadas por el incentivo de la necesidad, aunque se permitirán crisis para desarrollar un esfuerzo para crear esta clase de motivación (motivación por la crisis). Herman Kahn cree que el mayor problema de los estados Unidos y de otras naciones líderes en los últimos 30 años del siglo será la búsqueda de significado y de propósito, de una respuesta a la pregunta: "¿De qué se trata todo esto?".

Es importante para la gente tener un interés y un propósito en la vida. Todos conocemos personas que se retiraron psicológicamente cuando tenían 30 ó 40 años. Puede que continúen trabajando por otras dos o tres décadas, pero psicológicamente hablando, se han refugiado en sus uniformes. Tal vez, se cansaron, quizás fueron atrapados por las circunstancias, o, tal vez fueron derrotados por su propia duda, o temor, o cinismo o autoindulgencia. Muchas personas trabajan una fracción de su total capacidad por razones que podrían ser alteradas. En este país la vida durante sus primeros 25 años ha sido tan orientada hacia el futuro que para muchos de nuestros jóvenes el presente tiene poca realidad y sólo el futuro es real. Viven con su mirada puesta en la siguiente curva ascendente de sus carreras y de su fortuna. Entonces, en la mitad de la vida, el futuro se desvanece. La crisis de la mitad de la vida hace que tomen conciencia de que el futuro es limitado, de que la vida no dura para siempre, y que si ahora no consigue lo que necesita es mejor que haga algo al respecto.

Los departamentos de personal, frecuentemente intentan establecer confianza y preocupación antes de establecer objetivos coordinados. Establecer confianza y demostrar preocupación requiere contacto. Pero los experimentos de Sherif (que se tratan más extensamente en el capítulo 6) muestran que establecer contacto sin objetivos coordinados crea mayor antagonismo y desconfianza. Ante la ausencia de objetivos de la Organización claramente establecidos y sin la periódica evaluación del rendimiento personal, los individuos encuentran otros modos (menos relevantes para la Organización) de satisfacer el "hambre de reconocimiento".

Spitz ha mostrado que los bebés que no son tocados o estimulados desarrollan estados apáticos que llama "marasmo", y eventualmente mueren. S. Levine descubrió que el tratamiento gentil e incluso los dolorosos shocks eléctricos eran igualmente efectivos para generar la salud de las ratas, mientras que el aislamiento y ser ignoradas era un tratamiento muy dañino. En otras palabras, la salud requiere interacción; y casi cualquier interacción (incluso la dolorosa) es preferible a ninguna. Cuando una Organización no establece una estructura positiva dentro de la cual las personas puedan interactuar (tales como establecimiento de objetivos y revisiones de rendimiento), entonces, en interés de la salud, las personas establecerán sus propios modos de interactuar. Un modo común de interacción en el marco industrial es la estimulación de las crisis.

Con excepción de los depredadores orientados principalmente a su propia supervivencia, la mayoría de las personas en las Organizaciones necesitan objetivos de la Organización hacia los cuales dirigir sus esfuerzos. Quieren un sentido de propósito en sus vidas más allá de la satisfacción de las necesidades personales. Como en los generadores, las personas realizadoras tienden a virar alejándose sin una carga de significado.

Un individuo con orientación hacia el logro en una Organización donde el propósito y los medios de legitimar el reconocimiento son nebulosos, inevitablemente se frustra. Se descubrió en los estudios de las Organizaciones que el factor tan destructivo para los jóvenes brillantes y energéticos fue la falta de sentido de propósito organizacional (limitado a la vaga admonición de "crecer" y "alcanzar buenas ganancias") y la ausencia de estructura para definir y coordinar las actividades.

La Necesidad de una Estructura desde la cual Visualizar el Mundo.

Con el deseo de dar a las personas mayor libertad para la autorrealización, se han realizado esfuerzos para eliminar la estructura de la Organización; no obstante, en lugar de generar mayor libertad, este hecho la ha, en muchos sentidos, disminuído. Las personas sienten como si hubieran sido arrojados en una jungla. Sus esfuerzos descoordinados para proveer alguna clase de orden en esta jungla por *sí mismos* son muy frustrantes; y aún así el orden es necesario para ayudarlos a lograr aquellas cosas que el individuo no puede hacer completamente solo. La falta de orden hace que muchas personas entren en pánico, sean susceptibles, se sientan inseguras e incluso se inhiban. En el tratamiento psicoterapéutico de los niños criados en una atmósfera permisiva y libre, con falta completa de reglas y regulaciones, descubrimos que esos niños desarrollan gran constricción porque no saben en qué áreas realmente tienen libertad de moverse cuando todas han sido declaradas libres. Soportan la ansiedad producto de no tener suficientes reglas mediante el exceso de control y el recogimiento.

En una Organización altamente compleja es nuestro parecer que algunas libertades provienen de la presencia de la estructura. Es necesario algún orden de las múltiples variables de modo de no estar sobrecargado por la tremenda complejidad de todo. Cierta estructura de las relaciones libera las mentes de los empleados de tener que preocuparse de "todo" y posibilita energía mental para propósitos más creativos y más útiles para la Organización. Un adulto humano debe tener algún tipo identidad y de rol viable que le permita organizar su propio comportamiento y hacer contactos significativos con otros en su medio ambiente social. Los libres depredadores flotantes disfrutan y aprovechan la oportunidad de vagar por la Organización, tomando libremente lo que desean para su propia gratificación; pero los individuos dedicados y comprometidos con las tareas significativas para la Organización se encuentran atrapados en un medio ambiente desestructurado. La libertad no es la ausencia de reglas y regulaciones, sino su aceptación e integración.

Los estudios de pollos y monos muestran que en los grupos es necesario el establecimiento de una jerarquía para formar una sociedad cooperativa y estable. La jerarquía en una Organización es establecida por el organigrama, a partir del cual los individuos pueden rápidamente determinar sus posiciones relativas respecto de los demás y pueden decidir a quién deben prestar atención, qué requerimientos tienen mayor peso y a quien pueden ignorar.

En cualquier momento la conducta de un individuo es el resultado de por lo menos cuatro clases diferentes de valoraciones:

1. Valoración de los requerimientos de la tarea.

2. Valoración del propio rol.

3. Valoración de las limitaciones del medio ambiente.

4. Valoración del rango de acciones que uno puede tomar y de sus resultados potenciales para nuestros objetivos a corto y largo plazo.

La valoración de estos factores es de por sí complicada, pero cuando la Organización mantiene esta información intencionalmente vaga, crea estrés adicional para los empleados. Cuando se ocultan los organigramas (como en el caso de conducción por "Compromiso del Subordinado") en la creencia de que las sociedades anárquicas son las más libres, se desperdicia mucho tiempo valioso en reuniones (y fuera de las reuniones también) intentando establecer la propia posición. Los argumentos se persiguen cuidadosamente y toda clase de indirectas se analizan con mucho cuidado en un esfuerzo para determinar quien está más a favor.

Las culturas con alto grado de movilidad social tienen altas tasas de enfermedad mental. Las Organizaciones sin una jerarquía estable y visible, donde las personas tienen dificultad para descubrir donde están paradas, tienen altas tasas de estrés, conflicto y "suicidio profesional/asesinato".

Los Efectos Destructivos de la Frustración Grave.

Los estudios sobre estrés han demostrado que la primera fase es una reacción de alarma o de shock inicial (en la cual la resistencia es baja); luego sigue una fase de reacción (en la cual se activan los mecanismos de defensa), seguida por un tercer estadio durante el cual tiene lugar la máxima adaptación. Si el estrés persiste o las reacciones defensivas son inefectivas, se alcanza finalmente un estadio de agotamiento, durante el cual colapsan los mecanismos de adaptación.

El modo más saludable y más orientado hacia la realidad de tratar con la frustración es dedicar energía creativa a superar el obstáculo. Los empleados observados en el estudio realizaron esto hasta un cierto punto, pero cuando sus frustraciones fueron demasiado graves, adoptaron otros mecanismos menos saludables para resolver sus problemas. Cuando las presiones para la resolución de conflictos aumentan y las soluciones no están disponibles, la dificultad puede introducir tensión. Las personas pueden frustrarse seriamente en lugar de utilizar una conducta creativa para la resolución del problema. Los principales mecanismos no constructivos para tratar con la frustración son la resignación, la agresión, la regresión y la fijación.

Con la resignación los individuos se rinden y rechazan trabajar en los problemas, algunas veces abandonan la Organización y otras rechazan esforzarse en situaciones que parecen incapaces de solucionarse. Algunos de aquellos que estudiamos actuaron de esta manera.

Con la agresión, los individuos pueden tratar con la frustración a través de algún tipo de ataque al jefe, al proyecto o al sistema. Estallan en las reuniones, destruyen papeles o escriben notas desagradables. No podemos pegar puñetazos en las narices de las personas, pero podemos aún atacar su reputación, lo cual puede ser incluso seriamente mucho más dañino.

Con la regresión, los individuos revierten hacia su infancia o incluso a su comportamiento de bebés. Las personas que sufren de frustración grave son altamente sugestionables y pueden aceptar contratos y tolerar ciertas cosas que no aceptarían en otra situación. Los gerentes que tienen dificultad para recordar las cosas y tomar decisiones, los que emiten generalizaciones amplias y poco razonables, y aquellos que aceptan lealtades ciegas a personas u Organizaciones particulares, pueden mostrar síntomas de regresión.

Cuando las rutas de escape parecen estar completamente bloqueadas, una reacción al extremo peligro puede ser la inmovilización. Marshall descubrió que, en los ataques anfibios durante la Segunda Guerra Mundial, una respuesta común al fuego enemigo era la inmovilidad. Con el mar a sus espaldas y ningún lugar hacia donde huir incluso si hubieran sido capaces de movimiento, los soldados se sentaban tontamente en la línea de fuego con sus mentes en blanco y sus dedos demasiado nerviosos para sostener el arma. Los análisis de los desastres de minas y submarinos han mostrado que el pánico tiene lugar solamente cuando las posibilidades de escape parecen cerradas.

Con la fijación (o repetición compulsiva), los individuos parecen obligados a continuar con las actividades que ya no tienen valor real o incluso son destructivas, repiten una y otra vez a pesar del hecho de que no lograrán nada. Maier comenta que podemos lograr que una rata, si está gravemente frustrada, golpee su cabeza contra una puerta cerrada cientos de veces sin siquiera intentar abrir la otra puerta a su lado. Los estudiantes secundarios pueden reducir su habilidad de aprender un nuevo problema al 50% si anticipadamente se los frustra seriamente.

El nivel de estrés que pueden soportar los seres humanos, y aún así sobrevivir, es vasto. La lucha por la supervivencia hoy ya no tiene lugar en el campo de batalla físico, sino en el psicológico donde las armas son la ansiedad (falta de seguridad), la exclusión (ningún sentido de pertenencia), y ser degradado y despojado de sentido (es denegado el reconocimiento por el trabajo bien realizado). La derrota con frecuencia es el resultado del compromiso extremo, el cual provoca agotamiento mental y físico a partir del estrés psicológico del aislamiento, las necesidades insatisfechas y la humillación.

Una causa frecuente del suicidio es que el comportamiento necesario para la supervivencia demanda violaciones inaceptables de las normas de las personas. Una de las razones por las cuales los sobrevivientes de los campos de concentración son tan reacios a hablar sobre sus experiencias es que para sobrevivir hicieron cosas que no aprobaban. Su misma supervivencia es una prueba de su culpa. Pero obviamente las mismas condiciones afectan de manera diferente a personas diferentes. El grado hasta el cual una situación degrada, rebaja y avergüenza a una persona es un asunto sumamente individual. Las reacciones internas más que las circunstancias específicas producen el efecto devastante. (Y el conocimiento de que alguien nos cuida y nos comprende nos ayuda a continuar).

Un grupo de gerentes altamente competitivos, todos alrededor de la misma edad, compitiendo por los mismos trabajos, pueden tener dificultades para cooperar, incluso bajo la amenaza de no sobrevivir. La supervivencia del grupo es un objetivo natural hacia el cual las personas se organizan cuando todo parece tener una buena oportunidad de éxito, puesto que hay liderazgo y acción concertada hacia un objetivo común. No obstante, en situaciones donde se vuelve aparente que no hay suficiente para todos, la cooperación grupal rápidamente se quiebra. La competencia severa entre los trabajadores le dificulta formar coaliciones de apoyo mutuo, incluso cuando es esencial para su supervivencia o para el logro de objetivos necesarios para la Organización.

Bajo condiciones de hambre de reconocimiento y carencia psicológica, la búsqueda de aprobación se vuelve lo único importante, y muchas limitaciones sociales y códigos de moralidad pierden su fuerza. El quiebre de los controles sociales, intelectuales y culturales contribuye al suicidio profesional al reducir el funcionamiento cooperativo del grupo, el cual es tan necesario para la supervivencia de cualquier proporción considerable de sus miembros. La ruptura del control y de la sumisión a medidas oportunas también impide a los individuos emplear su inteligencia, su capacidad de planeamiento y su intuición para su propia supervivencia y para el funcionamiento efectivo del grupo. Cuando el sustento que el medio ambiente puede proveer puede ser inferior que el necesario para mantener a todos los miembros de un grupo, algunos pueden, a pesar de ello, sobrevivir e incluso prosperar mientras otros perecen. Que algunos sobrevivan y prosperen no es necesariamente prueba que el clima de la Organización es benigno, aunque aquellos que controlan con frecuencia señalen que la supervivencia de alguno es la prueba de que la Organización no puede ser "tan mala".

El suicidio profesional tiene lugar en la mayoría de los casos durante el tercer año. Muchos pierden la esperanza de lograr lo que quieren en lo que aparece ahora frente a ellos como circunstancias absolutamente sin esperanza. Los pares algunas veces preguntarán: "¿Por qué no te vas?" Pero con la confianza minada y los egos sacudidos, no tienen la fuerza ni siquiera de irse a menos que se precipite una crisis. La respuesta a la pregunta "¿Por qué no te vas?", es comparable a la respuesta a la pregunta "¿Por qué no te suicidas?: "Por mi familia, porque sería débil, porque es irreversible..."

CINCO
CARACTERÍSTICAS QUE CONTRIBUYEN AL PROCESO DEL SUICIDIO EN LA ORGANIZACIÓN

A menos que enfrentemos los modos en que la sociedad moderna oprime al individuo, perderemos la chispa creativa que renueva a las sociedades y a los hombres.[9]

Cuando se permite que las habilidades humanas se desperdicien o atrofien por falta de ejercitación, podemos responsabilizar firmemente a la estructura de las Organizaciones.[10]

Además de las características de los individuos que los predisponen al suicidio profesional, este estudio encontró una serie de características de las Organizaciones que contribuyen al proceso del suicidio. Mientras que no sería correcto señalar que el medio ambiente o el liderazgo de la Organización realmente alientan los suicidios, es necesario puntualizar que ciertos procedimientos y valores de la Organización son muy estresantes e impulsan a ciertas personas hacia el suicidio profesional.

Por incontables años, las personas se han preocupado de la supervivencia física, pero hoy -al menos en América- el problema de la mera supervivencia física ha sido superado ampliamente por los avances de la medicina y las mejoras en nutrición y en los niveles de vida. El problema actual es la supervivencia psicológica y emocional -como se evidencia en la elevada tasa de admisiones en los hospitales mentales (una de cada diez personas pasa algún tiempo en un hospital mental), la alta tasa de divorcio (en los Estados Unidos el 50% de los matrimonios se divorcian), y, la elevada tasa de suicidios, que después de la tasa de accidentes de automóviles (la cual puede tener un componente de suicidio), es la principal causa de muerte para los Americanos entre 15 y 19 años. Los criterios para la supervivencia física son relativamente bien conocidos en términos de la temperatura del cuerpo, peso, etc. Los criterios para la supervivencia emocional y psicológica son mucho menos conocidos. No obstante, parece ser que la supervivencia psicológica se basa en la disponibilidad de cosas tales como relaciones de apoyo, un sentido de pertenencia, autoafirmación periódica por parte de los demás y reconocimiento.

En esta sección trataremos algunas de las características de la Organización que crean y alientan el suicidio profesional. Entre ellas se incluyen:

El estrés de situaciones ambiguas y del "no saber".

La falta, por parte de la Organización, de objetivos y metas específicos.

La falta de un plan para alcanzar los objetivos.

Confusión respecto de "las reglas del juego".

Falta de generación de equipo.

[9] John W. Gardner, **Self-Renewal, The Individual and the Innovative Society**, Nueva York: Harper & Row, 1963, p. XIV.
[10] William Arnold, **The Engineer and His Profession**, Product Engineering, Junio 17, 1968, p. 130.

Falta de evaluación crítica y revisión del rendimiento individual.

Falta de un sistema de recompensas objetivo basado en los resultados de la Organización.

El estrés de la ansiedad empleada como un motivador.

El estrés de la competencia utilizada como un elemento motivador.

El estrés de la culpa como motivador.

Además de un cierto número de otras características misceláneas que contribuyen al proceso del suicidio, trataremos también en esta parte ciertos temas filosóficos más generales tales como:

Una orientación, por parte de la Organización, de supervivencia en lugar de crecimiento.

Problemas de competencia interpersonal.

El efecto de ciertas creencias existenciales sobre la política de conducción.

Los problemas de las estrategias de la Organización para satisfacer las necesidades del personal.

El Estrés de las Situaciones Ambiguas y de "No Saber".

Uno de los principales problemas para los empleados jóvenes de este estudio fue el estrés de no saber y no ser capaces de descubrir. Para la mayoría, fue sumamente difícil determinar (1) los objetivos específicos de la Organización y cómo se relacionan con ellos, (2) el plan para alcanzar los objetivos, (3) su parte de responsabilidad y de autoridad para contribuir al logro de esos objetivos, (4) el modo más efectivo de empleo en la Organización de las energías personales, (5) cómo está siendo evaluado el rendimiento, (6) qué errores se estaban cometiendo que se podrían corregir, (7) qué se estaba haciendo correctamente, y (8) cuánto de todo esto se relacionaba con la satisfacción de las necesidades y la recompensa personal.

Es, por supuesto, evidente por sí mismo que durante los últimos 40 años la vida en las Organizaciones en el ambiente industrial, así como en otros escenarios, se ha vuelto extremadamente complicada. Enfrentada a la creciente complejidad, la conducción -operando bajo una filosofía de "Compromiso del Subordinado" - ha sostenido que los subordinados deben ignorar esta creciente complejidad o resolverla por sí solos. Manifiestan: *"Debemos encontrar hombres que puedan vivir en la ambigüedad."* Aún así, es poco probable que las Organizaciones ambiguas sean tan exitosas como aquellas donde el liderazgo puede canalizar efectivamente la energía del empleado hacia los objetivos relevantes para la Empresa.

Un estudio realizado en un departamento de la Organización detectó casi completa confusión sobre el significado de un "buen trabajo" y poco acuerdo respecto de cómo la Organización evaluaba ciertas clases de conductas. Este problema pareció compenetrar la mayoría de los niveles de la Organización bajo estudio.

En un estudio realizado entre los 19 gerentes del mando superior de la Organización, manifestaron que los principales impedimentos para ser más efectivos eran:

6: Falta de una política definida para la toma de decisiones y falta de dirección.

4: El modo en el cual estaban organizados.

3: Los problemas de comunicación y las desconexiones interpersonales.

2: La sensación de que el trabajo no es muy importante.

1: El conocimiento de los problemas.

3: Ninguna respuesta.

Disfrazada de palabras altisonantes como "libertad" y "oportunidad", la ambigüedad se ha convertido en un factor importante en el sistema de conducción americano. Enfrentar la ambigüedad se ha vuelto un común generador de estrés con el cual tienen que tratar los gerentes de todos los niveles.

Cuando los niños pequeños se encuentran en situaciones ambiguas o poco claras se esfuerzan para lograr que les coloquen límites para lo cual se vuelven ansiosos y destructivos o se encierran en una pasividad aterradora como resultado de su inseguridad, y esta reacción parece correcta para ellos. Algunos adultos responden de la misma manera.

La Falta de Objetivos y Metas Específicos de la Organización.

Casi cualquier compañía puede resolver el 75% de los problemas de su negocio si se inquiere a sí misma la pregunta básica: *"¿Qué demonios estamos intentando hacer?"*

En las Organizaciones basadas en la autorrealización, la competitividad de los individuos, y la filosofía de conducción por "Compromiso del Subordinado", los grupos que se forman y los esfuerzos que se realizan tienden a basarse en la ventaja personal creando una atmósfera de "sálvese quien pueda". Si las energías no son dirigidas hacia objetivos de la Organización claramente establecidos, se dirigen hacia objetivos personales. Se forman asociaciones o pandillas de interés mutuo las cuales se apropian de los recursos de la Organización para gastarlos en aquello que gratifica a los individuos en forma personal. Si los objetivos de la Organización no están definidos, los recursos se gastan para satisfacer objetivos personales en lugar de garantizar el logro de las metas de la Empresa. Sin un proceso dentro del sistema para integrar los objetivos personales y los de la Organización, los recursos de la Empresa son desperdiciados en una multiplicidad de conflictos y esfuerzos irrelevantes para la Organización. Sin metas definidas de la Empresa, las reglas del juego sostienen psicológicamente al individuo. La respuesta de la conducción a su propia falta de establecimiento de objetivos y planeamiento fue reclamar a los empleados más compromiso y resolución por sí solos, sin dirección, que era, precisamente, lo único que se necesitaba, dirección, pero lo que se necesitaba hacer era difícil de ser determinado por uno mismo.

La falta de una política claramente establecida deja lugar a las personas del plantel para maniobrar y beneficiar mayormente a los amigos. Mientras que a corto plazo esto provee una forma de influenciar a las personas de la Organización, a largo plazo tal favoritismo eventualmente se vuelve obvio, dando por resultado la desilusión y la insatisfacción con la Organización que permite tal situación.

Hay ciertas ventajas en una Organización que desarrolla y sostiene la ambigüedad. Entre ellas se encuentran:

1. La ambigüedad provee un chivo expiatorio para la incompetencia de la conducción. Como lo señalara un gerente *"Tienes la autoridad para no hacer nada que retrospectivamente resulte haber sido lo correcto"*. Si la responsabilidad por las tareas es pobremente definida y un subordinado se encuentra en problemas, el subordinado es responsable. Esta puede ser una ventaja para el gerente que quiere mantener su posición de control aunque no esté familiarizado con la nueva tecnología del negocio.

2. La ambigüedad transmite ansiedad a la gente, de modo que trabajan muchas horas extra. El problema es que los subordinados, eventualmente, captan que trabajar duro como consecuencia de la ansiedad no es muy divertido y renuncian, o se aíslan en sus tareas, o de algún otro modo se vuelven suicidas. Durante los primeros pocos años, no obstante, la Organización obtiene gran cantidad de esfuerzo extra de su parte. Un estado altamente ansioso produce cantidades de control, pero no conduce a resolver los problemas creativamente. El control del procedimiento puede ser funcional en la producción en masa de artículos relativamente regulares o normales, pero los empleados de este estudio podían hacer mayores contribuciones descubriendo para los problemas, soluciones creativas no tradicionales. Es difícil ser creativo si se es presa de la ansiedad.

3. Generar condiciones ambiguas es un modo de tener (en el corto plazo) a muchas personas trabajando en el mismo problema.

4. Con mucha ambigüedad en el sistema, los problemas difíciles e imponderables son abandonados a los subordinados. Los gerentes pueden evitar enfrentar problemas administrativos y su propia inadecuación proclamando: *"No me traigan problemas, tráiganme soluciones"*.

En un esfuerzo por crear una atmósfera donde las personas pudieran ser más libres y con el fin de aumentar las oportunidades para la autorrealización, se ocultaron los objetivos y la estructura de la Organización y las personas fueron alentadas a realizar lo que quisieran. No obstante, en lugar de más libertad, para muchos empleados esta situación parece haber generado menos libertad. Lo que realmente sucedió fue que repentinamente se volvió legítimo realizarse uno mismo a expensas de algún otro. Ningún estatuto era respetado. Cualquiera que quisiera cualquier cosa que otro tuviera era bien recibido que intentara tomarlo. Se desarrolló un medio ambiente altamente competitivo entre los que ayudaban y los que necesitaban ser ayudados. Los empleados respondían individualmente construyendo fosas alrededor de sus territorios y no admitiendo ninguna ayuda excepto como un último recurso. Admitir ayuda con frecuencia conducía, según este criterio, a que el ayudante se hiciera cargo y el ayudado fuera expulsado.

Tanta energía se dedicó a la lucha competitiva para proteger lo que cada uno tenía que poco quedaba para las tareas creativas. Una situación alternativa obvia para esta situación es: (1) establecer objetivos ordenados jerárquicamente, (2) proveer reconocimiento grupal por las contribuciones hacia esos objetivos, y (3) reducir la autorrealización individual a favor de la construcción de un equipo y de la realización del grupo.

La dirección determinada de las actividades de la Organización requiere una cantidad sustancial de energía de los miembros del sistema. Para que sea posible la actividad dirigida hacia el objetivo deben satisfacerse ciertas condiciones. Debe existir:

1. Facilidades físicas.
2. Apoyo financiero y suministros.
3. Seguridad física y material.
4. Un sentido de identidad comunitaria y de la Organización.
5. Un sentimiento de estima.

En síntesis, la falta de objetivos de la Organización claramente establecidos dificulta a los individuos interesados en ayudar a la Organización a canalizar sus energías de modo útil para la Empresa. Sin objetivos y metas específicos de la Organización es difícil para los individuos agresivos interesados en el logro, ganar un sentido de cumplimiento y de autoestima como resultado de alcanzar algo considerado importante para la Organización.

Un problema principal en muchas Organizaciones es la falta de un "facilitador" de la Organización, alguien (o algún grupo) con un concepto general del negocio, quien es consciente de la dirección (quién debería estar haciendo qué) y quien pueda legislar prioridades de la Empresa sobre la base de las necesidades de la Organización en lugar de las presiones políticas generadas para producir subunidades. Para que la conducción realice esto, se necesitan ciertas habilidades que serán tratadas posteriormente.

Los resultados se obtienen aprovechando las oportunidades, no resolviendo problemas. Todo lo que podemos esperar resolviendo un problema es restablecer la normalidad... Los recursos para producir resultados deben ser invertidos en las oportunidades en lugar de en los problemas... La pregunta pertinente no es cómo hacer las cosas, sino cómo encontrar las cosas correctas para hacer y concentrar los recursos y esfuerzos en ellas.

La Falta de un Plan para Alcanzar los Objetivos.

"La mayor previsión consiste en determinar de antemano el tiempo de los problemas. Para el previsor no hay desgracias, y para el cuidadoso no hay escapes angostos." Gratian

En la Organización estudiada, tal vez en razón de que tantas variables eran desconocidas, existió gran resistencia a planificar y establecer prioridades. Las múltiples demandas .para los recursos limitados dieron por resultado pautas no claras respecto de qué ubicación era más relevante desde el punto de vista de la Organización. Las decisiones abandonadas a los individuos involucrados con frecuencia eran tomadas sobre la base del interés personal o el poder implicado de la persona haciendo la solicitud, en lugar del bien de la Organización.

Cuando la responsabilidad es asumida en lugar de asignada, se desarrolla un proceso natural de chivos expiatorios por los cuales el gerente tiene la ventaja de ser capaz de acusar al subordinado por cualquier cosa que vaya mal.

La falta de estructura crea problemas para el subordinado porque la Organización ve los esfuerzos para asumir las responsabilidades sin autoridad como usurpación de algo que no es legítimo tomar. Nada molesta más a las personas que algo que piensan que es suyo sea tomado por alguien más. Esto es especialmente verdad en una función laboral. La conducción existencial, la conducción por excepción y la conducción por "Compromiso del Subordinado", manifestando apoyarse en las teorías de Douglas McGregor, han quitado el énfasis a la posición, los títulos, el establecimiento de responsabilidades y el informe de relaciones.

En la Organización estudiada, se dificultaba intencionalmente la obtención de los organigramas, y los informes de relaciones eran mantenidos, a propósito, vagos y pobremente definidos. La razón oficial que se nos dio fue que el esfuerzo estaba orientado a crear una Organización plana donde la responsabilidad estuviera ampliamente distribuida. Otra explicación, de aquellos desencantados con este estilo de conducción, fue el deseo de apaciguar a todos y la falta de voluntad de confrontar a los individuos con las realidades básicas de sus roles. El resultado de esta ambigüedad del rol fue que encubiertamente, y algunas veces abiertamente, mucho tiempo de los subordinados era dedicado a los esfuerzos sutilmente competitivos de establecer sus posiciones según un orden de picoteo (como en el gallinero). El nivel de la Organización y de la persona a la cual reportar son importantes porque determinan con quien uno trabaja, de quien se puede esperar ayuda, y quiénes son los pares, sin olvidar mencionar la influencia sobre el nivel de salario.

Se esperaba que la Organización funcionara mediante un sistema informal de relaciones personales en lugar del sistema formal del informe de relaciones. Puesto que falta estructura, la Organización se vuelve exageradamente fluida. Los agujeros en la Organización fueron llenados casi inmediatamente, como sacando la mano de un balde de agua. Esto creó un sentido de inestabilidad y generó ansiedad e inseguridad.

Se enseñó a los subordinados que la competencia (por definición) se haría sentir por sí misma. Y si no sucedía así, el problema era del individuo y no del sistema. Esto, por supuesto, evitó amablemente que el sistema se confrontara consigo mismo y con su propia insuficiencia. Mientras que hay personas que pueden moverse en una Organización y gradualmente hacerse cargo, dudo que esto sea una adecuada definición de lo que significa ser competente. Para que la competencia se exprese es necesaria una función y un rol. Para que la competencia se perciba, debe tener una función significativa en la Organización. Cuando el hecho de ser competente se define operacionalmente como la habilidad de controlar a los demás o de satisfacer las propias necesidades a través de los otros, en un medio ambiente altamente competitivo con objetivos indefinidos, hay una real ventaja al adoptar la actitud de no cooperar con los pares, porque esto evita que los rivales sean vistos como competentes.

Waldman señaló que "la conducta neurótica es el resultado de la falta de posibilidades de acción significativa dentro del tejido social". La mayoría de los suicidas en este estudio enfrentaban este problema.

Ostensiblemente nuestras expectativas están puestas en la libertad y la individualidad, pero al mismo tiempo nos despojamos de las bases imprescindibles necesarias para nutrir la libertad. En nombre de la humanidad, nos liberamos de las limitaciones de la tradición, un medio raro demasiado difícil de resistir. La familia y otros grupos asociativos que tradicionalmente proporcionan un sentido de propósito y de valores y metas yacen hoy impotentes debido al énfasis colocado en la libertad de toda posible limitación.

La resistencia a difundir los organigramas, la falta de relaciones de autoridad claramente definidas, y la falta de definición de la estructura jerárquica de la Organización significan que los individuos desperdician la mayor parte de su tiempo maniobrando hábilmente para conseguir ventajas sociales y de posición. También piensan que deben pasar la mayor parte de su tiempo protegiendo sus prerrogativas. Las prerrogativas no definidas oficialmente pueden ser asumidas informalmente por cualquier otra persona si no se protegen continuamente, dando por resultado la pérdida de la autoestima y de la estima de la Organización.

Mechanic ha señalado que existe considerable evidencia de que es la *falta* de límites la que conduce al suicidio y no las limitaciones. Una hipótesis de Henry y Short es que los límites llevan a exteriorizar la agresión, mientras que aquellos menos contenidos o limitados es más probable que manifiesten la agresión interiormente. Y Biderman ha demostrado que las tasas de suicidio son por lo general excepcionalmente bajas en situaciones de cautiverio extremadamente opresivo.

Las conjeturas respecto de las razones porque las tasas de suicidio son extraordinariamente bajas en situaciones de cautiverio son que: (1) la presión de las demandas inmediatas generan mucha movilización para satisfacer los requerimientos momento a momento, de manera que los sentimientos de desesperanza y futilidad no pueden ser traducidos en acción; (2) la apatía general que caracteriza a los individuos en tales condiciones provoca dificultad para movilizarse en dirección a un acto tan decisivo.

Sin una definición de rol y de estructura, los individuos dedicados a mejorar la Organización pueden convertirse en mesías martirizados de una causa concebida erróneamente al intentar satisfacer todas las demandas que se les hacen. A menos que los roles y los objetivos sean bien definidos de acuerdo con la realidad de los recursos y las energías disponibles, una Organización sin sentimientos y descuidada minará y finalmente destruirá al individuo. La conducción no reconoce ni acepta esta responsabilidad.

La Confusión sobre las Reglas del Juego.

Una característica que afecta seriamente la vida de las personas es el sistema de valores de la Organización y sus expectativas sobre cómo trabajar para lograr las metas de la Empresa. El clima de la Organización es ampliamente determinado por estas suposiciones sobre la naturaleza fundamental del hombre y sus expectativas sobre cómo van a trabajar juntos. Tradicionalmente la mayoría de las Organizaciones industriales han sostenido una filosofía burocrática utilitaria y han operado bajo un sistema de valores que acentuaba valores burocráticos.

Su interés por el desarrollo de una compañía más efectiva y lucrativa condujo a los líderes de negocio a buscar continuamente valores más efectivos (definidos en términos de innovación y producción de la Organización). Los líderes industriales estaban sorprendidos por la cantidad enorme de trabajo con baja remuneración que eran capaces de obtener de sus miembros las iglesias y otras Organizaciones dedicadas a objetivos idealistas. Intentando extraer más del potencial de sus trabajadores, muchas de las industrias más progresistas comenzaron a desarrollar valores y propósitos idealistas además de los comerciales. Hay grandes ventajas en que los trabajadores se dediquen a su trabajo; y aunque hay ciertos problemas para que abandonen su falta de dedicación, las ventajas de una filosofía de conducción con compromiso de los empleados eran obvias.

Un sistema de valores que se pensó que era más efectivo que el burocrático utilitario y que circuló en muchas Organizaciones es un sistema que podría ser denominado la "aproximación al compromiso" (Tabla 5.1). En la Organización analizada en este informe, muchos empleados estaban confundidos respecto de si la Organización tenía un sistema de valores burocrático-utilitario (donde soy un pelele si no lucho por aumentos y títulos) o una filosofía de compromiso dedicado (donde planteo a la conducción mi compromiso y mi dedicación su lucho por algo para mí).

Tabla 5.1: Dos Sistemas Filosóficos para Alcanzar los Resultados de la Organización.

Propuesta de las Tareas de la Organización Burocrática Utilitaria	Propuesta de las Tareas de la Organización Comprometida
1. Trabajo para la Organización por lo que hace por mí. Cuando lo que hace por mí cae debajo de un cierto nivel, renuncio.	**1.** Trabajo para la Organización por lo que hace por mí, pero porque creo en la causa que defiende y trabajar allí me da la oportunidad de trabajar con otros hacia un objetivo personalmente importante.
2. La autoridad para mi trabajo reside en el espacio de la Organización que actualmente ocupo. Si alguien más ocupa ese espacio, la responsabilidad y la autoridad es suya. Si cumplo las obligaciones de otro, su ocupante tiene el derecho de enojarse por la usurpación y solicitar clarificación del superior.	**2.** La autoridad de mi trabajo reside no en el título o el espacio que ocupo en la Organización sino en mi habilidad de contribuir hacia el objetivo común. Los títulos y los espacios pueden ser renovados periódicamente para reflejar mi contribución.
3. Ejercito la influencia y finalmente termino controlando las personas y el dinero.	**3.** El conocimiento y la capacidad son poder -no los espacios y los informes de relación.
4. Este es un sistema jerárquico. Uno acude por ayuda a su jefe y "a través de canales".	**4.** Está en vigencia un sistema interconectado, uno puede ir por ayuda a cualquier lugar dentro o fuera del sistema. Lo importante es resolver el problema y obtener resultados.

Propuesta de las Tareas de la Organización Burocrática Utilitaria	Propuesta de las Tareas de la Organización Comprometida
5. Las recompensas se basan en la antigüedad y en no molestar al sistema.	**5.** Las recompensas se basan en el compromiso y en el logro de resultados. Esto con frecuencia molesta al sistema.
6. Los hombres trabajan en lo más relevante para la Organización. El trabajo del jefe define esto.	Los hombres trabajan en lo que quieren hacer y son responsables por el desarrollo de sus propios objetivos con o sin la ayuda de su jefe.

Históricamente, una filosofía de "Compromiso del Subordinado", resultaba probablemente en ingresos de profesionales a través de los departamentos de investigación, desarrollo e ingeniería, donde la proporción de profesionales y personas con altos estudios era superior a la de personas "no educadas". Muchos provenían de instituciones educativas donde se caracterizaban más por una filosofía de compromiso que por una filosofía de dura carga, burocrática y utilitaria.

Muchos suicidios comenzaron cuando los individuos se dieron cuenta de que aunque se estaba desarrollando y era trasmitida una propuesta de "Compromiso del Subordinado" para realizar las tareas de la Organización, en la práctica la propuesta de aquellos que controlaban la Organización era burocrática. A medida que los empleados descubrían que las recompensas de la Organización se basaban no en el compromiso ni en el logro de resultados (porque eran difíciles de medir e implicaba tiempo definirlos) sino en la antigüedad y tener contactos con la cúpula, se sentían engañados, enojados y resentidos. Sentían que les habían mentido, los habían engañado. Con el tiempo, estos sentimientos disminuían su efectividad y generaban su eventual identificación como suicidas profesionales.

Un problema principal en la Organización estudiada fue la confusión sobre las reglas del juego en rápida evolución y el problema de cómo lograr trabajar en equipo. Por muchos años ha existido un esfuerzo para sustituir las reglas de juego burocráticas por valores científicos de conducta más modernos, los cuales incluyen:

1. División del trabajo basada en la especialización funcional.
2. Una jerarquía de autoridad bien definida.
3. Un sistema de reglas que abarque los derechos y obligaciones de los empleados.
4. Un sistema de procedimientos para tratar con las situaciones laborales.
5. Impersonalidad de las relaciones interpersonales.
6. Promoción y selección basada en la competencia técnica.

Existen un cierto número de problemas asociados con el sistema tradicional burocrático, algunos de los cuales son:

1. La burocracia no permite adecuadamente que el personal crezca y desarrolle personalidades maduras.

2. Desarrolla conformidad y "pensamiento de masa".

3. No tiene en cuenta la Organización informal y los problemas inesperados y emergentes.

4. Sus sistemas de control y autoridad son desesperadamente anticuados.

5. No tiene un proceso jurídico adecuado.

6. No provee medios adecuados para resolver las diferencias y conflictos entre los rangos, y más particularmente, entre los grupos funcionales.

7. Las comunicaciones e ideas innovativas son distorsionadas o desviadas por las divisiones jerárquicas.

8. Con la burocracia no son empleados en su totalidad los recursos humanos como consecuencia de la desconfianza, el miedo a las represalias, etc.

9. No puede asimilar la influencia de la nueva tecnología o el ingreso de lo científico en la Organización.

10. Modifica la estructura de la personalidad de manera que los empleados se vuelven obtusos, grises, hombres de la Organización condicionados.

Los valores científicos más modernos, que la Organización estaba intentando establecer, son:

1. Comunicación plena y libre, sin considerar el rango y el poder.

2. Confianza en el consenso, en lugar de en las formas más tradicionales de coerción o compromiso, para manejar el conflicto.

3. Influencia basada en la competencia técnica y el conocimiento en lugar de en los caprichos de fantasías personales o prerrogativas de poder.

4. Una atmósfera que permita e incluso aliente la expresión emocional asi como los actos orientados a la tarea.

5. Una dirección básicamente humana -que acepta la inevitabilidad del conflicto entre la Organización y el individuo, pero aspira a enfrentarlo y mediar este conflicto en terrenos racionales.

Sin objetivos de la Organización, las reglas del juego prevalentes son la manipulación y la presión. No hay manera lógica de fijar la relevancia de ciertas acciones para la Organización, de manera que la gente responde al interés personal, los objetivos personales, y la presión. El resultado es una Organización que corre en todas direcciones -como una ameba, capaz de retraerse en sí misma solamente en situaciones de crisis. Hasta que el proyecto alcanzó la fase V no hubo esfuerzo concentrado para explicar e implementar los valores del comportamiento científico. Bajo la conducción por "Compromiso del Subordinado", los esfuerzos de educación eran realizados con pequeños pasos, sobre una base individuo por individuo. Esto dejó a la mayoría de los integrantes de la Organización confundidos y ansiosos respecto de lo que se esperaba de ellos. Los lemas "comprometerse" y "realiza lo que sientes que necesita ser realizado", no fueron de mucha utilidad. Con poca clarificación de las reglas del juego por parte de aquellos a cargo de las posiciones de liderazgo, las personas trabajaban con propósitos cruzados, con el inevitable antagonismo e ineficiencia.

Uno de los modos de congraciarse con el sistema es descubrir apologías para sus faltas. Muchas filosofías han sido desarrolladas con la intención de lograr que la conducción pobre sea aceptable para aquellos que tienen que funcionar con ella. Al frente de todas ellas está la que ha sido denominada "conducción por excepción" o "conducción existencial". Se refiere a una filosofía de conducción caracterizada por: (1) no hacer nada hasta que uno se encuentra en problemas, (2) esperar que los subordinados resuelvan todos los problemas de la Organización y (3) evitar la responsabilidad logrando que los subordinados acepten la total responsabilidad, incluso se hagan cargo de toda la culpa por las cosas que no van bien.

En muchas Organizaciones hay dos filosofías para la conducción -una para los subordinados y otra para uno mismo. Los modelos que idealizamos para los demás son diferentes de aquellos que practicamos nosotros mismos. Cuando los subordinados comienzan a darse cuenta de esta situación, afecta la calidad así como la cantidad de su trabajo.

Encontramos en esta Organización que los modelos idealizados y enseñados eran diferentes de aquellos que los jefes ponían en práctica para sí mismos. Cuando los subordinados tomaron conciencia de la situación, se generó una brecha en la credibilidad que disparó el proceso de suicidio. A los nuevos empleados el jefe les trasmitía: (1) Debes comprometerte con la tarea, (2) No consideramos de importancia los títulos y los roles, (3) Tenemos muchos problemas, la medida de tu capacidad será tu habilidad para resolverlos. Cualquiera puede resolver problemas con la autoridad y los recursos necesarios, tu desafío será hacerlo sin ellos, (4) Si eres verdaderamente capaz, puedes trabajar sin un estatuto, ni un título, ni autoridad -si eres capaz, puedes ganar la cooperación de la Organización por ti mismo sin la dirección o asistencia de mi parte.

La conducción sostuvo en los subordinados la creencia de que la Organización era una tabla rasa en la cual los individuos -si eran capaces- podrían inscribir su propia entrada. El contrato psicológico, vagamente definido y generador de gran cantidad de estrés y responsabilidad sobre los individuos, se convirtió en una fuente potencial de suicidio para ellos.

La conducción enseñaba que el modo de involucrar a las personas era ofrecerles oportunidades de confrontar sus desafíos y su autorrealización. Las responsabilidades se asignaron vagamente, la suposición fue que serían muy bien vistos como personas comprometidas. Mientras que la conducción predicaba que las personas comprometidas avanzarían sin desear recompensas para satisfacer sus egos, la autoridad y las prerrogativas de status eran retenidas por aquellos en control de la gerencia.

Stan Herman señaló que la idea moderna de manipulación es lograr que la gente haga lo que quieres porque quieren hacerlo, o porque les gusta, o porque piensan que eres inteligente, o porque quieren ser parte de tu equipo, o por cualquier otra razón no coercitiva. Para el practicante de la manipulación moderna, "participación" ha sido traducida en una apología elaboradamente anunciada de permitir a los subordinados el privilegio de elegir entre alternativas igualmente inconsecuentes dentro de un entramado de situaciones sin importancia.

A los subordinados se les informó que su futuro estaba basado en la medida de su compromiso, y por un tiempo trabajaron ansiosamente sobre la base de esta promesa. Sólo luego de cierto tiempo en la Organización el individuo comenzó a descubrir que a las personas se les "ofrecían oportunidades", cambiaban de un trabajo a otro y de un desafío a otro, pero sólo muy raramente alguno realmente avanzaba. Preguntar por la ausencia de progreso era considerado sospechoso, algo que las personas comprometidas no hacían, una violación de las expectativas del gerente. (Ver tabla 5.2).

Otra área de confusión es aquello que los subordinados pueden hacer para aumentar su influencia. La Tabla 5.3 muestra maneras por las cuales los subordinados intentan influenciar a la Organización y los resultados de cada una.

Tabla 5.2: Algunas Areas de Conducción.
Error de los subordinados y conflictos.

Promesas Sostenidas	Lo que Realmente Sucedía
1. Si realizas un buen trabajo serás recompensado.	**1.** El único modo de ser recompensado es amenazando con renunciar.
2. Si desarrollas un producto, serás puesto a cargo de tu propia división o trabajo.	**2.** Cuando un producto se convierte en lo suficientemente exitoso, es dado a fabricación, y uno es enviado a desarrollar otro producto.
3. Queremos personas que midan la responsabilidad.	**3.** El resultado de medir la responsabilidad es: (1) más trabajo para realizar, (2) los demás te ven como una amenaza y se enojan contigo, (3) se obtiene menos cooperación de la Organización.
4. Quiero que me empujes (a la conducción) por cosas que sientes que necesitan ser realizadas.	**4.** La gerencia te habla menos y menos cada vez.
5. Los resultados cuentan.	**5.** Los resultados no son tan importantes como lo que tu jefe o el jefe de tu jefe siente respecto de ti (a menos que tu jefe pueda llevarse el crédito por lo que tú haces -muchos buenos resultados pueden hacer que el jefe se vea mal)
6. Quiero saber lo que piensas sin importar cuán poco adulador pueda ser.	**6.** Si lo que piensas no es adulador, terminas siendo castigado.
7. Estamos en una corporación en rápida expansión, donde hay muchas oportunidades para que avances.	**7.** Estamos en un área estática o en declinación, y de hecho hay pocas oportunidades aquí.

Tabla 5.3: Efectividad de los Subordinados. Esfuerzos para Influenciar a la Conducción.

TIPO DE ESFUERZO	Incentivo	Efectivo pero arriesgado	Efectivo pero consume tiempo	Efectivo y eficiente
1. Memos y propuestas escritas.	X			
2. Declaraciones enfáticas de "Yo quiero" **a.** sin amenaza implicada **b.** con amenaza implicada	X	X		
3. Comunicaciones al jefe de la persona a la cual estás intentando influenciar		X		
4. Movimientos populares-se construyen bloques de poder vía chismes.			X	
5. Apropiarse de una crisis o crearla y emplearla para influenciar.				X
6. Pasar tiempo informal con gente de influencia (ser un buen golfer, ser invitado a grupos de cuatro)			X	
7. Establecer objetivos de la Organización y sistemas de desarrollo para evaluar ideas relativas a la contribución a las metas.			X	
8. Encontrar un padrino quien, a cambio del crédito, hará exitosos tus proyectos.				X

La Falta de Generación de un Equipo.

Cuando el jefe no tiene la habilidad de desarrollar un equipo que funcione coordinadamente, el cual pueda alcanzar decisiones definidas colaborativa y mutuamente, un recurso a mano es nombrar un gerente de proyecto, cuya tarea es completar sin autoridad las tareas que el jefe no ha sido capaz de realizar sin autoridad. La proporción de suicidio profesional entre estos gerentes es obviamente muy alta.

Cuando las tareas se enfatizan tanto que las personas comienzan a perder su preocupación por los otros o por la calidad, las Organizaciones pueden imponer una matriz superpuesta, con un gerente de proyecto responsable de las tareas y una cabeza operativa responsable de las personas y la calidad. La resolución de las demandas conflictivas del trabajo entonces es delegada a un subordinado, quien toma decisiones basadas en su interés personal en lugar de en las prioridades de la Organización. Como resultado de este proceso, las personas cada vez están más sobrecargadas tomando decisiones para las cuales su información respecto del negocio es inadecuada.

Un estudio de Shils y Janowitz de las tropas alemanas que continuaron peleando incluso cuando sabían que la guerra había terminado mostró que fueron los lazos de grupo y las comparaciones con otros grupos anteriores lo que hizo que los hombres prosiguieran peleando por una causa perdida. Las comparaciones sociales establecen los límites respecto del empleo de la posible defensa y las técnicas dejando claro los valores relevantes para acercarse a las diferentes clases de crisis. Sin modelos, las personas trabajan más y más duro durante un tiempo, en pos de un deseo de algún sentido de logro. Pero después de un tiempo pueden perpetuar la falla como un modelo contra el cual trabajar.

Cuando una Organización está en camino de ser obsoleta, es decir, está teniendo dificultades crecientes para satisfacer las demandas de la realidad, hay varias estrategias para explicar esta situación a los líderes de la cúpula de la Organización. Las primeras razones que se dan usualmente son aquellas sobre las cuales la conducción tiene el menor control: las personalidades de los subordinados (por ejemplo, su incapacidad de ser motivados) y capacidades técnicas, o la situación externa (problemas en el ambiente del mercado). Entonces, si la presión en pos de mejorar crece (porque los problemas están aumentando), se produce un movimiento hacia el diagnóstico del problema de manera más probable de corregir porque la conducción tiene control sobre él, por ejemplo, entrenamiento de la conducción y la habilidad de tratar con la gente.

Para ser inteligente hay una necesidad de liderazgo sobre una base de apoyo más que una base de espionaje y castigo. Con demasiada frecuencia hemos intentado resolver los problemas ingresando un nuevo empleado en lugar de evaluar las deficiencias de habilidad y capacitar o utilizar terapia para corregirlas.

Deshumanización y Falta de Oportunidad para la Autoafirmación.

A partir de un estudio de 10 Organizaciones, Chris Argyris concluyó que los ejecutivos representan una fuente de deshumanización, conformidad e inefectividad en la toma de decisiones más potente que la tecnología de las computadoras. La mayor contribución a la deshumanización en el proceso de toma de decisiones fue el modo en que los ejecutivos se trataban entre sí y los tipos de dinámica de grupo que creaban. La rivalidad interdepartamental tiende a recompensar al hombre mediocre y desalienta a los ejecutivos de primera clase.

Algunas veces podemos aprender mucho de los ejemplos negativos. Por ejemplo, el así llamado esfuerzo de "lavado de cerebro" empleado por los Chinos durante la Guerra de Corea, en el cual se utilizaron ampliamente variables que, tomadas juntas, fueron relativamente efectivas para reducir la motivación y alentar la apatía y la falla psicológica. Este estado fue inducido por los Chinos para mejorar el control sobre los hombres por los cuales eran responsables.

La apatía fue generada mediante *la creación de una situación ambigua donde las oportunida-*

des para la autoafirmación a partir de los otros significativos eran virtualmente inexistentes. Eran censuradas las cartas cálidas y comprensivas, mientras que las cartas críticas, enojosas, eran entregadas. Esto bloqueaba las oportunidades de autoafirmación y de apoyo emocional de la familia. La creación por parte de los Chinos de grupos de autocrítica, y un efectivo sistema de información separó a los individuos de su autoafirmación y el apoyo emocional de sus pares de grupo. Esto fue realizado ostensiblemente con una cierta cantidad de amabilidad lo cual no permitía descargar la frustración y la hostilidad excepto en contra del individuo mismo. El último paso en la hostilidad hacia uno mismo es, por supuesto, alguna forma de suicidio.

¿Cómo puede ser el control chino de un prisionero de guerra en el campo, relevante para un joven ingeniero o científico que comete suicidio profesional en una gran corporación americana? ¿Puede nuestra comprensión de estas dinámicas de Corea explicar lo que sucede a un hombre en una Organización? Hemos visto como, bajo la Teoría X y las teorías de la conducción científica, la tarea era lo único importante. Su rendimiento era claramente especificado, y relativamente poca atención se prestaba a la integridad emocional del individuo. Podían sentir lo que quisieran, y lo que sentían usualmente era enojo y resentimiento contra la Organización. Esto era libremente expresado dentro del grupo de pares -incluso alentado. La tarea y los sentimientos eran separados.

Bajo la filosofía de las relaciones humanas, los sentimientos del empleado fueron considerados con considerable éxito. Pero bajo la filosofía del compromiso individual que se desarrolló luego, se esperaba de los sentimientos del individuo, casi como una condición para el empleo, que fueran positivos y se relacionaran con la tarea. Algunas veces esta expectativa se manifestó amablemente, otras veces con brutal franqueza, pero en la mayoría de las situaciones los gerentes esperaban el compromiso de los sentimientos de los empleados con la tarea. Esto inició una era en la cual el control de los sentimientos propios y de los demás se convirtió en parte integral del trabajo. Condujo a la negación del yo y a la pérdida de la integridad emocional. Las consecuencias de esta situación están siendo sólo gradualmente tenidas en cuenta. Cuando los individuos permiten que fuerzas externas le dicten lo que sentirán, se establece un escenario para la autoalienación y la anomia cultural. El suicidio profesional es el resultado lógico de las tendencias producidas por esta clase de ambiente, con su conflicto entre los valores culturales que subrayan la agresividad, el logro individual, y el cambio y las relaciones interpersonales que exaltan la ayuda a los demás y la no aceptación de ayuda a uno mismo. La autoestima descansa en lograr manejar los problemas (sin estorbar la continuidad del avance), pero la situación ambigua hace que esto sea imposible.

Las Organizaciones y los grupos atrincherados tienen maneras de frustrar a los individuos jóvenes, brillantes y agresivos, interesados en el cambio, y de retener el apoyo de la cúpula, tan necesario para mantener su interés y motivación por cualquier lapso de tiempo. Hay muchas maneras de tratar con miembros desviados de un grupo, de convertir seres humanos en recursos explotables, o de reformar sus egos y sus identificaciones sociales como personas para hacer que ellos se adapten a acuerdos sociales transformados, o de deshacerse de aquellos que no puedan adaptarse a esas transformaciones. Evitar el contacto o matarlo (modos alternativos de hacer las mismas clases de cosas) se vuelven menos adecuados para tratar con personas fuera de los modos de interacción del grupo normal. El tratamiento, al interrumpir el proceso autodestructivo, hace difícil el análisis. A medida que la hostilidad se enfoca fuera del yo en los verdaderos problemas del medio ambiente (siempre que no sea en los niveles superiores) el individuo generalmente abandona la Empresa.

La Falta de Evaluación y Crítica.

Hemos descubierto que la gente que desarrolla alta autoestima mide su valor individual principalmente por sus logros y su tratamiento dentro de su propio ambiente interpersonal más que por las normas de éxito más generales y abstractas, tales como el atractivo físico, o la posición social familiar. Los padres de niños con alta autoestima indicaron que valoraron mayormente el logro de excelencia de sus hijos más que su ajuste o adaptación a otras personas. Establecieron para sus hijos modelos definidos de rendimiento, que les posibilitaron saber si tenían o no éxito en una tarea, por cuánto habían fallado si fallaban, y qué esfuerzos serían necesarios para alcanzar el éxito.

El desarrollo de la independencia y la confianza en sí mismo es alentado por un ambiente bien estructurado y exigente, más que por la permisividad casi ilimitada y la libertad para explorar de manera indefinida (características de la conducción por "Compromiso del Subordinado").

Un síntoma principal de la enfermedad mental en nuestros tiempos es la desorientación. Esta es característica de los suicidios profesionales. Una Organización comercial sin algún tipo de retroalimentación de "revisión de rendimiento" en el sistema formal, lo cual establece una atmósfera altamente competitiva entre los empleados en el sistema informal, puede esperar gran cantidad de actividad no relacionada con los objetivos de la Empresa. Una filosofía de conducción que no orienta sino que acepta como premisa superior la incapacidad para definir el propósito y la dirección de la Organización, contribuye relativamente poco al empleo efectivo de sus recursos humanos.

En la Organización bajo estudio, existió un modelo de Organización en contra de las revisiones de rendimiento, comúnmente aceptado, ampliamente prevalente. Los gerentes manifestaron "No creemos en la revisión del rendimiento de un individuo solamente una o dos veces al año, creemos que debe ser realizada diariamente." Los subordinados coinciden en que los gerentes comentan sobre varios aspectos de su trabajo, pero todos quieren alguna evaluación de base oficial sobre su rendimiento total, en contraste con las devoluciones informales que cambian día a día dependiendo del estado anímico del jefe.

Una excusa para no dar revisiones de rendimiento que es ampliamente aceptada en la Organización es que los subordinados no las quieren. Esto nunca es comprobado directamente por el jefe o el departamento de personal, y se convierte en una pantalla detrás de la cual los gerentes ocultan su falta de voluntad de informar (y su falta de competencia para ser abiertos respecto de lo que quieren). La efectividad humana, no obstante, no es sólo un problema del subordinado, sino un problema de la efectividad del equipo (líder-subordinado, subordinado-par, líder-líder). La falta de retroalimentación y de evaluaciones formales del rendimiento dificulta a aquellos individuos interesados en trabajar en los objetivos de la Organización, hacerlo efectivamente.

La retención de las personas altamente creativas y sumamente capaces en trabajos irrelevantes para la Organización y serviles parece ser empleada algunas veces, es para probar la brillantez del jefe: "Mira quién reporta a mí", Puesto que no hay informes de rendimiento, nadie puede saber realmente cuán bueno es el individuo. Como consecuencia, algunos pueden ver como reaseguro ver a un individuo que ha sido altamente creativo en el pasado relegado a alguna tarea servil: "Cada vez que lo veo, tengo la confirmación de cuánto más exitoso que él soy yo".

En una situación de incertidumbre, las personas necesitan compararse con otros, no sólo con el propósito de autoevaluarse, sino también para medir cómo van a cumplir las tareas. Tienen que evaluar sus estrategias y las estrategias que los demás emplean, y tienen que considerar cómo modificar sus estrategias para manejar la tarea más adecuadamente. De acuerdo con la teoría de la comparación social, la incertidumbre sobre la propia habilidad puede conducir a la competitividad con el propósito de obtener una evaluación más segura de nuestra propia habilidad.

De las personas que no saben dónde están paradas respecto de sus habilidades o en la escala de atractivo personal podemos esperar que tengan serias dificultades para establecer sus niveles de aspiración y de comprensión de su competencia para tareas que requieren ciertos niveles de habilidad. Serán capaces de realizar algunos trabajos y otros no, algunas veces el trabajo estará debajo de sus capacidades, y solamente ocasionalmente darán en el blanco justo. Obviamente, los individuos en esta situación tarde o temprano experimentarán alguna forma de castigo social. La anticipación de estas consecuencias será suficiente para generar estrés.

No saber si uno es capaz de perseguir el propio interés de manera satisfactoria o rentable produce estrés adicional. Pero incluso si los individuos viven en un medio ambiente donde la evaluación segura y el empleo de sus habilidades es importante, tendrán algún estrés generado por el desconocimiento de la evaluación de ciertas habilidades no públicas. Hasta el punto en que las inseguridades de la autoevaluación pueden ser reducidas, los individuos son liberados de estrés. Y el estrés aumenta hasta el punto en que se dificulta la posibilidad de hacer comparaciones.

Los individuos cuyo rendimiento no puede o no es evaluado con criterios objetivos emplearán el rendimiento de los demás como un criterio de medición. Específicamente, intentarán elevar o reducir su rendimiento de modo de acercarse al rendimiento de los demás que consideran como reflejo del modelo relevante. El conocimiento de los resultados típicamente logra mejor rendimiento que la ignorancia de los mismos. Al menos alguno de estos efectos pueden atribuirse al interés, la atención, y la evitación del aburrimiento que el conocimiento de los resultados puede proveer.

Las grandes Organizaciones alientan el empleo de sutiles carencias. Los individuos pueden desconocer por algún tiempo el hecho de que han sido disciplinados y las razones reales pueden eludirlos permanentemente. Los pares les dirán qué es lo que hicieron mal, pero nadie les dirá qué es aquello que hicieron correctamente.

El Estrés de la Ansiedad como Motivador (Motivación por la crisis).

El modelo de conducción en nuestro estudio, estaba ansioso y esta ansiedad era inevitablemente transmitida a los mandos inferiores. En lugar de emplear objetivos de la Organización significativos como motivadores, la conducción tenía que encontrar otro modo de motivar a sus trabajadores. Una manera de motivar a las personas es a través de la ansiedad. Parecía haberse convertido casi en una política nunca resolver un problema hasta que se convirtiera en una crisis, tal vez porque se consideraba que las personas trabajarían más duro (pero, por supuesto, menos creativamente) para resolver una crisis que para resolver un problema de rutina. A falta de objetivos y dirección de la Organización, la conducción empujó y motivó a través de la crisis la producción de estados de ansiedad como un medio de promover la actividad.

Una de las formas de una Organización o de un superior de parecer muy productivo es implicarse una y otra vez de muchas maneras, "No lo vas a realizar lo suficientemente bien", "Observa todos los problemas". O, más benignamente, "Observa todos los desafíos que tienes aquí". Esto genera un aire de ansiedad y comportamiento frenético que eventualmente invade la atmósfera y da por resultado que las personas parezcan ocupadas, pero usualmente tiene un efecto negativo. Las personas no piensan muy creativamente bajo un clima de presión prolongada. No obstante, es un modo de lograr actividad por un tiempo de aquellos que viven bajo constante presión por mucho tiempo y están tan fatigados que sólo bajo la presión de la crisis pueden responder.

Cuando no se definen los objetivos de la Organización, los roles individuales y las posiciones de poder y los roles de los demás tampoco están definidos, el resultado es que el individuo permanece perplejo y ansioso. La implicación de la conducción por "Compromiso del Subordinado" es que los subordinados deben establecer sus objetivos porque los objetivos de la Organización no existen o permanecen ocultos. Esto (en términos de Durkheim) permite que reine por completo el egoísmo del subordinado y crea una tremenda cantidad de ansiedad.

Cattrell y Scheir descubrieron que no existen muchas clases de ansiedad (saludable e insalubre) sino solamente una, y cuando está presente generalmente es un síntoma de una enfermedad, tales como la neurosis, la depresión o la esquizofrenia. Inducir estados de ansiedad es uno de los principales modos de quebrar a las personas y es empleado ampliamente para lograr control. Encontraron que la ansiedad "es el opuesto del impulso motivador. Tiene una influencia destructiva de la mente. O desorganiza o es un síntoma de desOrganización mental."

Los síntomas de la ansiedad son la falta de confianza, el sentido de culpa y de inferioridad, falta de voluntad para aventurarse, dependencia, disposición a la fatiga, irritabilidad y desaliento, inseguridad respecto de uno mismo, sospecha de los demás, y tensión general.

Si sacudimos la superficie sobre la que descansa un caracol, se oculta dentro de su caparazón. Si se sacude la superficie repetidamente, el caracol luego de un tiempo deja de reaccionar. De la misma manera, una anémona de mar que es molestada por una gota de agua que cae sobre la superficie deja de reaccionar luego de un tiempo. Un pájaro deja de huir volando por un murmullo si se repite continuamente. La mayoría de los organismos dejan de responder a estímulos repetidos una y otra vez (a menos que la respuesta sea reforzada por un premio o la evitación de un castigo).

Otro método de motivar por la ansiedad es considerar los costos de inicio de un nuevo contrato como pérdidas al final del mes, como si no pudiera existir ninguna otra cosa a partir de un nuevo contrato que pérdidas al finalizar el mes. El resultado es que todos se ponen muy ansiosos, trabajan horas extras, se fatigan, entran en pánico y toman decisiones equivocadas. Entonces se reemplaza a la gente y las cosas lentamente son más rentables, pero principalmente porque los costos de inicio ya han sido erogados.

Un antídoto común de la ansiedad es la actividad. Aunque la ansiedad genera grandes cantidades de actividad, generalmente lo logra a un nivel poco creativo. En condiciones de ansiedad, los centros superiores del cerebro no se utilizan. El individuo corre cada vez más rápido pero el trabajo que produce es de calidad relativamente pobre. A medida que crece la ansiedad el individuo dilapida más tiempo en actividades motoras en un esfuerzo por reducir la ansiedad y cada vez emplea menos tiempo en actividades mentales y de planeamiento.

El zoólogo holandés, N. Tinbergen, creó el término "conducta desplazada" para describir el comportamiento sustituto que parece tener poco significado. Cuando una situación es demasiado estresante, la actividad desplazada puede servir como un escape del impacto emocional y de las circunstancias frustrantes. G.V. Hamilton en *Psicopatología Objetiva* describe las reacciones de los animales (y los seres humanos) sujetos a un problema insoluble: la oveja parece mordisquear, las cabras mirar sobre las paredes, los gatos lavarse a sí mismos.

En razón de la ansiedad en el sistema, hay una tendencia a tomar decisiones a corto plazo en lugar de buscar soluciones creativas que insumen más tiempo. En una Organización dedicada a la producción en masa de partes standard, donde la calidad es relativamente poco importante, puede ser efectivo mantener un alto nivel de ansiedad bajo el cual las personas se mueven rápidamente con relativamente poco pensamiento. En la producción en masa de partes simples, la ansiedad tiene el efecto de que las personas trabajen más rápido. En los sistemas complejos esto puede ser, de hecho, muy costoso. Un error que evita desechar una válvula de 5 dólares es obviamente menos costoso que un error que reduce una de 60.000 dólares.

También es importante notar que el exceso de horas extra generado por este método de motivación tiene un efecto destructivo en las relaciones de familia. Un sentimiento de compromiso total hacia la Organización y la falta de límites claros de aquello que se espera, más la ansiedad generada por el exceso de trabajo y el tiempo insuficiente para hacerlo, provoca que la gente corra más y más y se fatigue emocionalmente hasta que eventualmente comienzan a desarrollar síntomas de suicidio profesional. Aquellos que pueden abandonar situaciones imposibles, abandonan. Mientras que aquellos que no pueden en razón de situaciones familiares o compromisos personales eventualmente se vuelven suicidas.

Además de la ansiedad creada por los gerentes que sienten que esta es una buena manera de motivar a los trabajadores, la ansiedad se genera internamente por el miedo de no realizar un trabajo suficientemente bueno, o no ser aceptado y apreciado, y la falta de un sentimiento de logro. La ansiedad es sostenida por expectativas no realistas, la falta de un sentido de propósito, y la falta de un objetivo orientado hacia la vida.

El Estrés de la Competencia como un Motivador.

La competencia y el exceso de pactos como un medio de motivación hacia los objetivos de la Organización genera estrés y consecuencias indeseables. Antes de emplear estos métodos, deberían ser consideradas las siguientes cuestiones:

1. ¿Qué sucede dentro de los grupos competitivos cuando la competencia es empleada para motivar?

a. Cada grupo o individuo se cierra y ve a los demás como enemigos.
b. La lealtad aumenta: la voluntad de ayudar a los demás disminuye.
c. Cada uno ve sólo lo mejor en sí mismo y lo peor en los demás, cada uno coloca un filtro o una pantalla para proteger sus proyecciones.
d. Los miembros se encierran en rangos -aumentan los sentimientos de "nosotros somos buenos, los demás son malos".
e. El grupo demanda más conformidad de sus miembros, y se permite menos la individualidad y la creatividad.
f. El liderazgo cambia, la autocracia se vuelve aceptable.
g. La atmósfera del grupo cambia de un clima relajado, sin apuro, que considera los problemas en profundidad, a una atmósfera frenética, de esfuerzos superficiales, disminuye el nivel de relaciones interpersonales.
h. El grupo es más estructurado, se forman subgrupos pero se oculta la discordia, visible solamente en el interior del grupo.

2. ¿Qué sucede entre los grupos o los individuos que compiten cuando la competencia es empleada para motivar?

a. Se forman estereotipos inseguros y no complementarios.
b. Los miembros se vuelven hostiles unos con otros.
c. Disminuye la comunicación y la interacción.
d. Los miembros no escuchan a los adversarios sino que escuchan solamente aquello que apoya su propia posición.

3. ¿Qué sucede a los jefes que eventualmente deben juzgar la competencia que han generado?

a. Inconscientemente tienen idea de las consecuencias de su juicio, intentan posponer el anuncio de los ganadores con la esperanza de lograr que todos los grupos y todos los individuos se sientan exitosos, pero la postergación no da resultado.
b. Se dan cuenta de que no pueden desapegarse de la situación y ser verdaderamente neutrales, lo que hace que algunos participantes en la competencia se sientan engañados.
c. Sienten un conflicto tremendo entre la lealtad al grupo y el rol de juez.

4. ¿Qué sucede con los ganadores de la competencia?

a. Quedan atrapados en una estructura rígida que ganó por ellos.
b. Retienen su cohesión y son incluso más cohesivos.
c. Se dan cuenta que preguntarse respecto de la situación que produjo la victoria es psicológicamente imposible.
d. Se vuelven "gordos y felices".
e. Se libera la tensión, ya no más espíritu de lucha.
f. Se desarrolla más juego y complacencia.
g. Hay alta cooperación pero poco trabajo.

5. ¿Qué sucede con los perdedores de la competencia?

a. Primero, niegan la realidad y continúan racionalizando que su solución realmente era la mejor.
b. Luego, se preocupan por cómo ganarán la próxima vez, incluso si no va a existir una próxima vez.
c. Finalmente, tienden a realizar una especie de entablillado e inician un proceso de chivo expiatorio.
d. Se desarrollan luchas y tienen lugar reOrganizaciones.
e. Aumenta la tensión, se preparan para cavar más duramente.
f. Se responsabiliza a los líderes y a la Organización.
g. Pueden aprender muchísimo de sí mismos.

6. ¿Qué sucede con grupos crónicamente derrotados?

a. Tienden a dividirse en subgrupos y organizar pandillas y aislarse socialmente.
b. Hay desconfianza mutua entre las pandillas. Abundan los rumores, especialmente sombríos.
c. Algunos miembros se retiran y generalmente son considerados "los buenos". El grupo desarrolla una autoimagen de servicio, deja de renovar ideas, de ser innovador, y sólo hace aquello que está seguro que quieren los superiores.
d. Se ven a sí mismos como competidores débiles y a los demás como poderosos a los cuales no pueden ganarles.
e. A medida que se desvalorizan, su capacidad de responder adecuadamente se deteriora.
f. La autoimagen de derrota conduce a actividades inapropiadas e inactividad que confirma una y otra vez su baja autoestima.
g. Detener o corregir este estado insalubre de los asuntos, generalmente requiere intervención activa de un grupo externo.

7. ¿Qué sucede con el grupo de líderes?

a. Experimentan conflicto entre sus propias estrategias y el mandato que les ha concedido el grupo.
b. Experimentan tensión grave que resulta de ser responsables del éxito o el fracaso del grupo.

Los sentimientos de ganancia-pérdida continúan existiendo mucho tiempo después de que el problema ha sido superado. Puede que los sentimientos de conflicto nunca se resuelvan completamente, lo que dificulta el establecimiento de relaciones futuras más coooperativas. La competencia como un motivador no logra los resultados que son más útiles para que la Organización continúe siendo efectiva. En lugar de emplear un modelo competitivo para cumplir las tareas de la Organización, los gerentes efectivos deben incrementar su deseo de aumentar el empleo de modelos cooperativos.

En situaciones competitivas, el elemento sorpresa es una ventaja y la confianza es una desventaja. De esta manera no sorprende en absoluto que la competencia individual sea un poderoso motivador y pueda ser exitosa en medios donde el esfuerzo individual es relevante para la Organización (tales como las ventas). No obstante, en medios donde los esfuerzos exitosos no pueden alcanzarse por una persona sola, un clima basado en la competencia individual no es funcional.

Un sistema basado en la competitividad individual no sólo destruye los esfuerzos de cooperación sino que ahuyenta de la Organización a las personas talentosas. El ingreso de una persona bien entrenada en una posición que tradicionalmente requiere menos entrenamiento crea problemas. Las personas más antiguas pero con menos entrenamiento se preocupan de que la ruta por la que se avanza, que acostumbraba ser la longevidad, pueda estar cambiando a favor de la educación o el rendimiento. Los pares con más antigüedad pero menos preparación se sienten amenazados por los nuevos empleados. Es difícil para el intelectual que persigue el rendimiento no competir con sus pares que no ven ninguna ventaja para ellos en la presencia de la nueva persona.

La Organización necesita personas muy preparadas y dedicadas si quiere progresar, pero estas personas con frecuencia a largo plazo se retiran cuando son ubicadas en situaciones competitivas con los burócratas. Si hay cuatro personas comprometidas en un grupo y una que no lo está, aquella persona no comprometida puede pactar con los otros y usualmente asciende. Las personas que están comprometidas y dedicadas a la tarea tienen dificultades para pactar. Una filosofía de conducción de "Compromiso del Subordinado" junto a una filosofía de hacer por propia cuenta aquello que es necesario, puede seducir a las personas demasiado comprometidas a hacer cosas autodestructivas.

Gran cantidad de estrés se genera en medio ambientes competitivos cuando los individuos engendran hostilidad y rechazo de los demás -lo que normalmente provocaría la atenuación de su competitividad excepto que las demandas manifestadas por los demás (algunas veces esos mismos otros) los mantienen en la batalla.

En situaciones competitivas el éxito personal significa con frecuencia que algún otro fracasará. En algunas personas con instintos humanitarios, puede existir un miedo inconsciente de tener éxito porque esto significa que alguien más no tendrá éxito, y prefieren fallar ellos mismos que causar daño a otro.

Las personas educadas en escenarios de privación, en un medio ambiente similar a una jungla, aprenden rápidamente cómo protegerse a sí mismos y cómo luchar para satisfacer sus necesidades. Muchos individuos de la clase media americana han sido criados en ambientes donde no era necesario luchar para la supervivencia y no tenían que competir viciosamente para satisfacer sus necesidades. Sus necesidades psicológicas, sus necesidades de seguridad, sus necesidades de pertenencia, incluso sus necesidades de reconocimiento eran satisfechas por el medio ambiente benigno y fluyente. Como consecuencia de esta situación, estas personas están sumamente orientadas hacia la cooperación con los demás. Se preocupan por hacer del mundo un lugar mejor, y son estas personas las que eligen una profesión e ingresan a la Organización para mejorar. Cuando se les solicita que se comprometan para mejorar la Organización, lo hacen, asumiendo que la Organización les mostrará su aprecio dándoles la información, el apoyo, los recursos y la autoridad necesarios para realizar el trabajo. Algunas veces esto sucede, pero con frecuencia no. El aumento de conciencia de que la Organización realmente no está interesada en satisfacer sus necesidades y la grave frustración producto de que se les asigne una tarea imposible o sin importancia precipita la sintomatología suicida.

A partir de estudios de cooperación/competición realizados en campos de prisioneros hemos aprendido que cuando los individuos pueden obtener lo que quieren cooperando, cooperan. Pero cuando hay escasez de recursos al punto que no todos pueden obtener lo que desean, los individuos competirán. Entonces el clima de la Organización es de duro regateo con los subordinados, junto a una filosofía de "darles menos de lo que necesitan", ya que esto aumentará la efectividad de la Organización".

Pepitone señaló que el estrés usual en el nivel junior de la Organización proviene de la severa competencia en ese nivel, ya que los ejecutivos junior se evalúan casi completamente unos contra otros para obtener promociones o recompensas especiales. También en los niveles superiores existen más dimensiones de evaluación, y conjuntos más complejos de consideraciones que se incluyen en el sistema de recompensas. Puesto que las posiciones junior son relativamente poco atractivas, las tendencias más fuertes de ascender se encuentran en los rangos junior. La magnitud de estrés en un nivel dado de jerarquía es inversamente proporcional a la posibilidad de movilidad de ese nivel al próximo nivel superior. (Una manera que la conducción tiene de tratar con este estrés es negar su existencia).

Las comparaciones sociales en situaciones naturales pueden ser una fuente importante de estrés. En tales circunstancias no podemos asumir que la gente cambiará sus evaluaciones de modo de no compararse a sí mismo con aquellos mucho más capaces. Los mecánicos analizados en un estudio de estudiantes del doctorado, que en lugar de decidir no compararse con otras personas o abandonar la situación, muestra que los individuos que se comparan con otros más capaces se enojan y se vuelven muy ansiosos y no funcionan muy bien por unos pocos días. Entonces comienzan a evitar a las personas que les estimulan su comparación y su ansiedad. Hemos visto la misma respuesta en la comunidad comercial.

El lado negativo de la competitividad individual puede ser contraatacado a través del establecimiento de objetivos grupales y de sistemas de evaluación grupales. En el conocido estudio de Deutsch los estudiantes aún no graduados en un curso de relaciones humanas fueron divididos en dos grupos y se les solicitó resolver problemas intelectuales y de relaciones humanas. Un grupo trabajó competitivamente, los miembros fueron ubicados en un rango según trabajaron en los problemas como *individuos.* En el otro grupo, la clase trabajó sobre el problema como un todo y los individuos recibieron el mismo rango que la clase. Como era de esperar, los estudiantes en el grupo competitivo demostraron menos coordinación y esfuerzo, mayor redundancia en el comportamiento, menor grado de comunicación y menor grado de relación interpersonal.

El Estrés de la Culpa como un Motivador.

Las personas socializadas, aquellas que se preocupan, experimentan culpa cuando su conducta o sus sentimientos entran en conflicto con las demandas del sistema de valores que han adoptado o cuando no han cumplido alguna de las expectativas propias o de los demás. Obviamente, algunas personas demandan más duramente (esperan más de sí mismas) que otras. Estas personas experimentan conflictos más agudos y más culpa que otros.

Schein definió cinco clases de culpa:

1. Culpa social: el reconocimiento de que mucho de lo que uno tiene en la vida no ha sido ganado, sino que nos lo ha sido dado por el accidente del nacimiento.

2. Culpa del ego o de identidad: el reconocimiento del fracaso de vivir de acuerdo a la propia imagen de sí mismo.

3. Culpa personal: el sentimiento que surge de usar una máscara, el descubrimiento de haber deliberada o involuntariamente engañado a otra persona respecto de uno mismo.

4. Culpa de lealtad: el reconocimiento de que hemos fracasado en servir a un grupo con el cual estamos fuertemente identificados, o hemos violado sus normas, o deformado su imagen al comportarnos de un modo que no es consistente con lo que se espera de los miembros de ese grupo.

5. Culpa situacional: culpa que surge de la magnificación de los otros de infracciones menores o pequeños actos que normalmente no corren contra los valores básicos del individuo o su autoimagen, particularmente cuando se perciben como estimulados por gran estrés. Tales sentimientos de culpa indican que el individuo está comenzando a aceptar algunas normas del sistema de valores en conflicto.

La culpa puede ser empleada como un motivador y algunos gerentes hacen un excelente empleo de ella. Un estudio de Adams descubrió que las personas no calificadas a las que se les pagaba de más tendían a trabajar extremadamente duro para justificar aquello que se le pagaba. Esto era interpretado como un deseo de justificarse a sí mismos o de elevar su valor a los ojos del empleador.

En las prisiones de un campo de prisioneros de comunistas chinos, se encontró que la culpa era una fuerza central que motivaba a los prisioneros a cambiar. Recientemente, como resultado del estudio de los datos de los prisioneros chinos, se ha dado mayor atención al aislamiento social, un estado en el cual el sujeto puede estar en medio de muchas personas pero sentirse completamente separado de ellos.

Al principio de sus carreras muchas de las personas que terminan en el suicidio profesional sintieron que detrás de toda la libertad que les daba la Organización y detrás de toda la confianza que les habían expresado, no podían trabajar menos de 60 horas a la semana.

Se les dice a los empleados que la habilidad de hacer un trabajo no es sólo una prueba de la habilidad como trabajador, sino también del valor como persona.

Si el proyecto luego no es exitoso, la dignidad y el valor personal del individuo está bajo la mira. Si un proyecto fracasa, es extremadamente difícil para algunas personas buscar trabajo en algún otro lugar. "¿Si no pude tener éxito en esta situación donde todos han sido tan amables, cómo puedo tener éxito en algún otro lugar?" Un medio poderoso de retener a la gente en la Organización es el sentido de culpa engendrado por el sentimiento de que "No he realizado un trabajo suficientemente bueno y debo permanecer hasta tener éxito."

El Problema del Crecimiento.

Si pensamos en un juego en el cual los jugadores mueven piezas en el tablero uno por vez, el juego avanza a un tiempo lento por incrementos pequeños. La situación puede cambiar en el tablero, pero lo hace como consecuencia de una sucesión de pequeños cambios que pueden observarse, apreciarse y a los que uno se puede adaptar. Hay muchas posibilidades de errores de los jugadores individuales, o errores mutuos que destruyen el valor de ambos. Si hay comunicación hay posibilidad de que los jugadores acuerden y eviten movimientos que impliquen la destrucción mutua.

Supongamos, no obstante, que puedan moverse varias piezas en un momento y en cualquier dirección y distancia y que las reglas hagan que el resultado de cualquier movimiento hostil sea enormemente destructivo para uno o ambos lados. Ahora el juego no se incrementa tanto. Las cosas pueden suceder abruptamente Puede existir la tentación del ataque sorpresivo. Mientras que podemos ver cuál es la situación en un determinado momento, no podemos proyectarla más que uno o dos movimientos adelante. Hay menos oportunidad de desarrollar un modus vivendi o una tradición de confianza o roles dominantes o sometidos.

Así como los avances en tecnología han cambiado ampliamente el modo en el cual juegan las políticas internacionales, así los avances en tecnología han cambiado los modos en los cuales se desarrolla el juego comercial. El gerente ya no puede conducir haciendo ajustes menores. Enfrentado con vastos problemas debe prepararse para hacer cambios importantes. Y debe continuamente mirar sobre sus hombros para ver qué avanza sobre él. Todo esto crea un tremendo desafío y oportunidad. Pero también puede generar ansiedad, aprehensión y estrés.

El Círculo Vicioso de la Deterioración del Empleado y de la Organización.

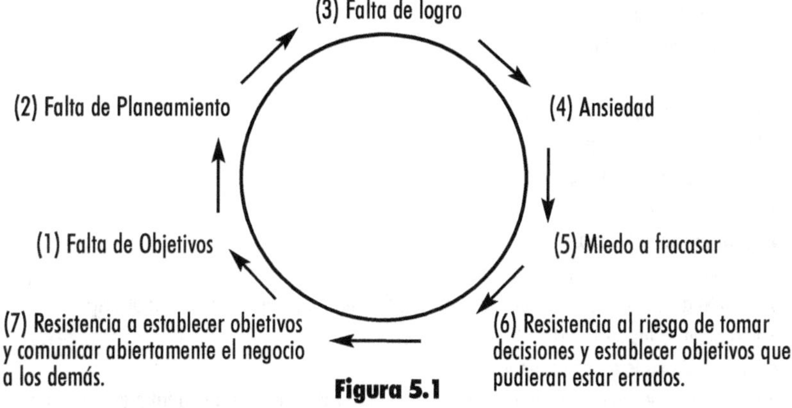

Figura 5.1

La falta de objetivos lleva a la falta de planeamiento. La falta de planeamiento conduce a la falta de logro, que lleva a la ansiedad y el miedo de fallar. La ansiedad alimenta la resistencia al riesgo de tomar decisiones y establecer objetivos que podrían luego resultar estar equivocados. El miedo al fracaso da por resultado el rechazo a establecer objetivos y comunicar abiertamente la dirección del negocio. Este rechazo lleva a la falta de establecimiento de objetivos y planeamiento. Y el círculo vicioso se repite (Ver figura 5.1). Como lo manifestara un gerente *"Aquello que realmente me demuele es tener tantas cosas que no puedes corregir."*

Características Misceláneas de la Organización que Contribuyen al Suicidio Profesional.

Además de las características ya mencionadas que influyen en el desarrollo del suicidio profesional, existen otras, entre ellas:

- El proceso de reducción.
- El síndrome de que el primero raramente tiene éxito.
- Fastidiar al empleado hasta matarlo.
- El primero en un proyecto raramente tiene éxito.
- El síndrome de extensión.
- El efecto generador de huida.
- El concepto de compromiso.
- La ley de relatividad humana.
- El concepto del rey de la colina.
- La falta de desarrollo y entrenamiento de la conducción.
- El jefe como terapeuta.
- Conducción exagerando el terreno.
- Un sistema de valores basado en la ganancia de final de mes.
- La conducción miope.
- La legitimación del depredador.
- Ser dejado sólo por el jefe como recompensa.
- La alta valoración del optimismo.
- La maniobra de Rasputín.
- La maniobra de Dale Carnegie.
- La falta de canales para lograr hacer las cosas.
- La Organización como el hermano mayor.
- El desarrollo del hambre de reconocimiento.
- La falta de planes de sucesión y la evitación del síndrome de la corona del príncipe.
- Encadenar a las personas en la Organización.
- La falta de un jefe que se preocupe.
- Orientación de supervivencia a corto plazo en lugar del crecimiento, la falta de competencia interpersonal.

♦ El proceso de reducción.

Se refiere a la práctica de la conducción de darle siempre a las buenas personas menos de lo que realmente necesitan para hacer el trabajo. Con frecuencia se escucha "si le das a todos todo lo que te piden, nunca podrás obtener ganancias", y "si tuviera todos los recursos que se necesitan, cualquiera podría hacerlo. La prueba de tu habilidad es ver cuán pocos recursos puedes emplear y aún así realizar el trabajo". No obstante, cuando los proyectos fracasan por falta de suficientes recursos, los subordinados son acusados de no haber manejado competentemente la situación para conseguir lo que realmente necesitaban.

Los más antiguos reconocen esta práctica, pero los jóvenes se frustran y con frecuencia "se matan" por no obtener suficientes recursos para realizar el trabajo requerido. Luego de un tiempo, los trabajadores tienen la impresión de que recibirán suficiente apoyo que les impida renunciar pero no lo suficiente que les posibilite hacer realmente un buen trabajo. Como resultado pronto comienzan a sentir que la conducción no está realmente interesada en que realicen un buen trabajo. El punto de vista de la conducción es que una persona puede siempre lograrlo con un poquito menos.

♦ Fastidiar al empleado hasta matarlo.

Se refiere a la tendencia de algunos jefes de cargar al subordinado con tantos detalles de menor importancia pero de naturaleza inmediata que queda poco tiempo para el principal trabajo del empleado o para ser creativo. Esta técnica frecuentemente la emplean jefes que se sienten amenazados por el subordinado. Se mantiene ocupado al subordinado con trivialidades para que no sea capaz de realizar trabajos de mayor significado y visibilidad para la Organización. También es empleada por jefes atemorizados que cargan a sus subordinados con las obligaciones defensivas negativas de manera que la mayor parte de su tiempo es empleada de modo improductivo. Este punto de vista es característico de la filosofía experta de la eficiencia que sostiene que una persona puede siempre hacer un poquito más.

♦ El primero en un proyecto raramente tiene éxito.

Este dicho tan comúnmente escuchado en las Organizaciones es en parte resultado de una inadecuada definición del proyecto y aquello que es necesario para completarlo exitosamente, y en parte es resultado del duro regateo de los jefes que no comprenden los problemas técnicos. Como resultado el gerente de proyecto escasamente obtiene lo suficiente para hacer el trabajo correctamente. La conducción no se da cuenta de que los recursos eran inadecuados hasta que el proyecto falla. Inevitablemente, la segunda persona en el proyecto obtiene más apoyo que el primero, y el primero nunca llega a saber si el trabajo podría haber sido exitoso la primera vez con el apoyo adicional que recibió la segunda persona. "No tenemos tiempo de hacerlo bien, pero siempre tenemos tiempo de volver a hacerlo (generalmente, no obstante, con un nuevo gerente)".

El deseo de guardar el apoyo de la Organización y de dar menos que lo solicitado es visto positivamente por la mayoría de los gerentes porque sostiene la ansiedad en niveles altos. Hace que las personas se estiren e incrementen la competitividad, todo lo cual hace que la Organización parezca dedicada y muy trabajadora.

♦ El síndrome de extensión.

Se refiere al modo en que algunos jefes obligan a sus subordinados estableciendo objetivos más allá de aquellos que los subordinados sienten que pueden lograr. Si el subordinado alcanza estos objetivos amplios, entonces la siguiente vez establecen objetivos mayores. Esto con frecuencia continúa hasta que el subordinado se cansa de ser estirado y desarrolla algún tipo de suicidio profesional. Como cuando a una persona se le solicita que sostenga en el aire dos bolas, luego tres y luego cuatro, hasta que finalmente fracasa, no cae la última bola que se agregó sino todas.

♦ El efecto generador de huida.

Este efecto se ve comúnmente entre los gerentes que han vivido bajo presiones prolongadas y demasiado pesadas solamente para ser liberados de toda responsabilidad y de pronto son colocados en trabajos de funcionario. Haber trabajado bajo mucha presión y luego ser aliviados repentinamente, da por resultado un breve sentimiento de alivio, pero luego surge el tema de qué hacer con la energía no empleada. Las personas con muchos recursos pueden encontrar cosas que los mantengan ocupados, otros pueden dar vueltas. Las personas muy estresadas son enviadas algunas veces de vacaciones (es decir, períodos de inactividad forzada). Con problemas sobre sus espaldas que saben que necesitan ser resueltos, esta actitud común de la conducción no es vista por los subordinados como muy útil.

♦ El concepto de compromiso.

La idea de estar "comprometido" es ampliamente empleada dentro de la Organización. Esto significa que los individuos están dedicados al rendimiento de la tareas que ejecutarán con mucho esfuerzo para el éxito a pesar de los inconvenientes personales y de la ampliación de las necesidades de la Organización.

En experimentos con animales, la paloma que persiste en una tarea a pesar de la ausencia de ganancia es testaruda, estúpida o tiene carácter. De hecho, cuando una persona persiste en una tarea a pesar de la frustración y las derrotas, decimos "no se da cuenta que lo están privilegiando", o "tiene carácter". Todo depende de nuestra relación con la persona.

Una filosofía de compromiso significa que cada empleado asume personalmente la responsabilidad de mejorar la Organización. Como esta tarea es demasiado grande para los individuos que trabajan solos (sin liderazgo, sin un plan general basado en objetivos realistas, sin apoyo adecuado) frecuentemente fracasan. Una filosofía de conducción por "Compromiso del Subordinado" y de hacer por uno mismo lo que necesita ser realizado frecuentemente seduce a las personas que se comprometen en exceso a hacer cosas que son autodestructivas y destructivas para la Organización.

♦ La ley de la relatividad humana.

Esta ley dice "Yo avanzo a medida que logro disminuirte". La extensión por la cual la competencia externa está ausente es la extensión por la cual una compañía puede tolerar la expansión de la incompetencia interna sin preocuparse seriamente. Si puedo ver que nadie es capaz de hacer mi trabajo, mis oportunidades de supervivencia aparecen fortalecidas.

♦ El concepto del rey de la colina.

Este es un juego de niños que también se juega en los negocios. Cuando se reconoce una necesidad en la Organización, los recursos se mueven rápidamente para satisfacer esta necesidad, pero la falta de coordinación y la definición inadecuada de los roles conduce a la confusión al intentar satisfacer la necesidad. Como resultado, algunos compiten vigorosamente y algunos renuncian, pero la decisión respecto de quién hace qué frecuentemente se basa en las habilidades más apropiadas. Para tomar una decisión racional, tiene que existir o un jefe (Teoría X) o un grupo (conducción participativa). Una filosofía de conducción por defecto y la suposición de que las personas pueden actuar efectivamente por sí solas no es realista, de acuerdo con las observaciones realizadas en las Organizaciones estudiadas.

♦ La falta del desarrollo y el entrenamiento de la conducción.

Esto es alentado por una filosofía de "golpéenlos y vean si se hunden" y "la crema sube hasta el tope". Un gerente señaló *"Así lo hace la espuma".* Un acercamiento al desarrollo de la conducción del tipo "aprende a medida que cometes errores" crea muchos problemas para los jóvenes gerentes y para la Organización. Para muchos, esto da por resultado experiencias de fracaso, las cuales, si no son analizadas adecuadamente, pueden afectar profundamente sus futuros profesionales.

Un niño al que se le ha enseñado a nadar arrojándolo en aguas profundas, sacándolo antes de que se ahogue y volviéndolo a arrojar puede aprender a nadar tan bien como un niño que ha sido introducido gradualmente en el agua mediante procedimientos de instrucción en natación más benignos. Pero los niños enseñados con el primer método, es muy probable que tengan respuestas muy diferentes a la natación y a la instrucción de otros. También es muy caro para la Organización tener jóvenes gerentes aprendiendo su negocio a través de la experimentación con personas y dinero reales, cuando el aprendizaje sería mejor y menos costoso si el entrenamiento pudiera tener lugar fuera del negocio con dinero simulado.

♦ El jefe como terapeuta.

Algunos jefes disfrutan el sentimiento de poder sobre las personas dependientes. En consecuencia, inconscientemente se rodean con personas débiles y expulsan a los competentes no prestándoles ninguna atención.

♦ Conducción exagerando el terreno.

Las decisiones se demoran hasta que son tomadas por las circunstancias. La repercusión es menor para las decisiones equivocadas si los gerentes se ven "forzados" por el destino.

♦ Un sistema de valores basado en las ganancias de fin de mes.

Este sistema de valores tiende a orientarse a los resultados sin que nadie preste atención a los medios. Un modo de maximizar el resultado (a corto plazo) es no invertir para el futuro, o más drásticamente, comenzar una liquidación gradual del negocio. Un clima que enfatiza el resultado final con poca conciencia de la inversión necesaria para el futuro y el crecimiento del negocio es debilitador de la Organización y de las personas en ella.

♦ Conducción miope.

Muy similarmente, los jefes que piensan que su reputación se genera en una base mes a mes opera en consecuencia para maximizar los resultados finales del mes. Por esta razón, los gerentes subordinados a estos jefes pueden perder su visión del futuro. Los gerentes medios no tienen el tiempo suficiente de desarrollar su talento futuro. Un gerente es escuchado diciendo respecto del esfuerzo para desarrollo a largo plazo "No estoy interesado en construir el futuro para algún otro".

♦ La legitimación del depredador.

Sin objetivo ni liderazgo, se instituyó un método de logro que puede ser llamado "oportunidades para la autorrealización", pero también puede ser reconocido como "la legitimación del depredador". Cuando una Organización ha crecido muy rápidamente o cuando la tecnología del negocio ha variado abruptamente, con frecuencia conduce a la conducción por crisis. Esto generalmente es una señal de que aquellos en control de la conducción no están seguros de hacia dónde va la Organización y no tienen un plan realista del negocio. Incapaces de dirigir el negocio ellos mismos, asignan la responsabilidad del planeamiento de la Organización y de la dirección a los subordinados, racionalizando que esta será una buena experiencia para los subordinados jóvenes. La conducción por la crisis también es llamada conducción oportunista, y mientras que puede generar ganancias a corto plazo, usualmente da por resultado una pérdida neta a largo plazo.

La razón de esto es que si nadie actúa como el guía de la compañía cada departamento (así también como cada individuo) eventualmente aprende que es tonto esperar tratamiento justo. Esto conduce a una filosofía de "sálvese quien pueda". Pronto todos están pensando exclusivamente en términos de necesidades personales. Aumentan las defensas y se inicia el juego. Comienzan luchas de división entre y dentro de los departamentos. Las personas dejan de mostrar cualquier aprecio por los problemas de los demás. Se emplean los rumores como armas tácticas, y la falta de buenas relaciones humanas se vuelve crecientemente obvia. El resultado es que con tanto tiempo y esfuerzo dedicado a la guerra interpersonal e interdepartamental, queda poco tiempo para realizar un trabajo productivo.

El modo de evitar el suicidio es tomar conciencia de la realidad en que uno se encuentra. Si la Organización alienta la autorrealización, y hay pocas recompensas para las personas excepto por la alegría que cada uno puede extraer del momento, entonces es importante saberlo, y esto influenciará la dedicación y la aplicación de las energías.

♦ Ser dejado solo por el jefe como un método de recompensa.

Hay un dicho común entre los jefes "Si te dejo solo, debes saber que estás haciendo todo bien". Desafortunadamente, los subordinados no siempre lo ven de esta manera. Si el fracaso es el único modo de ser notado, entonces muchos seres humanos pueden descubrirse estableciendo ellos mismos las condiciones para el fracaso. Un estudio de Nathan H. Azrin encontró que cuando una paloma recibe una descarga eléctrica cada vez que picotea, el picoteo aumenta, y que cuando se detiene el castigo, se detiene el picoteo. Este comportamiento suena muy masoquista a menos que reconozcamos que a pesar de que a cada respuesta seguía un shock eléctrico, también algunas veces recibía alimento. Si sufrir un castigo es el único modo de obtener alimento o reconocimiento, los animales (y los seres humanos) pueden someterse o incluso establecer las condiciones necesarias para el castigo.

♦ La alta valoración del optimismo.

Cuando la Organización y las decisiones de la conducción superior siempre se reciben con optimismo, es difícil cambiar. El cambio requiere una gran cantidad de esfuerzo y ver que las cosas no son realmente tan buenas, lo cual con frecuencia paraliza a las personas que están haciendo algo dentro de un sistema que gradualmente se deteriora.

♦ La maniobra de Rasputín.

Se gana control sobre la red de comunicación diciéndole al jefe que se manejará cualquier cuestión que surja, o que la situación no es lo suficientemente importante para él. Se alimenta al jefe con información favorable para uno o para lo que uno desea, y se bloquea la información desfavorable. Si el jefe permite que uno realice cosas por un tiempo suficiente, el subordinado puede tener al jefe bajo completo control.

♦ La maniobra de Dale Carnegie.

Uno "se mete en las entrañas del tipo" y se sostiene la relación como colateral porque estáhaciendo lo que uno quiere. Esta es una excelente maniobra por la cual los autorrealizados pueden subvertir los recursos de la Organización para sus propios fines.

♦ Falta de canales para realizar las cosas.

La falta de una política, y la falta del establecimiento de una rutina para tratar con los problemas recurrentes son severos obstáculos para aquellos que trabajan dentro de una Organización. En la Empresa estudiada, en un esfuerzo para liberar a las personas de la burocracia administrativa y del papeleo, se ocultaron los organigramas y los canales formales fueron vagos. Nadie estaba completamente seguro de quién dirigía los diferentes departamentos de la Organización. El mejor modo de resolver un tema parecía ser encontrar un campeón que lo promocionaría, en lo personal, con el jefe superior. Un ejemplo muy claro sucedió cuando fueron entregadas máquinas de escribir eléctricas muy caras a secretarias de nivel muy bien pagas pero que realizaban poco trabajo real de tipeo y les fueron denegadas a las tipistas de producción que dactilografiaban las propuestas. No hubo otro método de corregir esta decisión que la defensa personal. Y esto se convertía en una mancha negra para la persona que defendía la causa.

Parece no existir canales formales para lograr que la Organización actúe, excepto por los canales informales. Tales Organizaciones tienden a funcionar con un sistema político amplio. La extensión hasta la cual puede ser formulada la política y puede establecerse una rutina de los procedimientos es la extensión hasta la cual el tiempo valioso puede ser dedicado de modo diferente que aplicar presión política o continuamente "reinventar la rueda".

♦ La Organización como un hermano mayor.

Hubo una tendencia de la Organización a regresar al individuo cualquier queja que manifestara, sosteniendo siempre que la Organización hace lo correcto fuera lo que fuera que haga y que si cualquier individuo se siente molesto, no tiene derecho real a sentirse de esa manera. Cualquier falta de logro de la Organización es siempre falta del subordinado, incluso si fue el jefe quien dispuso la información, el tiempo y los recursos.

El jefe quería personas que manifestaran que podían hacer lo que fuera necesario, pero sin transmitirles la información objetiva respecto de lo que debía ser realizado. Los informes de personal respecto de los principales objetivos eran ocultados. Las tareas importantes frecuentemente se asignaron a aquellos que no estaban familiarizados con el problema. Puesto que los más informados estaban al tanto de los problemas, con frecuencia eran bypaseados por los menos informados pero más entusiastas. La competencia producto de la experiencia y el conocimiento técnico del tema parecían menos importantes para asignar un proyecto que la lealtad, el compromiso y el entusiasmo.

♦ El desarrollo del hambre de reconocimiento.

Este es el sentimiento de no ser apreciado que surge de realizar un buen trabajo por largo tiempo sin ningún elogio o palmadita en la espalda. La falta de reconocimiento y de aprecio para los empleados que trabajan duramente parecen ser la causa de:

1. Una atmósfera altamente competitiva en la cual aquellos que obtienen reconocimiento es más probable que logren los ascensos.

2. Un medio ambiente orientado a las crisis, provocador de ansiedad, donde no hay tiempo para nada excepto para trabajar en los problemas que presionan.

3. La falta de desarrollo de la gerencia y de la competencia interpersonal. Muchos gerentes saben cómo criticar y trabajar situaciones problemáticas, pero no saben como expresar reconocimiento y aprecio.

Muchos gerentes piensan que expresar aprecio por un buen trabajo bien hecho estimula la solicitud de un incremento de sueldo. "Si aprecias mi trabajo, no me des palabras, ponlo en mi sobre de paga", es un comentario que comúnmente se escucha entre el personal jornalizado. En una industria que se mueve rápidamente es difícil conocer cuánto pagar a las personas, y, por supuesto, los salarios afectan las ganancias de fin de mes. El miedo de estimular solicitudes de incremento de salario parece ser una razón adicional para contener la manifestación del reconocimiento.

♦ La falta de planes de sucesión y la actitud de evitar el síndrome de la corona del príncipe.

Se reconoce ampliamente el inmenso poder que descansa en las manos de los pares de grupo. La experiencia ha demostrado que cualquier empleado reconocido como el sucesor del jefe inmediato pierde la cooperación de sus pares. El énfasis en la competencia individual limita severamente la cantidad de ayuda que los pares darán a cualquiera que se encuentre obviamente en la línea del jefe de mando. En consecuencia, la conducción tiende a ocultar esta evaluación de la gente y su plan para el futuro del empleado. Como resultado aparece el hambre de reconocimiento en los subordinados y la falta de fuerza de trabajo en la Organización y de planeamiento de sucesión.

♦ Encadenamiento de la gente a la Organización.

La falta de cualquier tipo de beneficio por el retiro anterior a los 10 años de servicio es una razón por la cual algunas personas permanecen en la Organización cuando deberían haberla abandonado desde hace tiempo. La presencia de personas que sólo están sumando años y la resistencia de los gerentes a enfrentar una situación tan potencialmente dañina para el empleado, da por resultado costos a la Organización que podrían ser evitados estableciendo una fecha más temprana para los beneficios del retiro. Otras políticas de la Empresa que se relacionan con la dependencia del tiempo (tales como los planes de ahorro) también dan por resultado inhibir el flujo de gente entre las compañías.

♦ La ausencia de un jefe que se preocupe.

El jefe puede estar demasiado ocupado trabajando en objetivos personales dentro o fuera de la Organización como para preocuparse por sus subordinados. Esto es muy molesto para los empleados brillantes y agresivos que quieren lograr algo. Unos pocos jefes despreocupados pueden tener un efecto muy depresivo en el clima de la Organización.

♦ Una orientación a corto plazo de supervivencia, en lugar de crecimiento.

Una de las principales causas del suicidio profesional en los individuos y en las Organizaciones es el establecimiento de varias prácticas que parecen más orientadas a la supervivencia a corto plazo que al desarrollo y al crecimiento. El comportamiento de individuos y Organizaciones orientadas hacia la supervivencia es altamente competitivo, individualista y generalmente se destaca la falta de apoyo. Una Organización orientada hacia el crecimiento tendrá objetivos de la Organización y un plan para alcanzarlos y con el crecimiento permanente de la complejidad de la vida moderna, tenderá a enfatizar el trabajo en equipo. (Para mayor elaboración de este concepto ver tabla 5.4).

Tabla 5.4: Dos clases de filosofías de la Organización.

Filosofía orientada hacia la supervivencia	Filosofía orientada hacia el crecimiento
(Características de una Organización defensiva preocupada por la supervivencia y por no cometer errores, esencialmente conducción controladora).	(Características de una Organización agresiva preocupada por el crecimiento y por realizar contribuciones, esencialmente conducción participativa de acuerdo con los objetivos.
Comunicaciones	
La comunicación de información se restringe porque no se puede confiar en que la gente sea suficientemente cuidadosa con ella.	La información se comparte ampliamente porque se confía en las personas y ellas necesitan información para realizar un buen trabajo.
El conocimiento de la Organización es poder y debe ser estrechamente controlado por las personas inseguras.	El conocimiento es poder y debe ser ampliamente compartido así las personas dan lo mejor de sí.
Si te comunicas, demuestras tu ignorancia.	Si te comunicas, aprendes algo.
Establecimiento de objetivos	
El superior alienta a los subordinados a establecer objetivos, pero no los selecciona él mismo, de esta manera puede controlarlos y si no alcanzan sus objetivos, no será responsable.	Establece los objetivos el jefe y alienta a su gente a establecer más objetivos, de esa manera todos pueden trabajar juntos hacia los objetivos y propósitos comunes.
Conserva las condiciones vagas, así cualquier error es adjudicado a algún otro y puede asumir el crédito por aquellas cosas que funcionan bien.	Establece las condiciones tan precisas como sea posible, de esta manera las personas tienen más claro lo que deberían estar haciendo y pueden canalizar su energía de acuerdo con ello.
Traspasan la responsabilidad a los superiores o a los subordinados, si las cosas no ocurren o van mal algún otro es culpable.	Asumen la responsabilidad, cuando las cosas van bien pueden legítimamente reclamar el crédito, cuando las cosas van mal, aprenden de la experiencia.
No experimentan, podría ser problemático (Se asume esencialmente una posición pasiva basada en la suposición de que la mayoría de las cosas salen mal.)	Se sienten libres de experimentar y correr riesgos calculados, de esta forma alcanzan su mayor éxito. (Asumen esencialmente una posición activa basada en la suposición de que la mayoría de las cosas saldrán bien)
Resolución de conflictos	
Ignoran los problemas y evitan tomar decisiones, el problema puede resolverse sin tener que involucrarse. Justifican su dilación asumiendo tareas triviales.	Buscan ubicar los problemas y tomar las decisiones necesarias, para esto les pagan.
Si no puedes evitar un problema, asígnaselo a tu subordinado y asume tan poca responsabilidad como te sea posible.	Ven su trabajo como la resolución de problemas, pero permiten que los subordinados los ayuden.

Filosofía orientada hacia la supervivencia	Filosofía orientada hacia el crecimiento
Desarrollo de la gente	
No preparan reemplazos para su trabajo, ellos podrían reemplazarlos prematuramente. Las oportunidades de supervivencia son mejores si la Organización no contiene reemplazos listos.	Preparan reemplazos, esta es la única manera de ascender.
Nunca confrontan, a las personas no les gusta esta actitud, aunque sea bueno para ellas.	Confrontan, así es como ambas partes aprenden y crecen.
Hablan mucho de la necesidad de contratar mejor gente.	Preparan y entrenan su propia gente para que sean mejores.
No dan retroalimentación negativa, alguien podría ofenderse y resentirse y generarnos dificultad luego.	Las personas necesitan conocer sus errores si van aprender de ellos y mejorar su rendimiento.
Se deshacen de la gente buena alentándolos a abandonar la Organización.	Entrenan a su gente para que sean libres para realizar cosas más grandes e importantes.
Alientan a los subordinados a tomar acción. Si las cosas van bien toman el crédito, si van mal acusan al subordinado.	Se orientan a la acción a sí mismos. Este es el mejor modo de entrenar a los demás para ser agresivos.
Tratan con base uno a uno, no hay testigos y nadie puede señalar tus inconsistencias y dobles tareas.	Tratan principalmente con base grupal. Este es el mejor medio de clarificar las inconsistencias y confusiones sobre temas complejos.
Las evaluaciones del personal son subjetivas, ¿el subordinado mantiene a la gente feliz y no crea ningún problema?	Las evaluaciones de personal son objetivas, ¿el subordinado logra lo que es necesario?
Los recursos humanos de la Organización se consumen y gradualmente se agotan.	Los recursos humanos de la Organización se desarrollan y fortalecen.
Medio ambiente	
Mantiene una atmósfera de trabajo duro, sin "grasa".	Mantiene suficiente soltura en el sistema de manera que las personas puedan resolver los problemas creativamente.
Conducción por crisis. Mis aspectos inadecuados son menos obvios si hay mucha confusión y actividad frenética. Mantiene a las personas corriendo incansablemente.	Conducción por plan. La situación no será frenética ni confusa si hemos planificado adecuadamente. Permite a las personas el tiempo para planear y ponerse al día con la tecnología.
Debe trabajar solamente en su propia área o los pares trabajarán contra él.	Los recursos están disponibles para toda la Organización.

Filosofía orientada hacia la supervivencia	Filosofía orientada hacia el crecimiento
Suposiciones	
Para hacer el trabajo, la conducción tiene que desarrollar métodos para controlar la conducta de la gente.	Para lograr un buen trabajo realizado, la conducción tiene que desarrollar métodos para liberar el potencial de los subordinados.
Básicamente considera que las personas son perezosas y no se interesan por su trabajo.	Básicamente las personas son dedicadas, trabajadores fuertes y quieren hacer un buen trabajo.
El resultado de cada filosofía	
Suicidio profesional y lenta disgregación de la Organización.	Crecimiento individual y de la Organización.
Causas	
Con frecuencia, personas miedosas e inseguras, que no están seguras de lo que se supone que deberían estar haciendo, quienes se sienten amenazados por los logros de los demás.	Usualmente, personas que se sienten seguras en sus trabajos y han desarrollado confianza en sus habilidades como resultado de logros exitosos de tareas cada vez más importantes.

La Organización necesitaba Empresarios, personas energéticas y orientadas al crecimiento, para mantener la Empresa en movimiento, pero el control de la conducción estaba en las manos de custodios, personas que estaban intentando sobrevivir, mantenían el statu quo y no dejaban que el bote oscilara demasiado. Los que empujaban energéticamente en dirección a algún cambio, aunque eran necesarios en la Organización, raramente eran protegidos, eran abandonados sin valoración ni recompensa, de manera que a medida que pasaba el tiempo eran vistos como irritantes para la Organización. Se invocaron varias formas de castigo sutil hasta que eventualmente dejaron de empujar o se retiraron.

♦ La falta de competencia interpersonal.

Argyris definió la competencia interpersonal como:

1. La habilidad de poseer las propias ideas y sentimientos.
2. La habilidad de abrirse a ideas y sentimientos de los demás y compartir los propios.
3. La habilidad de experimentar y correr riesgos interpersonales.
4. La habilidad de ayudar a los otros a poseer ideas propias, la habilidad de ayudar a los demás a abrirse, y la habilidad de ayudarlos a experimentar.

Uno de los problemas principales en la Organización es la falta de competencia interpersonal de aquellos que controlan la conducción. A medida que una Organización crece en años, su tasa de crecimiento comienza a disminuir y tal vez incluso a declinar, aquellos a cargo del control de los gerentes pueden sentirse cada vez más amenazados por cualquier crítica a su liderazgo o tratamiento de negativas de parte de la Organización. La evaluación franca de la Organización y del rendimiento de sus miembros tiende a declinar. Los esfuerzos de los individuos de manifestar los problemas para resolverlos son resistidos y los individuos que tienen esta conducta son castigados sutilmente y acusados de tener una actitud negativa. La habilidad de confrontar los problemas disminuye. La intensidad del esfuerzo para ser positivo y la preocupación respecto de las actitudes negativas puede estar directamente relacionadas a cuán amenazado está el liderazgo de la Organización por la confrontación de los problemas. Obviamente, ninguna Organización puede ser exitosa por mucho tiempo si se niegan sus problemas y dificultades y si no se toleran las discusiones al respecto.

La baja competencia interpersonal conduce a disminuir los sentimientos de la propia importancia, del éxito psicológico y de la confirmación por parte de los subordinados. Para ganar sentimientos de reconocimiento e importancia, los subordinados pueden reaccionar enfatizando demasiado los escritorios, el espacio, los tecnicismos, el status y también desarrollando normas para minimizar la apertura, el conflicto y correr menos riesgos. Finalmente, el resultado es baja participación efectiva en la resolución de los conflictos que involucra baja autoestima de los participantes o de la seguridad de la Organización.

A medida que disminuye la resolución de conflictos, aumenta la necesidad de gente, materiales y tiempo. La frustración de los subordinadas y la rigidez también aumenta en proporción. Al mismo tiempo, el compromiso de los subordinados hacia el trabajo y su interés en realizar un trabajo de alta calidad disminuye, tendiendo a aumentar los costos, lo que genera insatisfacción de la conducción superior que reacciona aumentando la presión de cortar costos y buscar retroalimentación de los clientes. Puesto que la devolución de los clientes, con frecuencia es negativa, esto hace que la gerencia esté más insatisfecha. Esto, a su turno, puede conducir a la conducción a apretar más los presupuestos, los programas y los gastos y a dar al cliente mayor influencia.

Los trabajadores reaccionan y se resisten aún más correr riesgos a largo plazo aún más. Cada vez se sienten más frustrados y experimentan mayor disminución de sus sentimientos de éxito, esencialidad y conformación de su capacidad técnica. Esto aumenta los costos así como disminuye la moral, el compromiso, aumenta la renuncia de los mejores investigadores, y enfatiza en exceso los tecnicismos, el espacio y la flexibilidad. Lo cual otra vez aumenta la insatisfacción de la conducción, que a su turno, aumenta el énfasis en la reducción de costos, la evaluación del proyecto, su control y la "caza de brujas", y lleva a la creación de la escalera técnica. Todos estos factores también retroalimentan el aumento de los costos, que generan insatisfacción en la conducción, y el ciclo continúa interminablemente.

Finalmente, los trabajadores son empujados cada vez más a ser vendedores, optimistas en exceso, para obtener trabajo, y pesimistas sobre cuándo el trabajo será completado. Aprenden a escribir informes que "venden" un punto de vista. Los gerentes gastan mayores cantidades de tiempo en actividades administrativas diseñadas para presionar y controlar a los trabajadores.

El resultado final es que las unidades comienzan a luchar unas contra otras y a proteger su soberanía generando barreras. La cooperación y la comunicación disminuyen y aumenta la desconfianza. Aumenta la costumbre de esconder a los superiores las malas noticias y fracasan los nuevos proyectos diseñados para evaluar la efectividad de los investigadores. La desconfianza en aumento y la falta de comunicación llevan a retroalimentar que los apoyos y los refuerzos disminuyan la competencia interpersonal. Esto cierra el círculo, y tenemos un sistema autosostenido que se vuelve lentamente menos y menos efectivo e innovador. Según Argyris "el primer paso en dirección al aumento de la salud de la Organización es que el mando superior aumente su competencia interpersonal".

Cuando la Organización rechaza repetidamente actuar de acuerdo con ideas y sugerencias ampliamente difundidas por razones que nunca se aclaran, las personas eventualmente dejan de generar las sugerencias. Con poca claridad respecto del propósito de la Empresa y del propio rol, el camino de menor resistencia es esperar la clarificación. En ausencia de informes de rendimiento, con frecuencia la clarificación nunca llega. Y, eventualmente, más empleados toman conciencia de que se han convertido en suicidas profesionales.

Los Efectos de Ciertas Creencias Existenciales sobre la Política de Conducción.

Kierkegaard (1813-1855) generalmente es considerado como el creador del Existencialismo, que ganó prominencia en Alemania en medio del caos y la confusión que siguió a la Primera Guerra Mundial. Fue revivido e incluso floreció más intensamente en Francia durante la desorganización que siguió a la Segunda Guerra Mundial. Es una filosofía útil para tratar con situaciones que son vagas, no tienen propósito alguno, ni modelo. Fue una filosofía especialmente apropiada para el movimiento de la Resistencia durante la Segunda Guerra porque los luchadores de la Resistencia tenían que desechar sus lazos étnicos normales -familia, colegas y amistades. Además, a diferencia de la mayoría de los mártires, no podían decir aquello por lo que estaban luchando, excepto por una vaga idea tal como la "libertad". Las reglas y los modelos tradicionales de conducta no eran de ninguna utilidad, puesto que la Resistencia era una situación única y sin precedentes.

De acuerdo con Kierkegaard, nadie puede conocer su lugar, nadie puede determinar su obligación por sí mismo. Pero cada uno debe apelar a su coraje y elegir lo mejor que pueda. La elección creativa no es una elección casual, luego de la cual todo sigue como antes, ni una decisión de acuerdo con los principios que sujetan al yo a una regla o valor externo y lo reduce a identificarse con otros sujetos similares. La elección es una decisión crítica que compromete a todo el individuo y en toda su vida. La carga de responsabilidad al enfrentar sus propias limitaciones, y especialmente la limitación final de la muerte, es solamente suya. El hecho de que las personas no pueden escapar de la muerte o apoyarse en otras personas, reglas o sistemas confortables nos llena de miedo. La moralidad se vuelve algo completamente más allá de la razón. No hay valores o principios absolutos, a menos que uno considere el único valor de la virtud de autenticidad o sinceridad. Tal teoría es particularmente apropiada para un tiempo cuando la civilización se quiebra y los lazos sociales se desvanecen.

La situación en la compañía bajo estudio de alguna manera fue análoga a la situación de Francia luego de la Segunda Guerra Mundial. La tecnología rápidamente cambiante y los negocios en constante modificación hicieron que las tradicionales reglas burocráticas fueran obsoletas, y las nuevas no se hubieran formulado todavía. Por la novedad de las tecnologías las tareas no podían ser definidas, las obligaciones individuales tampoco, y el éxito laboral no podía determinarse excepto en términos de dinero. La conducción no era lo suficiente competente para el personal que era necesario para hacer el trabajo y se sintió a la defensiva al respecto.

Confrontados por muchos problemas vagos, pobremente definidos y muy técnicos, los conductores no podían decidir cuántos empleados serían necesarios, qué clase de entrenamiento debían tener o incluso lo más específico, que deberían estar haciendo. Muchas de estas decisiones fueron ubicadas en las manos de subordinados con conocimientos adecuados. Y esto determinó una nueva clase de filosofía de conducción y la creación de una nueva clase de relaciones (financieras como psicológicas) entre el empleado y el empleador. Ciertas políticas de conducción dentro de la compañía que parecerían ridículas dentro de un cuadro de referencia de burocracia tradicional, pueden explicarse como derivaciones de ciertas creencias existencialistas. La tabla 5.5 es un intento de señalar las políticas de conducción que resultaron de estas creencias.

Tabla 5.5: Políticas de conducción resultantes de ciertas creencias existencialistas.

El existencialismo tuvo lugar en Francia en la desorganización que siguió a la Segunda Guerra Mundial y el quiebre de la autoridad gubernamental y de propósito nacional.	La conducción existencialista tuvo lugar durante la explosión tecnológica que siguió a la Segunda Guerra Mundial y el quiebre en la autoridad de los conductores a medida que los subordinados conocían más del negocio que sus jefes.
Creencias existencialistas.	**Políticas de conducción resultantes**
Con el colapso de la religión y la pérdida de la fe viene un sentido de brevedad de la vida. En consecuencia, las instituciones y los logros en general son transitorios. Los valores, objetivos y creencias de la sociedad que trascienden la vida individual no tienen sentido más allá de la experiencia personal.	Si todo es transitorio con ningún futuro o propósito real, no tiene objeto documentar el logro personal. (No se registra ningún rendimiento o informe de personal) La única cosa importante es cómo me siento en el momento.
Se niegan la supremacía de la razón o la racionalidad. Hay fuertes impulsos emocionales en la naturaleza humana que no deben ser rechazados sino reconocidos y aceptados.	Si la supremacía de la razón es denegada, entonces la Organización tenderá a abandonar el pensamiento lógico de planes enfrentada a emociones tan fuertemente irracionales.
Se valoran las experiencias directas de la vida en lugar de las experiencias intermediadas que dependen de libros, periódicos, informes de computadoras, etc.	Los gerentes tienen a ignorar los informes escritos y sus conclusiones a favor de evaluaciones subjetivas son tomadas a medida que contactan las personas involucradas.
Los logros científicos y técnicos no han resuelto los problemas de la existencia del hombre, sino que han aumentado sus dificultades.	Existe una tendencia a evitar e ignorar los logros científicos y técnicos por ser irrelevantes o inútiles.

Creencias existencialistas.	Políticas de conducción resultantes
El hombre no es un producto terminado sino que se convierte en lo que hace de sí mismo y nada más.	En general, otras personas en la Organización no pueden ayudar mucho. Sea cual fuera la dificultad que aparece (especialmente el suicidio profesional) la responsabilidad es de uno mismo y hay poco que cualquier otro pueda hacer para ayudar.
La elección más importante del hombre es entre una existencia auténtica o falsa. La existencia auténtica significa asumir la responsabilidad por la propia existencia. La existencia falsa es la modalidad de vivir bajo al tiranía de la corona.	Las actividades grupales pueden ser consideradas como sujeciones del individuo a la tiranía de un grupo y por ello son evitadas a favor de operar en una base uno a uno.
Para ser auténtico uno debe trabajar con la ansiedad existencial o el reconocimiento de que esencialmente no hay propósito y sentido en la vida.	Cualquier búsqueda de propósito o significado existencial de la Organización es sentenciada a fallar. Se asume que esos esfuerzos no tienen esperanza.
El resultado para el individuo es la aceptación de la "nada" y el suicidio espiritual.	El resultado de la conducción existencial para el subordinado puede ser aceptación del suicidio profesional. (Si la suposición existencial es aceptada por la conducción, el problema no puede ser resuelto).

Estrategias Presentes en la Organización para Lograr Satisfacer las Necesidades de la Gente.

En el estudio del suicidio profesional es importante para nosotros comprender algo sobre las necesidades básicas de las personas y qué provisiones realiza la Organización para satisfacerlas. Si no hace nada, entonces las personas buscarán modos fuera de la Organización para satisfacer sus necesidades (o pueden abandonar la Organización física o psicológicamente).

Esencialmente existen tres maneras en las cuales la Organización puede tratar con el problema de las necesidades humanas:

1. Puede ignorar el problema y dejar la solución librada al individuo, dejándolo así en el ámbito de la Organización informal. (Los sistemas informales dentro de la estructura de la Organización pueden ser sumamente buenos para satisfacer las necesidades humanas básicas, pero el resultado es que los empleados con frecuencia comienzan a sentir más lealtad y dedicación hacia el sistema informal y sus objetivos que hacia el sistema formal).

2. Puede ubicar satisfacer las necesidades humanas en primer lugar dentro del contexto de toda la Organización.

3. Puede planear (y entrenar a sus gerentes) para que satisfagan las necesidades humanas dentro del proceso del trabajo en sí mismo.

De lejos el método más efectivo es satisfacer las necesidades humanas relacionadas al proceso de trabajo en sí mismo. En la Organización estudiada, las necesidades humanas eran ampliamente satisfechas dentro del contexto de la Organización en lugar del proceso del trabajo (Ver tabla 5.6). Cuando el empleado satisface sus necesidades dentro del contexto general en lugar del proceso de su trabajo, existe una tendencia obvia de los empleados a concentrar sus esfuerzos en el medio ambiente en lugar de sentirse satisfechos por el rendimiento de su trabajo.

Tabla 5.6: Cómo se satisfacen las necesidades humanas básicas.

Necesidades Humanas Básicas según Maslow	**Satisfacción dentro del proceso de trabajo en sí (sobre el trabajo)**	**Satisfacción dentro del medio ambiente laboral (en la Organización pero fuera del trabajo)**
Necesidades fisiológicas (alimento, vestimenta, vivienda)	Salario relacionado a la calidad del rendimiento del trabajo individual.	Salario establecido por la Organización y el sindicato (no dependiente de la calidad del trabajo).
Necesidades de seguridad.	Seguridad relacionada a la calidad del trabajo.	Seguridad arreglada por los trabajadores a través de los sindicatos. La seguridad para los empleados depende de acumular antigüedad, tener muchos amigos sociales, de no meterse en problemas.
Necesidades de pertenencia.	Las personas se ubican tradicionalmente en competición, las reuniones se consideran pérdida de tiempo, se considera poco beneficioso establecer objetivos comunes, pocos incentivos para trabajar juntos.	Las necesidades de pertenencia se satisfacen en un medio ambiente amplio a través de clubes sociales y actividades recreacionales organizadas por la compañía.
Necesidades de autoestima y reconocimiento.	Ocasionales aumentos por mérito, pero en razón de que generalmente no se basan en la evaluación del trabajo, se ven como injustificados. Artículos ocasionales en el periódico sobre contratos finalizados, pero raramente una evaluación del trabajo bien realizado.	Artículos en el periódico de la compañía sobre las actividades del club social y actividades fuera de la Organización.
Necesidades de autorrealización.	Alguna oportunidad de aprender nuevas habilidades en el trabajo, dependiendo del supervisor individual. Sin transferencias laterales y con muy poca rotación del trabajo.	Mucha oportunidad de aprender habilidades sociales y recreacionales nuevas mediante el programa recreacional de la Organización. Oportunidades de aprender nuevas habilidades a través del programa de educación nocturna. Plan de subsidio de la capacitación suministrado por la Organización.

Una Teoría Reduccionista de la Organización.

Existen diferentes modos de considerar a las Organizaciones. Una manera podría ser denominada la teoría reduccionista de las Organizaciones. Esta teoría sostiene que las Organizaciones y los resultados de la Organización no son nada más ni nada menos que el resultado de las acciones de miles de individuos. Implícito en esta suposición aparece que se puede hacer relativamente poco para cambiar la conducta individual (dentro o fuera de la Organización) y en consecuencia, los resultados de la Empresa dependen del calibre de la gente que la compone. La queja de los líderes que no tienen éxito es que los subordinados no son lo suficientemente buenos. Si lo fueran, podrían resolver la mayoría de los problemas de la Organización por sí mismos.

Un punto de vista alternativo podría denominarse un acercamiento a la teoría de los sistemas en la Organización. Las suposiciones aquí son que el comportamiento de la Organización no es sólo la suma de muchas acciones individuales, sino que puede ser más o menos que eso, dependiendo de cómo las personas se relacionen entre sí y de la estructura generada por aquellos a cargo del control de la conducción.

Algunas Organizaciones (especialmente aquellas con una política de competencia interna y falta de establecimiento de objetivo y planificación) alientan suprimir la conducta en la cual las acciones de un miembro consciente o inconscientemente suprime la acción de otro. Algunas Organizaciones, no obstante, generan una orientación de equipo para trabajar en conjunto, la cual libera el efecto sinérgico. Esto hace posible que la Organización o el equipo logren más que la suma de lo que cada uno podría haber alcanzado individualmente.

Las suposiciones reduccionistas son contraproducentes para la Organización porque la conducción nunca mira más allá de una evaluación de cada individuo de los problemas de los sistemas y del liderazgo. Una razón subjetiva para no generar informes de rendimiento individual puede ser porque si se hace, los problemas de los sistemas y del liderazgo se volverían obvios, y esto podría representar una amenaza para el liderazgo.

Una teoría reduccionista del comportamiento en la Organización sostiene que toda la conducta de la Organización puede ser reducida a una base individual, de uno más uno, y si algo va mal en la Empresa, es por causa de algún individuo (siempre un subordinado) que cometió algún error.

Luego de estudiar los suicidios profesionales en esta Organización, acaeció que la conducta no es sólo el resultado de las características de la personalidad individual, sino que es altamente influenciada por las expectativas de rol, los procedimientos de la compañía que estresan al individuo o muestran cuidado y preocupación por él, y la cantidad de información sobre la Organización que está a disposición del individuo.

El empleado siempre está siguiendo una estrategia sensible para sostenerse en la clase de mundo que él ***piensa*** *que vive.* Rensis Likert

En resumen, la falta de objetivos establecidos más claramente por la Organización hace muy difícil planificar. La falta de planificación más efectiva dificulta definir los trabajos necesarios. La falta de definición del trabajo dificulta definir las tareas y quién hace qué. La falta de definición de quién hace qué hace difícil revisar el rendimiento personal, y si no se revisa el rendimiento, es difícil saber quién está realizando un buen trabajo y reconocérselo. Sin premios o alguna forma de reconocimiento, la gente responsable se desalienta, con el tiempo. Las personas cuyos intereses y actividades principalmente se dirigen a satisfacer sus propias necesidades, tienen mucha libertad y autogratificación, pero aquellos dedicados a mejorar la Organización cada vez son menos recompensados por su dedicación y eventualmente abandonan la Organización o inevitablemente comienzan a moverse en dirección a alguna forma de suicidio profesional.

La Organización enfatiza mucho la generación de un ambiente de autorrealización, olvidando aparentemente que las personas son motivadas hacia la autorrealización solamente luego de que han sido satisfechas sus necesidades de reconocimiento, pertenencia, seguridad, y supervivencia. La falta de la generación de un equipo y la atmósfera altamente competitiva alentada por una filosofía de autorrealización y la falta de objetivos ordenados efectivamente, bloquean los sentimientos de seguridad psicológica y de pertenencia. La falta de establecimiento de objetivos de la Organización, la falta de retroalimentación e informes de rendimiento generan oportunidades limitadas de reconocimiento.

Según lo señalara Presthus:

Los trepadores se distinguen típicamente por su alta moral, su nivel de satisfacción por el trabajo es elevado. De hecho, el proceso y el criterio por el cual son seleccionados les asegura que tendrán un optimismo infalible. Las razones para ello son claras. Se identifican fuertemente con la Organización y derivan su fuerza de esta relación. Sus dividendos también incluyen participaciones desproporcionadas de las ganancias de la Organización, en poder, ingresos y reforzamiento del ego. Como hemos visto, la desigualdad subjetiva es una figura específica de la gran Organización y es racionalizada sobre la base de la igualdad de oportunidades.

Pero, si (1) los valores de la Organización alientan la contratación de un número de jóvenes creativos, agresivos, con deseos de progresar, ninguno de los cuales recibe una participación desproporcionada de las ganancias de la Organización, y (2) el sistema de premios no está basado en la contribución para los objetivos de la Organización (porque no han sido definidos), y (3) la Organización ya tiene una amplia capa de personas antiguas, con lo cual, como eventualmente se vuelve obvio, no hay ninguna salida, entonces las personas jóvenes y ambiciosas eventualmente reconocen esta situación, se desilusionan ante la dificultad de realizar cualquier progreso real en la Organización, y eventualmente dejan la Organización o desarrollan los síntomas del suicidio profesional.

No saber y no ser capaz de determinar dónde uno está parado genera gran cantidad de ansiedad. Aquellos que manejan la ansiedad moviéndose y haciendo algo, generalmente hacen algo equivocado, que puede resultar en su suicidio. Aquellos que absorben su ansiedad y pasivamente esperan la clarificación pueden también cometer suicidio, pero usualmente les toma más tiempo, y si pueden ubicar la responsabilidad por la acción en una sucesión de subordinados dedicados puede que el suicidio no tenga lugar nunca.

SEIS
INVESTIGACIÓN RELEVANTE

Lograr el conocimiento sobre los orígenes de una enfermedad
no es descubrir una terapia efectiva,
pero es, sin ninguna duda, una de las condiciones necesarias para ello. [11]

Existen estudios de psicología y sociología que pueden ser de ayuda para comprender adecuadamente el suicidio profesional, el empleo ineficaz del talento creativo, y alguna de sus causas. Incluyen el estudio clásico sobre el suicidio de Emile Durkheim, estudios de privación de estímulos de Hebb, estudios en los campos de concentración y los campos de prisioneros de guerra de Biderman y Mayor, los estudios de Sherif sobre conflicto y cooperación grupal, y varios estudios en animales realizados por Liddell (condicionamiento emocional), Masserman (neurosis inducida experimentalmente), y Brady (úlceras en monos ejecutivos).

De investigaciones que han sido efectuadas podemos delinear ciertas conclusiones tentativas sobre el suicidio profesional -aquello que es destructivo para las personas y también lo que necesitan para permanecer saludables y trabajar productivamente.

Durkheim tiene estadísticas impresionantes que apoyan su creencia de que el suicidio es un fenómeno sociocultural más que un fenómeno patológico de la psicología individual. Encontró que el suicidio se relaciona muy estrechamente con el grado de integración del individuo en el medio ambiente psicológico-social. Si la integración es muy floja, egoísta o anómica, le sigue el suicidio, sea porque el ego no es limitado y canalizado o porque falta el sentido de propósito en la vida. Un individuo que está integrado y comprometido en exceso puede cometer suicidio altruista como resultado de su naturaleza de sacrificio.

Podemos especular que el suicidio profesional de los empleados jóvenes y brillantes que hemos estudiado podrían haberse disminuido sustancialmente si se hubiera prestado mayor atención a su integración en los respectivos grupos mediante una definición más exacta de los objetivos grupales. En lugar de trabajar en tareas grupales, muchos fueron desviados hacia tareas latentes individualistas con las cuales la Organización no tenía ningún compromiso y a las cuales en el análisis final la Organización no apoyaría.

De los estudios de aislamiento podemos deducir que los individuos necesitan estimulación y registro sensorial. Cuando son aislados, eventualmente desarrollan reacciones patológicas. El análisis profundo de sus síntomas resulta interesante, mientras que el tratamiento más efectivo para algunos es volverlos a poner en contacto con la realidad.

De los estudios de prisiones de guerra y de los campos de concentración podemos observar que en grupos bajo gran estrés por la supervivencia, generalmente el depredador y la crueldad son

[11] Konrad Lorenz, **On Agression**, Nueva York, Harcourt Brace & World, 1963, p. XI.

usualmente los que ganan el control de los recursos a corto plazo y son, en consecuencia, los que sobreviven. A menos que los grupos hayan desarrollado un espíritu fuertemente cohesivo antes de ser ubicados bajo severo estrés o a menos que puedan encontrar un líder que los una, sólo unos pocos sobrevivirán, porque los depredadores consumirán una parte desproporcionada de los recursos. Además, muchas personas prefieren morir que continuar viviendo en situaciones que violan algunos valores culturales y sociales importantes para ellos.

De los experimentos de Sherif sobre el conflicto y la cooperación en grupo se puede observar que la confianza y la conducta cooperativa siguen al establecimiento de objetivos ordenados en categorías y viceversa.

Los experimentos de Liddell con ovejas muestran que las reacciones destructivas por estrés aumentan considerablemente si el sujeto no tiene racionalidad para comprender lo que está sucediendo. No es tanto el dolor por el estrés sino la inhabilidad de comprender la complejidad de la estructura lo que es más destructivo. También resulta que el estrés puede ser disminuido si existe alguien cercano en quien el sujeto tenga confianza. Así, podemos ver que cuando el sujeto está sometido a una falta de sensación (privación sensorial), entrada confusa, o entradas que lo hacen sentirse solo e inseguro, el sujeto padece grandes distorsiones de realidad, con el resultado del deterioro del rendimiento.

De los experimentos de Brady con úlceras en monos ejecutivos, resultó que el estrés es mayor cuando la imposibilidad de decidir correctamente afecta de manera adversa a otros.

Los Estudios de Durkheim sobre el Suicidio.

El estudio clásico sobre el suicidio fue realizado por el sociólogo francés Emile Durkheim, en su libro, *Le Suicide.* Durkheim reunió vasta información estadística sobre toda Europa que se convirtió en la base para rechazar sistemáticamente las teorías tradicionales que atribuían el suicidio a cosas tales como alienación mental, raza, herencia, clima nacional, temperatura e imitación. Mostró que las causas individuales y no sociales eran irrelevantes y entonces definió tres clases de suicidio: egoísta, altruista y anómico, y sus causas.

El suicidio egoísta resulta de la falta de integración del individuo en la sociedad. Durkheim encontró que el promedio de suicidios en una sociedad aumenta a medida que aumentan las fuerzas que empujan a los individuos a recurrir a sus propios recursos. Por ejemplo, según Durkheim, en tiempos de gran crisis la tasa de suicidio cae porque la sociedad está entonces más fuertemente integrada y los individuos están involucrados más activamente en la vida social. Cuando su egoísmo (libertad individualista) es restringido, su voluntad de vivir es fortalecida.

En una Organización con una filosofía de conducción por compromiso individual, el egoísmo del individuo tiene mucho espacio en el cual moverse. Según la teoría de Durkheim, el promedio de suicidio es esperable que aumente bajo una filosofía en la cual a los individuos se les proporcione gran libertad de hacer aquello que consideran que es lo mejor. Hemos descubierto tendencias en esta dirección, que reflejan la alta proporción de personas que no pueden vivir sin apegos a algún objeto o idea por la cual tienen fuertes sentimientos y la cual los sobrevivirá. Algunos encuentran que la vida es intolerable a menos que el grupo al cual están aliados quiera que ellos existan y les den algún propósito que justifique la contienda con los múltiples problemas de la vida. Los intereses individuales por sí solos no son un fin suficiente para la actividad. Muchas personas deben encontrar algo más grande que ellos mismos por lo cual vivir o luchar. Una Organización que considera que sus empleados están en ella sólo por su propio interés (excepto cuando son necesarios para las crisis día a día) puede encontrar que muchos de sus empleados jóvenes y brillantes que quieren sentirse dedicados a algo más importante que ellos mismos se encaminan desalentados hacia el suicidio profesional y de la Organización.

Durkheim encontró también que los niños, las personas mayores y, en menor grado, las mujeres (a quien él ve como más autosuficientes que los hombres), raramente cometen suicidio. Postuló que en razón de que los hombres son seres sociales complejos, pueden mantener su equilibrio solamente si encuentran puntos de apoyo fuera de sí mismos. Es en razón de que su equilibrio moral depende en gran medida de los demás que son más fácilmente desequilibrados y es más probable que cometan suicidio que aquellos que son autosuficientes.

El suicidio altruista es producto de individuos que sacrifican la propia vida en pos de algunos compromisos más elevados, que pueden abarcar ofrenda religiosa o lealtad. En nuestro estudio encontramos personas que, por su compromiso con una tarea, estaban realizando cosas que deberían haber sabido que solamente darían por resultado su propia destrucción. Durkheim expresa que ambos suicidios, el egoísta y el altruista pueden ser considerados sintomáticos del modo en el cual los individuos están estructurados dentro de la sociedad. En situaciones de suicidio egoísta, están estructurados inadecuadamente en la sociedad. En situaciones de suicidio altruista están excesivamente involucrados al punto de que aceptan y continúan en una situación personalmente destructiva para ellos.

El tercer tipo de suicidio planteado por Durkheim es denominado "suicidio anómico". "Anomia" es un problema crónico de la vida moderna y es resultado de la falta de regulación del individuo por la sociedad. Tradicionalmente, las necesidades y satisfacciones del individuo han sido reguladas por lo que Durkheim llama la conciencia colectiva. Cuando esta regulación de los individuos es distorsionada al punto de que sus horizontes se amplían más allá de lo que pueden soportar, o se contraen indebidamente, aumentan las condiciones para el suicidio anómico. Por ejemplo, la riqueza repentina, plantea Durkheim, estimula el suicidio porque los individuos "nuevos ricos" son incapaces de adaptarse a las nuevas oportunidades que se les ofrecen. Similarmente, en un divorcio un esposo ya no ejercita una influencia reguladora sobre la pareja, y el suicidio para las personas divorciadas es comparativamente alto. Esta situación es más severa entre los hombres divorciados que entre las mujeres porque, de acuerdo con Durkheim, es el hombre quien es más regulado por la influencia del matrimonio.

En una sociedad de expectativas en crecimiento, los deseos de las personas pueden con frecuencia superar su habilidad para satisfacerlos. Cuando las expectativas son limitadas, la felicidad de alguna manera está asegurada porque está definida, y unas pocas desgracias no nos desconciertan; no obstante, esforzarse demasiado puede ubicar a la persona en un estado de perpetua frustración. Perseguir un objetivo que por definición es inalcanzable es condenar a uno mismo a un estado de perpetua infelicidad.

Muchos de los jóvenes empleados de este estudio perseguían objetivos que eran sostenidos como posibilidades pero los cuales, bajo una reflexión más sobria, resultaban haber sido bastante irreales. La frustración de esforzarse por algo que parece no acercarse fue destructiva para ellos (y para la Organización, porque eventualmente, privaba a la Empresa de sus habilidades). Ellos ilustran los descubrimientos de Durkheim donde el esfuerzo hacia el suicidio no es tanto una función del individuo como una función de la sociedad. Es la estructura social del grupo, no las características individuales de las personas, lo que es importante para determinar el porcentaje de suicidios. Aunque los modelos de conducta individual pueden ser descriptos una vez que han sido establecidas las tres clases de suicidio, Durkheim descubrió que las estadísticas de suicidio a su disposición no se correlacionaban con el fenómeno de la personalidad individual o biológica, sino con el fenómeno social. La conciencia colectiva, la totalidad de creencias y prácticas, las costumbres y modos populares, son esencialmente los responsables de las altas o bajas tasas de suicidio.

Finalmente, Durkheim sugirió ciertos antídotos. El suicidio egoísta puede reducirse reintegrando al individuo en la vida grupal a través del restablecimiento de grupos ocupacionales y asociaciones voluntarias, y el establecimiento de objetivos comunes ordenados (esto es la generación de un equipo). Los objetivos jerarquizados, los objetivos con los cuales la Organización *en su totalidad* puede identificarse, sirven como una fuerza integradora alrededor de la cual los individuos pueden reunirse. El suicidio altruista puede reducirse siendo más realista en cuanto a las demandas que hace la gente. El suicidio anómico puede disminuirse siendo realista respecto a cuánto es razonable para el empleado esperar lograr (a través de revisiones periódicas de rendimiento y consultoría de carrera). En el capítulo 7 se tratará cómo las condiciones que pueden crear suicidio pueden ser aliviadas a través de cosas tales como la conducción por una filosofía de compromiso con el grupo, la participación en entrenamiento en grupos T, la generación de equipo, el establecimiento de objetivos y el planeamiento de la carrera.

Experimentos de Aislamiento de Personas.

Los efectos de las condiciones del medio ambiente sobre los individuos han sido demostrados gráficamente por D.O. Hebb, psicólogo en la Universidad McGill. Comenzó en 1941 con una concesión del Departamento Experimental de Defensa de Canadá, y el estudio abarcó a sujetos a quienes se les pagaban $ 20 por día para permanecer en una confortable cama en una habitación iluminada 24 horas al día por todo el tiempo que desearan continuar con la experiencia. Las sensaciones táctiles, visuales y auditivas eran limitadas severamente mediante aparatos protectores. En el período preliminar, la mayoría de los sujetos habían planificado pensar sobre su trabajo, revisar sus estudios, papeles de planificación, etc.; pero casi todos informaron que lo más sorprendente de la experiencia fue que eran incapaces de pensar claramente sobre cualquier cosa por cierto tiempo y que sus procesos de pensamiento parecían estar afectados de otras maneras. En casi todas las pruebas, los rendimientos de los sujetos empeoraron por su aislamiento, y también el contenido de sus pensamientos cambió gradualmente. Primero, tendieron a pensar sobre sus estudios, luego comenzaron a recordar eventos pasados. A medida que pasaba el tiempo, los sujetos empezaron a irritarse cada vez más. Eventualmente, luego de un largo aislamiento muchos de ellos comenzaron a alucinar. Las alucinaciones no eran sólo visuales, sino auditivas y táctiles también.

Los resultados de estos estudios indican que es esencial para la eficiencia mental de los seres humanos algún tipo de estímulo sensorial del medio ambiente. Sin esta información el cerebro cesa de funcionar adecuadamente, y se desarrollan déficit de conducta y anormalidades. No sólo empeora el pensamiento, sino que el individuo está irritable, muestra respuestas emocionales infantiles, desarrolla percepciones distorsionadas, pierde el sentido de perspectiva y padece alucinaciones. Muchos desarrollan una sensación de paranoia. Sentían que aquellos que controlaban su medio ambiente estaban en su contra y estaban intentando hacer cosas con ellos. Podríamos decir que en condiciones de aislamiento severo la percepción individual de la realidad puede empeorar tanto como para constituir un estado psicológico similar a la psicosis.

El efecto del aislamiento social y profesional en las personas ha sido menos estudiado. Sabemos que el aislamiento usualmente se percibe como una forma de castigo y es sumamente efectivo. En nuestras prisiones el aislamiento es el castigo reservado a los criminales más recalcitrantes, y muy pocos pueden soportarlo por mucho tiempo.

En un estudio de habitantes de departamentos se descubrió que cuando las personas viven geográficamente cerca una de otra sin comunicación significativa, tienen lugar serias distorsiones de la percepción. Schutz y Argyris informan descubrimientos similares en industrias cuando está ausente la comunicación significativa.

Muchos de los jóvenes en este estudio fueron aislados, no físicamente, sino psicológica y ocupacionalmente. Los numerosos eventos sociales propuestos por la compañía no tenían la frecuencia suficiente como para compensar de alguna manera sustancial la soledad y el aislamiento social de estar comprometido con objetivos que los demás no aprecian o incluso entienden. Por un período de tiempo, aquellos que encabezan el suicidio con frecuencia desarrollan serias distorsiones de su percepción de la realidad.

Grupos Expuestos a Estrés Extremo por Períodos Prolongados de Tiempo.

Por razones humanitarias y prácticas, es difícil someter a grandes grupos de personas a estrés extremo por períodos prolongados de tiempo. Consecuentemente, hay pocos estudios científicos de este tema. No obstante, se han realizado estudios sobre la base de informes en retrospectiva de prisioneros de campos de guerra y de campos de concentración en los cuales grupos de personas han vivido bajo estrés extremos por períodos prolongados. Las observaciones repetidas realizadas por prisioneros y observadores describen cómo, bajo la presión de extrema privación, "los hombres son como animales". Los científicos sociales han comenzado a emplear términos más sofisticados tales como "deculturización", "desocialización", y "despersonalización" para describir a las personas que han sido reducidas a condiciones animales, pero el significado esencial permanece siendo el mismo. Bajo condiciones de privación, la lucha para satisfacer la necesidad puede ser tan absorbente que la ética y los códigos de moral pierden su fuerza. En los campos de prisión la lucha por el pan significó la supervivencia. En las modernas Organizaciones industriales el problema no es la supervivencia física, sino la psicológica, y la moneda de intercambio no es el alimento sino el reconocimiento. En Organizaciones con alto estrés, el reconocimiento es un recurso escaso y hay mucha competición para obtenerlo. En las Organizaciones industriales existe una lucha por la aceptación y el respeto y lograrlos puede determinar la supervivencia profesional.

Una conclusión que obtuvo Biderman de sus estudios de grupos cautivos es que la supervivencia del grupo es un objetivo hacia el cual los prisioneros pueden organizarse por sí mismos cuando perciben la situación como marginal, es decir, cuando todos parecen tener una buena oportunidad de sobrevivir si existe acción concertada hacia el objetivo de la supervivencia del grupo. La Organización de las comunidades de prisión no evoluciona o se quiebra rápidamente pero, no obstante, sucede donde las condiciones son submarginales o son percibidas como submarginales por una cantidad importante de integrantes del grupo, es decir, cuando parece evidente que no es suficiente rondar por ahí, y que así no todos van a sobrevivir. Cuando la cuestión dominante es "¿quién sobrevivirá?", las Organizaciones que se apoyan en la cooperación voluntaria no pueden luchar con la desOrganización general o "las pandillas de la Organización".

Biderman continúa diciendo que las Organizaciones oficiales de reclusos preocupadas por el bienestar de grandes grupos pierden el control por su incapacidad de controlar recompensas y sanciones. Y su pérdida de control se acelera porque las pandillas capturan posiciones claves y los materiales. En grupos que padecen alto estrés, surge una cierta cantidad de pandillas que luchan unas con otras y con la Organización oficial de reclusos. Como las pandillas organizadas aunque no oficiales ganan control sobre el alimento, las armas, y el tráfico de mercaderías, aumentan su fuerza física y sus posiciones de poder, mientras que al mismo tiempo los grupos menos dominantes se debilitan.

Una predisposición a la crueldad psicopatológica no parece inevitablemente necesaria para ser miembro de la pandilla, las cuales tienen éxito en tales circunstancias, pero no es necesariamente un obstáculo su falta. Aunque han existido algunas excepciones importantes, los grupos de criminales han llegado a la cima con regularidad aterradora. Los grupos no criminales que han tenido éxito en situaciones submarginales generalmente han sido aquellos que operaron de acuerdo con una doctrina igualmente cruel, pero la han justificado en términos de valores sociales menos egoístas. Las elites para sobrevivir o perseguir algún propósito importante, deben desear apropiarse de una parte desproporcionada del alimento y los materiales. Obviamente, sólo en circunstancias excepcionales esto puede realizarse a través del consentimiento general. Aquellos que sirven al propósito de la Organización controladora o meramente ayudan a mantener su poder, pueden ser beneficiados con más de una ración de subsistencia. Este requisito incluye una decisión más o menos deliberada de forzar a los demás a aceptar el hambre, el frío, la falta de medicinas y realizar un trabajo debilitado; o, en el caso de los campos de concentración alemanes, ir completando las cuotas para las cámaras de gas. El liderazgo en situaciones submarginales requiere como base un compromiso con algún objetivo diferente de la supervivencia del grupo como un todo. Entonces, deben desarrollarse los principios por los cuales los líderes estén deseosos de sacrificar a su gente y a ellos mismos. Las Organizaciones de poblaciones prisioneras con objetivos altruistas, tales como escapar o formar una resistencia, crecen más típicamente en situaciones de relativa abundancia que en situaciones submarginales.

La explotación de poblaciones prisioneras por subgrupos depredadores es característica de situaciones submarginales. Estos grupos depredadores pueden acelerar marcadamente la tasa de muerte por la masa de prisioneros, puesto que cada pequeña pérdida de ración, ropa y refugio puede resultar fatal. También pueden crear una atmósfera que aumenta considerablemente la proporción del grupo que elige consciente o inconscientemente no actuar para engancharse en la lucha por la supervivencia -aquellos que sucumben por causa del retiro fatal y apático que con frecuencia es notado en situaciones de cautiverio submarginal.

Biderman señala que el quiebre de los controles sociales, intelectuales y culturales obstaculiza el empleo de la inteligencia, la previsión y la conciencia de los individuos para su propia supervivencia. También contribuye a aumentar las muertes disminuyendo el funcionamiento cooperativo de los grupos de prisioneros que es necesario para la supervivencia de cualquier porción de sus miembros.

Una segunda característica en grupos grandes sujetos a privación crónica y extrema es que una cierta proporción de estos grupos perece porque pierden la voluntad de vivir, en lugar de cómo resultado directo del hambre o la enfermedad crónica. La interpretación más común de tal "rendición fatal" (además de las interpretaciones morales que consideran la debilidad del carácter de aquellos que sucumben de esta manera) es que la conducta necesaria para la supervivencia demanda la violación de normas culturales, las cuales el individuo no está dispuesto a quebrar aunque su supervivencia dependa de esto. Muchas personas no sobreviven porque falla su deculturización y su desocialización, porque eligen no vivir, en lugar de vivir como animales.

No sólo algunos prisioneros no deseaban arrastrarse, engañar y robar para obtener alimento, sino que en algunas situaciones, también se negaron a apartar ciertas inhibiciones culturales y se hundieron en la hambruna en lugar de comer alimentos extraños perfectamente comestibles que estaban disponibles. Para algunas personas en tales escenarios la urgencia primitiva de sobrevivir no es tan poderosa como para superar ciertos modelos éticos y morales adquiridos.

Biderman continúa señalando que la muerte también es un evento psicológico, como lo testifican los reclusos de los hospitales mentales. La destrucción social y cultural de una persona puede tener lugar sin su muerte biológica. A partir de estudios de muchas prisiones está claro que en algunas situaciones puede ser necesario para la supervivencia física una drástica desintegración de los lazos sociales y del comportamiento culturalmente relevante. En muchas situaciones parece haber existido una correlación entre las oportunidades de supervivencia, salud y recuperación de un cautivo por un lado y, por el otro lado, la comodidad y la rapidez con la cual podía desenvolverse él mismo socialmente y compartir mucho de su equipo cultural. Los estudios de grupos bajo estrés muestran que para sobrevivir uno debe encontrar algún modo de satisfacer las necesidades psicológicas, sociales y culturales.

Una alternativa a convertirse en un depredador o cometer suicidio es la tercera posibilidad que ilustran los soldados turcos en los campos de prisioneros de guerra de China Roja. Según Mayor todos fueron capturados en los comienzos de la guerra, y todos estaban heridos o enfermos. En agudo contraste con los Americanos de los cuales por cada 10 capturados 4 morían, el cien por cien de los turcos sobrevivieron. ¿Cómo lograron esto? Primero, cuando uno se enfermaba los demás lo cuidaban, lo alimentaban, lo bañaban, lavaban sus ropas y lo mantenían templado. Segundo, tenían una fuerte lealtad grupal y una rígida disciplina dirigida a la supervivencia del grupo. Esto contrastaba con los americanos, cuya supervivencia se expresó en términos privados como "mi supervivencia, va a ser mi asunto, amigo, y la tuya es tu asunto personal. Déjame solo y te dejaré solo." Tercero, los turcos tenían una cadena de sucesión. Reconocieron la necesidad de liderazgo, cuando un líder caía, otro se levantaba para tomar su lugar y era obedecido sin cuestionamiento.

Algunos sostienen que los turcos sobrevivieron porque se los presionaba menos: Ciertamente los Chinos Rojos no tenían mucho para ganar al convertir a los turcos como si lo tenían al convertir a los americanos. Pero otros concluyen que los turcos sobrevivieron porque tenían una unidad cohesiva fuerte debido a su entrenamiento anterior. Tenían fuerte liderazgo con un medio común aceptado para llenar las bajas que tenían lugar, y tenían objetivos ordenados aceptados por todos los miembros del grupo.

Mientras que parece poco razonable comparar el estrés de un campo de prisioneros de guerra de la China Roja, con el estrés de la industria moderna, el ejemplo puede enseñarnos algo sobre cómo las situaciones de extremo estrés por períodos prolongados pueden ser soportadas con mucho éxito. Y pueden haber implicaciones para la prevención del suicidio profesional en el ejemplo generado por los soldados turcos.

Experimentos sobre Conflicto y Cooperación Grupal.

Sherif ha utilizado grupos de niños en un campo de verano para experimentar el conflicto y la cooperación intergrupal. Primero comprometió al grupo en actividades competitivas tales como baseball, football, contienda de tiro de cuerda. Como resultado de este juego competitivo, cada grupo se volvió cada vez más hostil con los otros grupos. Luego los grupos fueron puestos a trabajar en tareas comunes con significado para todos ellos, tareas que no podían lograrse fácilmente por ningún grupo solo -tal como encontrar una pérdida en una línea común de provisión de agua. Descubrió que cuando dos grupos tienen objetivos en conflicto, de modo que uno puede lograr la meta solamente a expensas del otro, los miembros de un grupo serán hostiles a los miembros del otro aunque cada grupo está compuesto de individuos normales adaptados. Mientras el efecto del conflicto intergrupal aumenta la solidaridad, la cooperación y la moral dentro de cada grupo, esto no sucedía con las relaciones del grupo en un grupo competitivo.

De estos estudios Sherif concluye que el conflicto intergrupal y su derivado de hostilidad y estereotipos negativos no son principalmente un resultado de las tendencias neuróticas de los individuos sino que tienen lugar bajo ciertas condiciones incluso cuando los sujetos involucrados son normales, saludables y socialmente adaptados. El contacto entre grupos hostiles, incluso cuando se encuentran como iguales, no necesariamente reduce por sí mismo el conflicto entre ellos.

No obstante, el contacto entre grupos que involucra una acción interdependiente hacia objetivos comunes superiores conduce a la cooperación entre los grupos. Episodios singulares de cooperación no son suficientes para reducir la hostilidad intergrupal y los estereotipos negativos una vez que se establecieron, pero una serie de situaciones que impliquen cooperación hacia los objetivos superiores de los grupos tiene un efecto acumulativo que reduce la hostilidad intergrupal.

La conducción por "Compromiso del Subordinado" tiende a aumentar la hostilidad y el conflicto interpersonal e intergrupal por la competitividad que genera y la falta relativa de objetivos que se ha establecido o sobre la que se está trabajando.

Estudios de Estrés en Animales.

Para obtener conocimiento sobre la conducta de los seres humanos, especialmente el conectado con los impulsos y conflictos innatos, con frecuencia es útil estudiar el comportamiento de animales menos complejos. Existe un cierto número de estudios realizados con animales que pueden ser de utilidad para comprender el proceso por el cual los empleados se convierten en suicidas profesionales. Los experimentos con animales no pueden obviamente dar todas las respuestas satisfactorias, pero los animales pueden ser estudiados bajo condiciones de control, y es a través de los experimentos con animales que algunos científicos encuentran dirección clarificadora del efecto del estrés emocional en organismos más complejos.

Una importante contribución a la comprensión de la conducta irracional neurótica autodestructiva es el trabajo realizado por Liddell en Cornell, sobre ovejas y cabras. En un esfuerzo para poner a prueba la inteligencia de las ovejas cuya glándula tiroides había sido extirpada, fueron cronometradas a través de un laberinto. Se asumió que la oveja atravesaría el laberinto para recibir la recompensa al final, pero resultó que algunas ovejas no parecían interesadas en la recompensa y parecían correr por el laberinto por la simple alegría de cumplir con el objetivo.

En una ocasión se disparó una pistola sobre la cabeza de una oveja normal justo cuando llegaba a un giro en el laberinto. Fue capaz de completar su tarea, pero en los viajes siguientes por el laberinto estaba muy ansiosa, se resistía, y corría en la dirección equivocada cuando llegaba al lugar donde había sido disparada el arma.

En nuestro estudio se encontraron individuos que aparentemente habían sido traumatizados en el pasado y quienes repentinamente, en cierto punto de su carrera, se resisten y comienzan a realizar pasos en una dirección inapropiada. Aunque usualmente eran capaces de continuar funcionando y completar sus tareas, lo hacían con una gran disminución de su eficiencia.

En otro experimento Liddell observó que las ovejas podían ser condicionadas a levantar una pata en respuesta a una suave descarga eléctrica, sin consecuencias negativas en tanto la descarga permaneciera relativamente simple. No obstante, cuando la oveja era sometida a las mismas descargas pero en un modelo más complejo, uno que no podían anticipar, se volvían neuróticas. Exhibían evidencias de alarma balando, por la respiración dificultada, y la repetición de movimientos de la cabeza y de las orejas. Incluso cuando fueron chequeadas mientras descansaban en el granero durante la noche el latido de su corazón fue rápido e irregular. Las ovejas neuróticas eran fácilmente despertadas incluso por ruidos muy bajos y se agitaban seriamente al entrar al laboratorio. Algunas se negaban a cuidar a sus crías. Más seriamente, parecían incapaces de tratar con el peligro de algún modo realista. Una oveja que había sido convertida en neurótica experimentalmente a través de este método, en lugar de correr cuando se aproximaban los perros, como lo hacían las demás, se agachaba en el suelo con la pierna delantera extendida, la cual los perros mordieron hasta el hueso. Una vez establecida, la neurosis experimental afectaba no sólo a la conducta del animal en el laboratorio sino también su modo de vida en el granero y los pastizales. No fue una condición temporaria sino que duraba las 24 horas del día por el resto de su vida.

Pavlov es señalado por G.V. Anrep por haber conducido un experimento similar en el cual producía neurosis experimental en un perro como resultado de su incapacidad de distinguir un círculo (como señal de alimento) de un óvalo (como señal de ningún alimento). Cuando el óvalo se aproximada al círculo de manera que el perro ya no podía distinguir entre ellos, exhibía un dramático desconcierto emocional. Ladraba y se retorcía en su arnés y no podía ser calmado. Aparentemente la conducta puede ser influida profundamente (en dirección negativa) y los sujetos pueden molestarse extremadamente cuando son sometidos a incomodidades incluso suaves que son incapaces de comprender. Una conducción que no clarifica sus objetivos y su política de trabajo hacia esos objetivos (y especialmente si no clarifica el sistema de castigo) encontrará personas molestas cada vez que sea obvio para ellos que no comprenden.

Liddell informa que se han estudiado más de 50 ovejas y cabras con neurosis experimental y nunca han encontrado una cura permanente para esta condición. Intentaron, cura de reposo, guardando a los animales fuera del laboratorio, por más de 3 años, cambio de escenario, traslado a otro laboratorio en una granja más grande, cambio de trabajo a través de reentrenamiento cuidadoso con un programa más claro, incluso inyecciones de un extracto de cortín en su corteza adrenal, nada fue efectivo. Liddell concluyó que la prevención es la mejor terapia. Su principal objetivo de investigación ahora es determinar en detalle qué modelos del programa de entrenamiento de animales son más estresantes y cuáles pueden realizarse para aumentar la resistencia al estrés. Algunas de las personas en nuestro estudio reaccionaron como si hubieran sido sometidos a un proceso de condicionamiento de "neurosis experimental", y cuando estudiamos la historia de sus experiencias, pudimos ver que todos ellos habían recibido alguna forma de condicionamiento negativo.

En otro experimento de Liddell, ovejas gemelas fueron sometidas a idéntico estrés con la excepción de que una oveja tenía a su madre con ella durante la prueba y la otra no. La oveja acompañada por su madre durante la descarga mostró no ser afectada por la experiencia, mientras que experimentar la descarga sola desarrolló síntomas neuróticos.

Uno de los efectos más perjudiciales de la conducción por "Compromiso del Subordinado" es que los individuos que con frecuencia son abandonados y aislados experimentan sus shocks por sí mismos. "Tan pronto como te deje solo, sabrás que estás haciendo todo bien" (es una expresión común manifestada por los jefes). Es habitual con las personas que se mueven en dirección al suicidio profesional ser muy ignoradas por sus jefes hasta que aparece una crisis, y quedan también aisladas de sus pares porque están muy ocupados o son considerados como amenazas, o ambas situaciones.

Paradójicamente, Liddell informa que una señal que informe que no se va a descargar ningún shock es más inquietante para la oveja que la señal positiva. Una serie ininterrumpida de estímulos condicionados negativos da por resultado neurosis experimental de las ovejas. Liddell concluye que el dolor real, cuando puede ser anticipado con certeza, conduce al alivio de la tensión emocional dolorosa.

Por razones humanitarias estos experimentos no podrían ser realizados en seres humanos, de modo que siempre existirá cierta duda respecto de cuán aplicables son realmente estos resultados. No obstante, sugieren que las descargas pueden ser toleradas si se conoce la razón de su aplicación. Mas, lo que es realmente importante, es que si la razón de su aplicación es desconocida, son muy dañinos y pueden destruir el rendimiento, no sólo a largo plazo sino por siempre. Es por ello que la comunicación abierta es tan importante para la salud de las Organizaciones.

Si los experimentos de Liddell con ovejas pueden aplicarse a las personas, el antídoto parece obvio. Dar a los empleados una estructura que haga comprensible la racionalidad de las descargas que reciben como una parte inevitable de su participación en la Organización, y preparar a los jefes para que tengan habilidad en la comunicación de manera que la información significativa sea realmente trasmitida.

Neurosis Inducida Experimentalmente.

Los experimentos con animales ayudan a ilustrar de forma anecdótica algunos problemas comunes de las personas. Jules Masserman, trabajando con gatos, describe como pueden aprender a obtener alimento balanceado abriendo la caja. Se les enseñó a esperar diferentes sonidos y señales luminosas y a manipular diferentes palancas. Si el entrenamiento era demasiado rápido para el gato por su edad o inteligencia, el gato se volvía recalcitrante, inepto y resistente. Pero si el entrenamiento era ajustado apropiadamente para el gato, su conducta sería eficiente, bien integrada y exitosa, y tendría todas las características de un gato feliz como lo demostró su voluntad de entrar al laboratorio y su ronroneo mientras trabajaba por su recompensa.

Después de haber sido entrenados a obtener el alimento mediante una luz intermitente y el sonido de un timbre, estos animales podían neurotizarse si ocasionalmente eran sometidos a una descarga suave o a un golpe de aire mientras recibían sus premios. Masserman informa que los animales tratados de esta manera exhibían aceleración de los latidos del corazón, aumento de la presión sanguínea, exudación y tiritaban. Mostraban reacciones extremas a estímulos menores, y se volvieron irrazonablemente temerosos a miradas y sonidos físicamente inofensivos así como a los espacios cerrados, las corrientes de aire, las vibraciones, los ratones enjaulados, e incluso el mismo alimento. Desarrollaron desórdenes gastrointestinales, asma recurrente, impotencia sexual y rigidez muscular similares a los de la histeria y la catatonia humanas. Emergieron compulsiones peculiares como caminata elíptica sin detenerse y gestos y maneras repetitivas. Masserman informa que un perro, luego de tal condicionamiento, no podía acercarse al alimento hasta que no lo había rodeado tres veces a la derecha y arqueado su cabeza frente a él. Estos animales neuróticos perdieron su dominancia de grupo y padecieron una regresión a la excesiva dependencia y necesidad de ayuda. De hecho, mostraron muchos de los mismos estereotipos de ansiedad, fobias y regresión por estrés que los observados en seres humanos. (Estoy recordando a muchos gerentes en este estudio quienes luego de años de duro trabajo de pronto fueron shockeados al descubrir que la Organización en la que habían trabajado por tanto tiempo tan duramente con el fin de desarrollarla de pronto fue vendida y entregada a alguien desconocido para que la condujera sin ninguna explicación razonable. Sus reacciones al shock repentino de no obtener aquello que sentían que se les había prometido no fueron muy diferentes de aquellas observadas en los animales del experimento).

En otro experimento dos gatos, cada uno de los cuales había sido enseñado a manipular una palanca para obtener alimento, fueron colocados en una jaula, pero la jaula estaba construida de tal manera que el gato que manipulaba la palanca no podía obtener el alimento hasta que su compañero había comido su parte. Bajo estas circunstancias algunos gatos realizaron un esfuerzo cooperativo por el cual cada uno alternadamente manejaba la palanca y comía el alimento. No obstante, esto usualmente no duraba demasiado. Tarde o temprano uno de los gatos se rehusaba a trabajar en la palanca y se mantenía en el lugar comiendo. El "trabajador" al descubrir que sus esfuerzos no obtenían recompensa alguna eventualmente dejaba de trabajar. Ambos gatos rondaban en la jaula por horas, no obstante, a medida que el hambre aumentaba, el gato desnutrido que trabajaba en la palanca generalmente descubría que si presionaba la palanca rápidamente podía producir suficiente alimento de modo que un poco le quedaría para él antes de que el gato "parasitario" se lo comiera todo. Se observó en estos experimentos que el animal trabajador tenía que trabajar muy duro para una vida magra mientras que el parásito vivía en el lujo. Lo que resultó interesante es que estos gatos rara vez se volvieron hostiles uno con el otro. Las únicas condiciones bajo las cuales los animales pelearon fueron cuando uno fue removido de una posición de dominación social a la cual se había acostumbrado o luego de volverse neurótico.

Pareciera que los actos repentinos, enfadados y autodestructivos de algunos gerentes de este estudio pueden haber sido el resultado de las así llamadas conductas neuróticas. Luego de un largo período de hambre psicológico, que resulta de un jefe parasitario que consume todos los premios psicológicos de sus subordinados sin compartir nada en absoluto, el subordinado se vengará repentinamente de algún modo personalmente destructivo.

Los gatos que han sido enseñados a obtener el alimento sometiéndose a suaves descargas eléctricas muestran formas extremas de sufrimiento y masoquismo. Si han sido entrenados para hacer esto, el gato se infligirá electroshocks cada vez más fuertes en un esfuerzo de obtener el premio. De igual manera, los gerentes que han aprendido que el trabajo duro les facilitará los premios de la Organización se someten a sí mismos a castigos repetidos en la esperanza de que los premios van a llegar, algunas veces completamente exhaustos por el proceso.

Úlceras en Monos Ejecutivos.

Varios investigadores han sido capaces de generar úlceras en animales experimentales sometiéndolos a estrés físico, pero Brady fue el primero en producir úlceras en animales a través del estrés psicológico. Los monos fueron colocados en una jaula donde eran sometidos a una descarga eléctrica cada 20 segundos. Podían evitar la descarga si presionaban una palanca al menos cada 20 segundos. No tardaron mucho en aprender que esto podía evitar la descarga. Luego, dos monos fueron ubicados en equipo. Ambos monos recibían la descarga pero sólo un mono (al cual llamaremos el mono "ejecutivo") tenía la palanca que podía prevenir el shock. Ambos monos estaban bajo el mismo estrés físico pero sólo uno estaba bajo el estrés psicológico de presionar la palanca apropiadamente con el fin de protegerlos de las descargas. Luego de 23 días de 6 horas continuadas con el sistema operando y 6 horas de descanso, el mono ejecutivo murió. Una autopsia reveló una gran perforación en la pared del duodeno. Una autopsia del otro mono mostró su buena salud sin ninguna anormalidad gastrointestinal. Otros experimentos empleando los mismos métodos produjeron los mismos resultados. Los monos ejecutivos desarrollaron úlceras y los otros no.

Si podemos hacer una analogía de los monos ejecutivos con los gerentes industriales, parecería que puede existir estrés especial en aquellos cuya inhabilidad de decidir correctamente hiere a los demás. Muchos de los gerentes en este estudio tenían tal poder de decisión y estaban profundamente preocupados respecto de lastimar a los demás. Una filosofía de conducción por "Compromiso del Subordinado", ubicando la responsabilidad de los problemas del individuo en él mismo, puede haber sido un intento de proteger a los jefes conscientes del dolor ejecutivo que resulta de su contribución al dolor de sus subordinados. Una alternativa, no obstante, sería desarrollar más esfuerzo grupal por el cual cada uno de los integrantes del equipo comparten juntos la responsabilidad por la imposibilidad de decidir correctamente siempre.

El siguiente capítulo tratará algunos modos específicos por los cuales los problemas del estrés y la incidencia del suicidio profesional podrían ser disminuidos.

SIETE
EL ANTÍDOTO

Incluso en el evento improbable en el que todo supervisor
pudiera adquirir una actitud sincera y comprensiva
hacia cada uno de sus hombres,
el aburrimiento y la ineficiencia permanecerían...
las fronteras de la productividad humana yacen ya
más allá de las relaciones de supervisión decentes.
Esta es la razón por la cual las investigaciones más recientes
sobre los medio ambientes motivadores se han concentrado
en la Organización en sí misma, en la distribución del poder.

La motivación no conduce al logro;
en realidad es el logro el que conduce a la motivación.
Las actitudes inapropiadas que encontramos en los empleados
son el producto del modo en que los tratamos.

No posees otra lealtad hacia tu jefe
Aparte de no traicionar los secretos.

Para evitar el suicidio profesional, para ser efectivo y para llevar una vida útil y satisfactoria, la gente necesita:

1. Un propósito y un objetivo.

2. Recursos para alcanzar el propósito:

- **a.** recursos humanos (manos y cerebros)
- **b.** recursos materiales (papeles y un espacio de trabajo)
- **c.** recursos intelectuales (tecnología y entrenamiento para el trabajo)
- **d.** recursos emocionales (alguien que se ocupe del cuidado)

3. Comunicación y retroalimentación sobre lo que se está realizando.

4. Apoyo y aliento (un sentido de valor personal)

5. Suficiente libertad para superar la sobrecarga y la ansiedad que surgen de aprender cosas nuevas.

Una encuesta de 3.000 ingenieros en 140 Empresas realizada en los Estados Unidos por William E. LeBold muestra el nivel de la satisfacción de los ingenieros con sus trabajos:

1. La forma en que sus habilidades y capacidades son empleadas.

2. El grado en que pueden expresar su opinión libremente.

3. El grado de apoyo y cooperación recibido de sus supervisores y otras personas.

4. La clase de tratamiento de acuerdo con ellos como profesionales.

5. Las oportunidades que les brindan para sostener su desarrollo.

Las presiones sobre la Organización y sobre el individuo tienden a dejar poco tiempo o atención disponible para satisfacer estas necesidades. El fracaso en satisfacer estas necesidades provoca estrés en el individuo y eventualmente da por resultado la falta de logro de la Organización. Aunque la Organización necesita del sacrificio, los empleados dedicados que lucharán contra el statu quo para lograr aquello que es necesario, verán con frecuencia que esto no es suficiente para proteger las principales necesidades de todas las personas.

El propósito de la vida es ser importante para que alguien sea productivo, marque alguna diferencia.

Recomendaciones Específicas.

A continuación figura un número de pasos que pueden ser seguidos para disminuir la incidencia del suicidio profesional y para aumentar el empleo efectivo de la gente capaz:

1. Establecer objetivos específicos de la Organización. Esto reducirá el carácter nebuloso de los objetivos de la Organización y generará una estructura contra la cual pueden establecerse las prioridades relativas de los objetivos personales.

Alguien ha dicho que la conducción es el arte de integrar los objetivos de la Organización con los objetivos personales. Obviamente, si los objetivos de la Organización se definen vagamente o se ocultan y los objetivos personales no se tratan, su integración será muy difícil. El estrés de las situaciones nebulosas puede ser aliviado y el sentido de falta de propósito y anomia contraatacado estableciendo claramente los objetivos de la Organización y los individuales. La energía excedente, la cual es empleada algunas veces destructivamente en juegos, sólo puede ser dominada si se proveen los objetivos.

Mucho ha de ser realizado en pos de la confianza y la conducta cooperativa (en lugar de la desconfianza y la competición) si se pretende que la Organización tenga éxito. No obstante, como ya hemos señalado, los trabajos de Sherif muestran que la conducta cooperativa *sigue* al establecimiento de objetivos ordenados en lugar de precederla. El establecimiento de metas no sólo reducirá la ambigüedad en el sistema, permitiendo que más energía sea dirigida hacia los objetivos organizacionales, sino que además el establecimiento de objetivos ordenados reducirá la competitividad entre la gente y liberará energía para la colaboración hacia los objetivos comunes de la Organización.

Los mediocres e inseguros resistirán la exposición a desafíos amargos de un medio ambiente de trabajo carente de sentido donde los objetivos son establecidos y los resultados son exactamente medidos. Tales personas prefieren "la jungla" donde la mediocridad puede ocultarse debajo del escritorio. Los objetivos de la Organización generarán algún apoyo para los dedicados al trabajo en sus luchas contra los guardianes del statu quo y los depredadores.

2. Desarrollar un plan para lograr estas metas. Esto requerirá alguna definición del rol a ejecutar por cada individuo y la clarificación de su posición. Para resolver un problema se debe empezar por comprenderlo, se deben analizar diferentes posibilidades, se debe intentar estimar el valor de los distintos acercamientos, se debe analizar el problema parte por parte y asegurarse que los pedazos se vuelvan a reunir para constituir un ensamble armonioso y óptimo.

3. Iniciar actividades para la generación de equipos de trabajo y desarrollar un estilo de liderazgo de conducción por compromiso grupal. Como resultado, las necesidades individuales pueden ser satisfechas dentro del proceso del trabajo en sí mismo en lugar de un contexto ampliado del medio ambiente laboral. Esto es más efectivo. La generación de equipos de trabajo alrededor de objetivos ordenados reducirá la competitividad y alentará las relaciones de apoyo cooperativo.

El medio ambiente para los gerentes de hoy en día se ha vuelto tan especializado y tan amplio que el natural deseo de reunirse que puede aparecer en los participantes ya no es un modo efectivo de funcionar. En un estilo de liderazgo de conducción por "Compromiso del Subordinado", el más agresivo tiende a dominar sin considerar su competencia, y hay una tendencia de los menos agresivos a permitirles que lo hagan. Incluso es peor, aquellos gerentes que son débiles en el momento de la toma de decisión esperan hasta que la mayoría haya tomado una decisión y entonces se adhieren a la causa popular. La conducción necesita hacer un mejor empleo de la tecnología científica conductual para construir equipos de trabajo y desarrollar medio ambientes más cooperativos si es que quiere encontrar soluciones más efectivas y más rentables.

4. Iniciar revisiones de logro o rendimiento a intervalos regulares para evaluar el trabajo bien realizado, e iniciar un sistema de premios basado en los resultados de la Organización en lugar de premiar la habilidad de dominar una reunión.

5. Iniciar programas de entrenamiento en competencia interpersonal para enseñar las habilidades de poseer, nivelar y experimentar. Esto mejorará la comunicación, generará oportunidades para encontrar soluciones a los problemas más efectivas, y proveerá retroalimentación de la calidad de los resultados para lograr mejoramientos posteriores.

El éxito pasado ya no reasegura el éxito futuro. Es importante alentar el desarrollo de la supervivencia orientada al desarrollo en lugar de la supervivencia estrictamente orientada al medio ambiente. Debido al impacto de la filosofía de los jefes al mando de la Organización, y a que nadie es perfecto, será necesario el contacto y alguna reeducación de este jefe. También es importante entrenar para la conducción en profundidad de manera que cuando aparezcan oportunidades de crecimiento esté disponible un conjunto de jefes que las capitalicen.

6. Alguien en la Organización, más lógicamente la persona de la cúpula, necesita asumir la responsabilidad de clarificar las reglas del juego, el sistema de premios y qué hay que hacer para progresar.

Las Organizaciones que han crecido rápidamente tienden a desarrollarse de modos desorganizados. Los procedimientos desarrollados según prácticas pasadas se vuelven cada vez más incomprensibles para los recién llegados, puesto que la tradición y el juego de favores pasados en constante aumento son parte importante de la toma de decisión. Si hay algo de esperanza para el juego limpio, después de un tiempo se convierte en una situación de "sálvese quien pueda", cada uno defiende su propia quintita. Alguien en la Organización debe haber asignado responsabilidades para ver que aquellos que están deseosos de trabajar duramente y hacer sacrificios por la Organización sean protegidos en lugar de destruidos por los miembros de la Organización que se sienten amenazados. Los jefes han esperado que los individuos, aparte del compromiso personal, asumirían la responsabilidad por el mejoramiento de la Organización y que la satisfacción del trabajo significativo sería suficiente premio en sí mismo. Los individuos dedicados tomarían la iniciativa por sí mismos para mejorar la Organización, pero esta es una función demasiado importante como para no ser premiada y ser librada a la oportunidad individual.

Mejorar un sistema industrial muy complejo para aumentar el rendimiento de tareas más efectivas es un trabajo altamente especializado que requiere habilidades altamente especializadas y una posición especial para tratar con la resistencia de la Organización. Las Organizaciones se han convertido en instituciones tan complicadas, y hay tanta inercia y presión organizacional dirigida al mantenimiento del statu quo, que los intentos de modificar la Organización mediante contactos informales entre los grupos de pares ya no es una solución operativa. El mejoramiento del sistema y el desarrollo de la Organización no puede ser ejecutado por ninguna unidad aislada de una o dos personas enterradas en las entrañas de la Organización con solamente comunicación filtrada con sus superiores. Los modos legítimos de comunicación directa con aquellos a cargo del control deben ser desarrollados, puesto que sin el reconocimiento formal y sin ayuda de la cúpula, se puede lograr relativamente poco.

7. Se debe generar oportunidades de descompresión y alivio del estrés y la frustración. Esto se puede lograr por medio de asistencia a conferencias, vacaciones y grupos T.

La técnica más efectiva encontrada hasta ahora para prevenir el suicidio profesional ha sido aquella asociada con el entrenamiento sensible de los grupos T (de entrenamiento). Cuando el individuo se encuentra atrapado en el síndrome del suicidio profesional, lo que necesita principalmente es un amigo. Aún así es en este momento que la mayoría de las relaciones familiares instintivamente se retiran porque no quieren ser tentados en la asociación con un fracaso o porque no se sienten cómodos como para manejar la situación.

Es esencial que la Organización iluminada genere oportunidades para la concurrencia a conferencias y a situaciones de aprendizaje. En razón de la explosión del conocimiento, se deben actualizar continuamente los bancos de conocimiento individuales. Y estas oportunidades no deben sólo estar a disposición en general, sino que se deben realizar chequeos periódicos de la Organización para observar qué empleados no están aprovechando las oportunidades de educación que se ofrecen. Es fácil para los individuos comprometidos consustanciarse tanto con sus trabajos que no actualizan su conocimiento. Por la importancia que esto tiene, no sólo para el individuo sino también para la Organización, debe mantenerse alguna forma de escrutinio de parte de la Organización. Para las personas a cargo de funciones muy estresantes, un plan que contemple dos semanas de vacaciones al año durante 10 años (y estos son generalmente los años de mayor presión) es completamente inadecuado.

8. Reducir la ansiedad en el sistema. Mientras que la ansiedad es un gran motivador, los resultados tienden a ser niveles bastante primitivos de creatividad e innovación.

La ansiedad se puede reducir estableciendo los objetivos y siendo tan claro como sea posible respecto del propósito y la función. Se reconoce que los objetivos no se pueden definir perfectamente, pero los esfuerzos de la Organización formal deben dirigirse a establecer definiciones.

9. Debe establecerse para cada empleado un inventario de las habilidades, y la Organización debe realizar un esfuerzo de planificación de la fuerza de trabajo.

10. Son necesarios estudios permanentes como un medio de promover continuamente el mejoramiento de la Organización y la corrección de sus deficiencias.

Debe establecerse un programa para monitorear rutinariamente la Organización y compilar regularmente la información de las entrevistas de personal saliente. La información de las entrevistas de personal saliente es útil no sólo en sí misma, sino por la naturaleza altamente estresante del ambiente. Muchas personas que abandonan el sistema han tenido una extrema experiencia de fracaso y han experimentado un desafío real del concepto de sí mismos y pueden necesitar ayuda profesional para llegar a un acuerdo con sus propios sentimientos.

Efectos del Suicidio Profesional en la Organización.

Siempre hay descontento, aflicción y dolor cuando alguien abandona la Organización, pero en los casos del suicidio profesional se intensifica considerablemente. El individuo que comete suicidio sentencia a los sobrevivientes a pensar una y otra vez sobre su muerte suicida. Los suicidas dejan sus esqueletos en los guardarropas psicológicos de los sobrevivientes. Ninguna otra clase de muerte crea cicatrices emocionales tan duraderas como las del suicidio. Los sobrevivientes necesitan racionalizar la situación para poder liberarse de las cicatrices. El costo de cada suicidio en términos de sus efectos sobre los sobrevivientes es extremadamente difícil de determinar, pero sin lugar a dudas existe un costo para la moral de la Organización así como también para la salud mental de los sobrevivientes.

La tarea de la compañía de mantener un medio ambiente mentalmente saludable se aclara si se reconoce que a cada estadio de la vida de la carrera de los empleados estos están expuestos a los peligros, los conflictos, las perplejidades y algunas veces demandas y frustraciones abrumadoras, por lo cual pueden y deberían ser fortalecidos para cumplir con sus tareas vitales, no resolviendo sus problemas sino reformulándolos (los cuales son producto de sus personalidades) y reorientando sus modos habituales de búsqueda de valores de nuestra tradición a través de los objetivos y sus modos autodestructivos de esforzarse en pos de sus aspiraciones.

Las personalidades saludables deben ser enfocadas como individuos que continúan creciendo, desarrollándose, madurando y aceptando los requisitos y las oportunidades de cada estadio sucesivo de la vida y descubriendo la plenitud que esto ofrece sin pagar un costo personal demasiado alto, a medida que participan en el mantenimiento del orden social y llevan a cabo los negocios de la Organización.

La conducción por compromiso grupal requiere un estilo de liderazgo diferente del que se practica en la mayoría de las Organizaciones. Aunque la aversión de las industrias a la decisión por comité es bien conocida, se ha vuelto cada vez más necesaria la aplicación de formas más eficientes de participación grupal. Ciertamente la relación tradicional autoritaria de jefe-seguidor ya no es adecuada, puesto que la mayoría del know-how necesario para manejar rentable y efectivamente una Organización ya no puede esperarse que se encuentre en una sola persona. Un rol de jefe formal da por resultado en el grupo una conducta reticente, sumisa, defensiva e incluso de retraimiento.

Anderson ha señalado que un sistema democrático o parlamentario tampoco es adecuado, puesto que se basa en la suposición de debate y oposición. Se requiere que el líder renuncie a su rol como un participante de modo que pueda actuar como un referí y adjudicador de procedimientos. Los miembros del grupo tienden a formar lobbies, se diseñan estrategias de presión y se forman coaliciones para lograr objetivos personales, con frecuencia a costo del rendimiento total del grupo.

Para que un grupo sea exitoso en el medio ambiente altamente complejo actual, deben desarrollarse nuevas estrategias del estilo de liderazgo y de la resolución de problemas. Si podemos entrenar a los gerentes en un acercamiento cooperativo para la resolución de conflictos, en el cual la inteligencia combinada de todos los miembros fuera aplicada a los problemas, podría ser evitada la duplicación de esfuerzo y de energía desperdiciada en el juego competitivo.

El éxito grupal requiere que:

1. Los miembros tengan alguna idea de cuál es el problema a resolver. (Es sorprendente el potencial de los integrantes del grupo que no tiene idea real del problema a solucionar).

2. Los miembros tengan una apreciación general uno del otro y de su contribución potencial a la resolución del problema.

3. Los miembros tengan alguna habilidad para comprender mutuamente el lenguaje y ser capaces de traducir este conocimiento en actividad donde sea relevante.

La principal tarea de los líderes en la resolución de problemas es mantener al equipo en la dirección del orden lógico de la identificación del problema, las soluciones y las decisiones de acción. En este rol, su tarea no es ni gobernar ni mediar en las discusiones, sino escuchar y observar al proceso grupal y mantener al equipo concentrado en el problema. El líder busca la clarificación, resume las diferentes sugerencias, y redefine el problema hasta que se alcanza el consenso. Un miembro del grupo debería estar disponible como informante para seguir la huella de las decisiones a corto plazo (en la reunión) y a largo plazo (¿qué fue lo que decidimos?) La información a largo plazo debería ser registrada por escrito y estar disponible para que todos los miembros la lean y la corrijan.

La obligación de los miembros en grupos comprometidos con la resolución de problemas en equipo es concentrarse en el problema grupal y en el proceso grupal en lugar de perseguir el status o la defensa individual (lo cual es muy común, o tal vez incluso inevitable, en la conducción por "Compromiso del Subordinado"). Un método de entrenamiento de subordinados en este nuevo rol es el entrenamiento en Grupo T en el cual los individuos desarrollan alguna apreciación para comprender el proceso grupal y su impacto personal en los demás miembros. Otro método es rotar a cada integrante del grupo por el rol de consultor donde los individuos tienen que alejarse del contenido de la discusión y concentrarse en el proceso que atraviesa el grupo.

Para reforzar el movimiento en dirección a aumentar el autocontrol, debe introducirse para cada individuo un sistema de revisiones de logros orientados al objetivo. En ese programa, los individuos deberían ser alentados a establecer objetivos relacionados a su desarrollo personal así como a sus contribuciones al equipo. Las revisiones periódicas deben dirigirse a dar apoyo y aliento al personal de manera que puedan aprender de sus acciones, en lugar de establecer en el sistema controles y comunicaciones limitadoras, las cuales inhiben el crecimiento, reducen el conocimiento de los resultados y aumentan el miedo y la ansiedad.

Una forma de control positivo es una revisión en la cual un supervisor o gerente trabaja junto al subordinado para establecer objetivos conjuntos realistas que posteriormente son revisados para determinar el progreso. Un supervisor que, sin acuerdo mutuo anterior respecto de los objetivos, les dice a los subordinados que sus acciones estuvieron equivocadas es un claro ejemplo de control negativo.

A medida que las personas son más profesionales y mejor valoradas, será cada vez más necesario adecuar el trabajo a la persona en lugar de la persona al trabajo. Se debe mejorar la satisfacción de las necesidades individuales dentro de las necesidades generales de la Organización, y es importante que se den oportunidades de expresar los cambios de deseos respecto de asignaturas nuevas y diferentes. Un modo de hacerlo es tener correspondencia abierta de los trabajos. De este modo, los individuos pueden expresar directamente su necesidad de un nuevo trabajo a medida que está disponible. También pueden descubrir qué capacitación o habilidades son necesarias para calificar para cierto trabajo y pueden comenzar a prepararse a sí mismos de forma realista para alcanzar una contribución más significativa en la Organización. Tal sistema requerirá un modo diferente de comunicación e interacción del tradicionalmente empleado en la mayoría de las Organizaciones.

Necesidades Socio-culturales Satisfechas por Perpetuar de los Suicidios Profesionales.

Antes de poner en marcha los antídotos para el suicidio profesional es importante definir las necesidades que se satisfacen al perpetuar los suicidios profesionales. A menos que estas necesidades satisfechas por el suicidio profesional puedan satisfacerse de modos menos destructivos, es poco probable que el antídoto sea empleado.

Hay ventajas para la Organización en perpetuar los suicidios profesionales. Las personas envueltas en el suicidio profesional son escapes legítimos para la inevitable frustración y agresión que se siente ocasionalmente al considerar el propio trabajo. Generalmente se considera ilegítimo criticar al propio jefe o gerente, de modo que la presencia de una persona involucrada en el suicidio profesional provee un chivo expiatorio social aceptable para aliviar los sentimientos de frustración y hostilidad. Las personas en una Organización que no generan informes de rendimiento necesitan una base de comparación para evaluarse a sí mismos. Unos pocos profesionales suicidas repartidos en la Organización reaseguran al resto que se encuentran en grupos muy capaces, que están realizando un buen trabajo y haciendo una contribución, porque son mucho más efectivos que

X. Si X fuera ayudado a ser más efectivo, reduciría la diferencia en la comparación en su imagen pública, de manera que con frecuencia hay resistencia de los pares para rehabilitar a una persona etiquetada anteriormente como ineficiente. Generalmente, la única alternativa para X es renunciar.

Las personas se sorprenden de cuán efectivo puede ser X en otro escenario, siempre y cuando los efectos deteriorantes del suicidio previo no se hayan fijado. Existe un límite muy real al número de personas que puedan apagar un incendio de una vez o que puedan trabajar hacia los objetivos de la Organización sin algún rol o definición. Moment y Zaleznik descubrieron que cuando un grupo de estrellas se juntan, una emerge como "estrella" y una emerge como "la rechazada", incluso cuando en otro grupo la rechazada puede haber jugado el rol de la estrella.

La presencia de unos pocos profesionales suicidas genera modelos de rol negativos. Los gerentes personalizan los roles para aquellos que aprenden mejor de ejemplos positivos. Los suicidas profesionales se convierten en ejemplos a partir de los cuales los demás aprenden cómo no comportarse, así cumplen una legítima función socio-cultural de educación. (Esto satisface la necesidad socio-cultural de la cual las víctimas algunas veces son conscientes y concentra la atención, de alguna manera, en ellos aunque es una situación muy destructiva a largo plazo).

Prevención.

Existen tres niveles de prevención del suicidio profesional:

1. Prevención primaria: estableciendo un medio ambiente en el cual el suicidio profesional no sea necesario.

2. Prevención secundaria: tratamiento efectivo para los individuos atrapados en el proceso del suicidio.

3. Prevención terciaria: reducir la impotencia de los sobrevivientes, el tiempo doloroso, la culpa residual y el pronóstico de futura enfermedad mental.

La prevención primaria requiere el establecimiento de un clima de conducción y un medio ambiente psicológico que apoye el logro de la Organización. En la Organización bajo estudio, el medio ambiente apoyaba las relaciones individualmente competitivas. La falta de confianza y el miedo al riesgo de un medio ambiente que enfatice la segunda pregunta y rechace llegar a la crisis del problema, da por resultado personas orientadas a la supervivencia. La falta de apoyo y de objetivos contribuyen, en su conjunto, al suicidio de personas capaces y valiosas.

La prevención secundaria requiere que se establezcan estaciones de ayuda de personas calificadas para interrumpir el proceso del suicidio. El departamento de personal y aquellos en posiciones de mando deben ser entrenados para reconocer el problema y los síntomas del suicidio profesional, para comprender sus caracterísitcas y su dinámica, para ayudar a aliviar el estrés, y para hacer referencias apropiadas (lo cual requiere un conocimiento de las fuentes de información).

Prácticamente todas las conductas suicidas surgen de sentimientos de aislamiento y de alguna emoción intolerable de parte de la víctima. A la larga el suicidio es un acto para detener una existencia intolerable. A los efectos de detener a los suicidas debemos comprender qué significa algo "intolerable" para el otro. Obviamente esto es diferente para cada persona. Muy pocos suicidios tienen lugar sin una señal de lo que sucederá. Si queremos salvar a estas personas, debemos mejorar nuestra capacidad de escucha de estas señales.

La prevención terciaria requiere que los conductores reciban el entrenamiento y adquieran las habilidades necesarias para confrontar temas antes de que sus subordinados se conviertan en suicidas. Las personas altamente enérgicas, nuevas en la Organización, es muy probable que ignoren las tradiciones de la Empresa a menos que sean muy cuidadosas. Pueden surgir las animosidades y los malos entendidos que se perpetúan a sí mismos a menos que sean confrontados y considerados. Algunos gerentes dejan la confrontación a los pares en la esperanza de que el nuevo empleado se actualizará a su tiempo. Pero, en los ambientes altamente competitivos los pares con frecuencia no son de mucha utilidad y evitan el rol de orientadores.

Una parte integral de la salida de la depresión suicida es la propia fe y la fe de los individuos que nos rodean en que vamos a lograrlo. De la misma manera que la desesperanza alimenta a la desesperanza, la esperanza alimenta a la esperanza. En una cultura altamente competitiva con frecuencia es difícil encontrar esperanza.

OCHO
RESUMEN

... la conducción apropiada de las vidas laborales de los seres humanos, del modo en que se ganan la vida, puede mejorarlos y mejorar el mundo y en este sentido es una técnica revolucionaria o Utópica. Abraham Maslow

Este estudio se ocupa del problema del suicidio profesional y el proceso en el cual los jóvenes brillantes y talentosos, luego de un período relativamente corto de permanencia en la Organización, se vuelven ineficientes y abandonan repentinamente la Organización o no rinden de acuerdo con las expectativas. La conducción pensó que este problema era el resultado de alguna clase de proceso patológico que tenía lugar dentro del individuo. Los descubrimientos de este estudio indican que el problema no se encuentra tanto dentro de los individuos sino entre el individuo y el medio ambiente de la Organización en el cual se espera que trabajen y sean productivos. Ya habíamos anticipado que la conducción de las Organizaciones no estaría del todo satisfecha con los resultados de un estudio que analizara el problema del suicidio profesional y ubicara como dificultad fundamental el medio ambiente y la filosofía de conducción de la Empresa.

La relación entre los problemas emocionales y los problemas ambientales ha sido reconocida desde hace mucho tiempo. Harry Stack Sullivan observó una vez que la esquizofrenia no es tanto una enfermedad sino una forma de vida. Por más de un siglo todos los esfuerzos para comprender y tratar las enfermedades mentales como simples rupturas de una mente enferma han fallado. El famoso psiquiatra suizo, Paul Eugene Bleuler en su trabajo clásico Demencia Precoz, enfocó la atención en el hecho de que "las circunstancias externas juegan un rol principal en dar forma al desarrollo del desorden psicológico de un individuo." Y Adolf Meyer, que popularizó el término "higiene mental", quedó muy impresionado por la importancia de los factores ambientales en el desarrollo de los estados esquizofrénicos y desarrolló una visión comprensiva de la enfermedad mental basada en la relación entre el individuo y el medio ambiente.

Se reconoció, teóricamente, que muchos problemas estarían relacionados con el clima emocional dentro de la Organización y que cualquier esfuerzo para corregir problemas de suicidio profesional debería considerar el aspecto del clima de la Empresa. No obstante, fue reconocido mucho menos claramente que la cúpula de la Organización es la principal responsable de establecer el clima psicológico, y cualquier estudio en profundidad de los problemas creados por este estilo personal de conducción fue considerado una amenaza.

Como consecuencia de la falta de claridad de los objetivos de la Organización, dado que el plan para alcanzar esos objetivos no había sido establecido, que las prioridades no habían sido determinadas y puesto que las posiciones no estaban claras, se estableció una lucha crítica entre los deseos individuales y los deseos de muchas personas diferentes y los recursos limitados de la Organización. En esta contienda, tendió a ganar el más persuasivo y el más cruel. Una Organización que es fatalista aceptará el surgimiento de incontables luchas como el mejor resultado posible, pero debo cuestionar si no existe un mejor modo de alcanzar los resultados de la Organización. Obviamente, estas múltiples contiendas dan por resultado el malgasto de mucha energía que podría haber sido mejor empleada que en contra de los propios compañeros de equipo. También, dan por resultado la pérdida (o suicidio) de aquellos que no gustan de esta clase de vida o quienes no son adeptos de ella.

Las posiciones poco claras que se superponen, conducen a la competitividad entre los individuos respecto de quién hace qué. La expectativa sostenida por la conducción de que estos individuos pueden resolver sus propios problemas sin ayuda de la gerencia crea aún mayores dificultades, porque los individuos que cooperan con sus pares para tomar decisiones cruciales pueden posteriormente descubrir que se han agotado para ayudar a alguien que se niega a cooperar.

Sin alguien a cargo, se puede sacar ventaja de aquellos que cooperan para el bien de la Organización, mientras que aquellos que se niegan a cooperar obtienen más de lo que necesitan. Existe poco reconocimiento para el buen trabajo bien realizado, porque nunca se define específicamente qué significa "un buen trabajo". Además, trabajar cada vez más horas extras conduce a la fatiga mental y a la resolución menos creativa de los problemas. Luego de un tiempo, comienzan a aparecer los síntomas. Los individuos no comprometidos encuentran medios para satisfacer sus necesidades psicológicas que no coinciden con el trabajo de la Organización, y las personas comprometidas comienzan a sentirse más despreciadas y aisladas.

Algunos de los problemas observados en personas que transitan los estadios tempranos del proceso del suicidio profesional son:

- Establecimiento de objetivos irreales.
- Desarrollo de ansiedad severa.
- Sobrecarga de información.
- Problemas por falta de habilidad interpersonal.
- Falla en los vínculos.
- Alienación.

La asignación de posiciones no claras y las urgencias de los jefes para que los subordinados asuman más y más responsabilidades sin la autoridad proporcional y los recursos necesarios, generalmente conduce a que los subordinados se excedan y establezcan para ellos mismos expectativas irreales. Establecer expectativas y objetivos irreales pone ansiosa a las personas, les hace trabajar horas extras, y los priva de las satisfacciones de alcanzar objetivos realistas.

Otra vez, en razón de las posiciones poco claras y de la falta de límites de la Organización para las responsabilidades individuales, los subordinados aceptan o generan una cantidad irreal de estímulos de información. Como consecuencia se desarrollan sentimientos de cansancio, con la necesidad periódica de descomprimir. Los individuos rara vez reconocen lo cansados y excedidos que están hasta que dejan la Organización por un medio ambiente más relajado, donde descubren que son capaces de hacer un poco más que sentarse y pensar.

Por la presión bajo la cual están operando, los empleados tienden a no emplear el tiempo necesario para las pequeñas cortesías que son tan necesarias para el mantenimiento de un medio ambiente cooperativo. Las fallas en los vínculos dan por resultado insuficiente tiempo dedicado a su mantenimiento.

Gradualmente, el individuo se aísla más y más, se desapega y deja de involucrarse. Con el aislamiento llega la deterioración del rendimiento y mayor separación de la Organización.

Los síntomas del suicidio profesional son los señalados en el capítulo primero:

1. Algunos repentinamente renuncian por otro trabajo debajo de sus habilidades -un esfuerzo repentino de escapar de un medio ambiente destructivo. En razón de que han sido vencidos por el sistema, se sienten descalificados para realizar trabajos similares y a la altura de sus capacidades.

2. Algunos de pronto se desorganizan, un esfuerzo para quebrar el aislamiento y recuperar la autoestima perdida mediante algún acto impulsivo. O tal vez, al encontrarse aislados, ya no son totalmente conscientes de aquello que desorganiza o es inaceptable para la Organización. Y algunos, incapaces de tomar la decisión de renunciar por sí mismos, fuerzan a la Organización a que lo haga por ellos cometiendo algún desatino serio.

3. Algunos dejan de trabajar y se "retiran" dentro del trabajo, un rechazo a luchar por una Organización que parece no preocuparse por ellos. Otros, atrapados en posiciones poco claras en un medio ambiente altamente competitivo gradualmente se deterioran bajo la competitividad de su grupo de pares.

4. Algunos quedan atrapados en un conjunto de crisis y lentamente se vuelven obsoletos. Expresan su ansiedad por comprometerse tanto en las crisis de las tareas cotidianas y no tener tiempo para su propia renovación y capacitación.

5. Algunos desarrollan quejas psicosomáticas, y, bajo el estrés y la ansiedad de enfrentar un medio ambiente pobremente definido, se erosiona la salud física.

6. Unos pocos quedaron tan atrapados en su propia ansiedad y en la de la Empresa. Tenían gran dificultad para disminuir la velocidad, y, a pesar de las advertencias de sus médicos, parecían dirigirse al suicidio físico.

Junto con otros síntomas encontramos el problema de la autoestima herida. Las expectativas del jefe son que la tarea pueda lograrse con poca autoridad delegada y pocos recursos asignados. Por el respeto que le tienen, los subordinados tienden a aceptar la evaluación del jefe. Con la falta de éxito llega la autoestima herida. Hay muchas formas por las cuales los individuos tratan de superar esta pérdida de autoestima, una forma es a través del suicidio.

El proceso del suicidio profesional y las diferentes fases por las cuales progresa han sido estudiados y ahora son ampliamente predecibles. Ellas incluyen:

1. Aceptación de posiciones vagas.

2. Un período de luna de miel.

3. Pruebas informales de los individuos y sus tareas por parte de los pares y los subordinados para ver si están respaldando a la conducción.

4. Conflicto dentro de los individuos respecto de sus posiciones y tareas y los límites de las mismas.

5. La búsqueda de apoyo o resolución por parte del jefe (el sistema formal).

6. La búsqueda de apoyo de los pares (el sistema informal).

7. Formación de síntomas.

La conducción permisiva sostenida bajo la conducción por "Compromiso del Subordinado" deja a las personas un sentimiento de falta de libertad y falta de compromiso. De hecho, la conducción permisiva probablemente es la técnica más controladora que puede emplear un supervisor, todo bajo la pretensión del no control. El gerente permisivo implícitamente invoca los controles de los supervisados y crea el asustante mundo del no límite. Pocas personas pueden existir en un mundo sin límites.

La falta de reciprocidad (característica de la conducción permisiva) provoca que muchos individuos sean cautelosos al establecer límites para sí mismos, y tienden a no enfrentar fallas unilaterales. La falta continua de retroalimentación significativa ("estás haciéndolo bien, continúa con el buen trabajo") con frecuencia hace que los individuos reestablezcan sus límites cada vez más cercanos.

En suma, la conducción permisiva puede tener un efecto bastante opuesto al que profesa tener. En lugar de fomentar la máxima libertad individual, el vacío de supervisión invoca controles y alienta a los empleados a establecer "límites seguros", lo cual a su vez, produce un clima mayormente seguro y limitador.

En cualquier Organización existen al menos tres sistemas que deben apoyarse mutuamente y ser congruentes con la Organización para funcionar efectivamente. Estos sistemas son: (1) el sistema altamente personal de valores, actitudes y creencias que sostienen las personas en sus mentes; (2) el sistema informal que los grupos informales sostienen; (3) el sistema formal de aquellas cosas que la gente hace porque la Organización lo requiere. Un problema fundamental en todas las Organizaciones es el modo en que estos sistemas trabajan con propósitos cruzados y se cancelan uno al otro en lugar de apoyarse mutuamente. Por ejemplo, las compañías pueden colocar placas en las paredes con lo que los jefes dicen que creen, pero el sistema formal y el informal pueden no apoyar e incluso sutilmente castigar a las personas que actúan de acuerdo con esas declaraciones.

Para que una Organización sea efectiva, es necesario que desarrolle un sistema de actitudes, creencias y expectativas que apoye a los miembros de la Organización para que hagan lo mejor, sin esperar tanto que terminen convirtiéndose en suicidas. Esto se logra mediante orientación, entrenamiento y nivelación.

El sistema informal, mediante recompensas grupales por los logros de la Organización, debería apoyar a los individuos para hacer lo que la Organización necesita; mientras que el sistema formal de la Organización debe establecer políticas y procedimientos que no sólo apoyen sino que también recompensen los logros de los objetivos de la Organización. La Organización formal también debe generar medios para la integración de los diferentes esfuerzos individuales hacia los objetivos comunes de la Organización.

Se han realizado varios esfuerzos destinados a aumentar la efectividad de la Organización trabajando dentro de cada sistema, pero para lograr cualquier resultado real, los esfuerzos deben realizarse para mejorar los tres sistemas como un todo. Un problema principal en la conducción por "Compromiso del Subordinado" es que los esfuerzos del personal para mejorar la Organización no son apoyados por las políticas y los procedimientos dentro del sistema formal que integra adecuadamente los esfuerzos de muchas de esas personas hacia el establecimiento claro de objetivos de la Organización.

El principal impedimento para mejorar la Organización es la tendencia de la conducción y en particular de las personas del área de personal, de percibir los problemas de la Organización como problemas de personalidad individuales. Existe una fuerte tradición reduccionista en el pensamiento occidental por la cual esos sistemas pueden ser subdivididos en partes funcionales, que cada una puede ser estudiada más o menos aislada del resto, y que el criterio para el mejoramiento de cada una se puede establecer con poca o ninguna referencia al sistema remanente. C. West Churchman, entre otros, ha enfatizado la necesidad especial de ver y comprender como un todo los sistemas y las partes de los sistemas. Alguien en la Organización tiene que tener la concepción de la Organización como un todo.

En lugar de enfatizar la construcción de un sistema que apoye los objetivos de la Organización, la Organización estudiada se apoyaba pesadamente en líderes carismáticos quienes (sobre una base de compromiso individual) trabajaban hacia los objetivos que ellos mismos pensaban que eran importantes. Se esperaba de estas personas que emplearan mínima autoridad (poder de la Organización), y los recursos de la Organización eran controlados estrechamente por los jefes.

Existe un número importante de desventajas al apoyarse principalmente en líderes carismáticos para alcanzar los objetivos de la Organización; por ejemplo, Headlee encontró que en comparación con líderes realistas, los líderes carismáticos no pueden tolerar la fuerza de sus sustitutos, y en su lugar se enlistan en "compromisos homoeróticos." También, con los objetivos grupales indefinidos y con fuerte énfasis en los objetivos individuales de numerosos líderes de niveles inferiores, se establece la competitividad dentro de la Organización. En consecuencia, una tremenda cantidad de energía, la cual podría ser mejor canalizada hacia el logro de los objetivos de la Organización, se consume en politiquería y en maniobras detrás de la escena. La sinergia es imposible.

Otra desventaja es que con el aumento de la complejidad del mundo, ninguna persona puede vencer por sí sola el sistema durante mucho tiempo. Cuando un individuo con mínima o ninguna autoridad, mínimo apoyo y pocos recursos acepta la responsabilidad de mover una gran Organización apoyándose principalmente en su magnetismo personal, el final es siempre la frustración, el estrés y el suicidio personal de buenas personas.

Uno de los problemas en una sociedad materialista, que persigue el éxito, es que nadie está nunca satisfecho. Las personas luchan cada vez más duramente, y cuanto más logran, más alto establecen sus objetivos. Parece existir una continua presión que los obliga a hacer cada vez más y a nunca estar satisfechos. Esto es particularmente cierto en el rango de la conducción. La ausencia de estructura es una importante fuente de negatividad. La extensión hasta la cual se pueda alcanzar una rutina es la extensión hasta la cual las mentes de las personas pueden ser liberadas en pos de objetivos creativos.

Es importante darse cuenta de que, para los empleados de este estudio, un trabajo significaba más que un modo de ganarse la vida. Era una prueba diaria de su importancia y su valor. Para el individuo comprometido, la vida sin logro no vale mucho. Los dedicados al trabajo preferirán perderlo todo, porque si no se tiene todo, uno tiene muy poco. La auto estima de la industria de los Estados Unidos está basada en "utilidad entregada", no como en Europa donde se basa en el nacimiento. En consecuencia, el trabajo útil se vuelve un elemento extremadamente importante para las personas. Aquellos que crecen acostumbrados al trabajo trivial y dejan de quejarse sobre el aburrimiento de sus trabajos son los menos capaces. Aceptan esa situación porque no tienen ningún otro lugar adonde ir. Tendemos a eliminar lo mejor porque su competencia dirigida hacia nuevos canales nos irrita (ejemplos de esto fueron Sócrates y la psicodinámica de la crucifixión de Cristo).

En todas partes los hombres están orando por un mayor desafío de sus poderes, mayores pruebas, que pueden darles mayor seguridad de su valor en la aventura total de la existencia. Están buscando en lugar de la línea de menor resistencia, la línea que ofrece la mayor seguridad de valor personal por unidad de esfuerzo aplicado.

Los Problemas en este Estudio.

Existieron factores que obstaculizaron este estudio. Entre ellos, mencionamos los principales:

1. Falta de informes de rendimiento de la Organización lo que dificultaba determinar con algún grado de objetividad quien era en el trabajo.

2. Falta de una definición precisa del suicidio profesional y de estadísticas de toda la Organización que pudieran indicar si la tasa estaba creciendo o decreciendo.

3. Falta de control grupal para determinar si la aparente reducción de suicidios se debía a alguno de los procedimientos indicados o a una pérdida neta en el número de ejecutivos brillantes y agresivos que eran los más inclinados al suicidio profesional.

4. Falta de apoyo de la Organización para el proyecto, siendo necesaria su continua justificación a través de la realización de numerosas actividades subsidiarias.

5. Falta de adecuada asistencia de secretarias, lo cual dificultó el registro preciso.

No pretendemos que nuestras conclusiones se basen en un análisis exhaustivo de todos los ejecutivos jóvenes de la compañía que cometieron suicidio profesional y organizacional. En lugar de esto construimos un análisis teórico alrededor de un pequeño número de casos individuales. La razón para ello fue la dificultad de distinguir las identidades de las personas.

Una característica de algunas Organizaciones es que parecen requerir los suicidios profesionales para que tenga lugar el movimiento. Poco se hace para proteger a las personas creativas que tienen lo mejor para contribuir. Son protegidos los trabajos de los atrincherados, quienes se atrincheran manteniendo y apoyando el statu quo.

En esencia, el proceso del suicidio profesional es aquel en el cual las personas con altas motivaciones de progreso son contratadas por la Organización, se les da estatutos vagos, y se les solicita que se comprometan con tareas no siempre comprendidas por el personal de la Organización.

Se les asegura que la Organización valora a los individuos, que están presentes las oportunidades de logro y crecimiento, y que sus contribuciones serán tenidas en cuenta.

Luego de la contratación, los gerentes desarrollan una instancia de alto regateo en un intento de exprimir mucho trabajo y colocar tan pocos recursos como sea posible. La competitividad entre los individuos se alienta sutilmente como un medio de desarrollar un medio ambiente de duro trabajo. Sólo luego de un cierto período de tiempo se vuelve claro y obvio para las personas trabajadoras, que la mayoría de los buenos trabajos son asignados siempre a las mismas personas, y que las razones para ello son difíciles de comprender. Los premios no se dan basándose en un criterio objetivo o por los resultados alcanzados sino basados en evaluaciones subjetivas y en relaciones personales.

Resulta de este estudio que el suicidio profesional no es en realidad suicidio, mas bien es el resultado de una lenta tortura y del eventual fracaso que atraviesan los individuos dedicados al intentar hacer algo para la Organización que no ha sido capaz de definir qué quiere y que perpetua un sistema informal que rápidamente se venga de aquellos que son vistos como una amenaza y que no se conforman con los modelos tradicionales.

La conducción de la cúpula desarrolla medios de manejar la Organización, los cuales les parecen a ellos benignos y hasta razonablemente efectivos. Desafortunadamente, lo que se intentó (y la visión desde la conducción) no era lo mismo que la gente experimentó (y la visión de los empleados). Este libro trata de aquello que la gente experimentó realmente.

Aunque han sido definidos un cierto número de pasos que podrían reducir la incidencia del suicidio profesional, es poco probable que se realice algún progreso real hasta que:

1. La cúpula se vuelva más competente interpersonalmente, más capaz de reconocer, nivelar y experimentar y más capaz de ayudar a los demás a reconocer, nivelar y experimentar. El primer paso hacia aumentar la salud de la Organización es que la cúpula aumente su competencia interpersonal.
2. La cúpula decida establecer objetivos específicos y planificar para el logro de estos objetivos y compartir más su autoridad y sus premios.
3. La cúpula se oriente más hacia el crecimiento y menos hacia la supervivencia (ver tabla 5.4).
4. La cúpula desarrolle una filosofía de conducción basada en el compromiso de equipo y en la orientación al crecimiento en lugar de legitimar un medio ambiente depredador autorrealizador para aquellos individuos que están orientados principalmente a su propia supervivencia y sus propios intereses personales.
5. Los pares sean menos temerosos del brillo del talento joven y más conscientes de la contribución que pueden hacer al logro de los objetivos de la Organización, dando por resultado un mayor sentido de logro para todos.

Una Organización con una filosofía de conducción por "Compromiso del Subordinado" y un sistema de interacción basado en la competitividad individual no puede competir exitosamente con una Organización con una filosofía de conducción por compromiso grupal y un sistema de interacción basado en la cooperación, porque hay menos oportunidad para los efectos sinérgicos. Bajo una conducción por "Compromiso del Subordinado" uno más uno con frecuencia es igual a cero o como mucho dos. Con una conducción por compromiso grupal, uno más uno es igual a tres o más.

La diferencia entre el éxito y el fracaso de una corporación yace en el modo en que la conducción trata a sus recursos humanos... Es importante que la industria muestre los mismos recursos e ingenuidad en la dinámica social que ha sido mostrada en el marketing y en la producción.

EPÍLOGO
CÓMO APLICARLO EN LATINOAMÉRICA[1]

Qué pueden hacer los Profesionales en Latinoamérica

En el primer capítulo de este libro había manifestado que si usted es un profesional que está interesado en formar parte de una Organización donde tenga entre otros beneficios, la seguridad de un salario a fin de mes combinado con la "posibilidad" de convertirse en el CEO de la Empresa, seguramente ha de sacar muy buen provecho de este libro ya que la continuidad de su carrera laboral en dicha Empresa ha de depender en gran medida de variables que fueron analizadas con detenimiento en los capítulos anteriores por el Dr. Donald Cole.

En este último capítulo usted vuelve a encontrarse conmigo para compartir experiencias, aprendizajes y vivencias respecto del "Proceso Relacional entre el Individuo y la Organización – PRIO® en el tiempo". En estos momentos, los profesionales en Latinoamérica confrontan una situación sin igual, y los que no estén preparados, seguramente han de recibir resultados inigualados y posiblemente también, alejados de sus propias expectativas. El trabajo pionero del Dr. Cole, y el mío como su seguidor especializado dentro de la cultura de Latinoamérica, se orienta a asistir a los profesionales a fortalecerse en el PRIO® si es que tienen real interés en mantener una relación continuada, creciente, sostenida y beneficiosa en el tiempo.

En realidad, las experiencias, conceptos y prácticas que comparto con ustedes en este último capítulo son resultado de la invitación que me ha hecho el Dr. Cole para extender su trabajo al área de Latinoamérica, que es donde yo principalmente me he desempeñado. Como miembro del Board de The Organization Development Institute, no podía renunciar a esta invitación, más aún teniendo en cuenta el privilegio de agregar mis comentarios como coautor con el propio Dr. Cole.

Qué sucede con los Profesionales en las Organizaciones

Ya en las primeras páginas nos hemos familiarizado con el hecho que la conjunción de dos factores (Organización – delegación) requiere, aparentemente en sus orígenes, la figura de los "profesionales".

La Administración Científica a través de su máximo exponente (Taylor, F. W. "The Principles of Scientific Management", 1911), sugiere que la "mejor forma de organizar" es aquella donde algunos piensan respecto de lo que otros deben hacer. Parece que luego de algunos experimentos exitosos, los mismos propulsores de esta escuela de administración encontraron obstáculos que limitaban la propia efectividad / eficiencia de la Empresa.

[1] Por Eric Gaynor Butterfield, Ph.D. (abd)

Es de hacer notar que la mayor parte de los académicos y practitioners no prestan reconocimiento al extraordinario trabajo realizado por Taylor en cuanto al desarrollo de un sistema tan perfecto donde se relacionen las recompensas con las diferentes productividades individuales de los participantes organizacionales. Y esto tiene una implicancia de gran valía, normalmente subestimada por las escuelas seguidoras, especialmente la de Relaciones Humanas, ya que bajo dicha aplicación práctica F. Taylor no disertaba o verbalizaba sobre diferencias humanas, sino que más bien puso en práctica diaria el principio de que

"no hay nada más injusto que tratar igual a personas diferentes."

Y aquí es donde aparece la necesidad de la figura y presencia de los profesionales en las Organizaciones, ya que entre el que supuestamente "piensa" y aquellos que deben "actuar" se requiere un eslabón adicional. Este eslabón es muy similar al eslabón que requieren las Organizaciones hoy día, cuando las estrategias y tácticas de la dirección deben "alinearse" con los métodos, procedimientos, procesos y tareas puntuales del resto del personal. Pero este alineamiento no es posible si no existen individuos que realicen el alineamiento y sean capaces de esta manera de completar el eslabón faltante.

Esta presencia del profesional en las Organizaciones tiene tal magnitud y alcance que incluso llega a alterar su tipología tradicional, inicialmente dividida entre Organizaciones públicas y privadas. Etzioni, Amitai ("Complex Organizations", 1961), nos sugiere una tipología organizacional diferente, en la que detalla el impacto y la magnitud de la importancia que tienen los profesionales en el mundo organizacional. Y Víctor Thompson ("Hierarchy, Specialization & Organizational Conflict", 1961) hace contribuciones adicionales en este mismo sentido, dentro de una misma categoría organizacional, al "dramatizar" los conflictos existentes entre el profesional vis a vis el administrador.

La salida de Profesionales de las Empresas

Si los profesionales quieren aprender por qué algunos de ellos permanecen en las Organizaciones mientras que otros se han ido o han sido expulsados, van a tener que considerar en primer término que ello no es consecuencia de una "mano invisible" al mejor estilo de Adam Smith; las relaciones y consecuencias de las mismas no son casuales sino causales.

Se da por entendido que en la relación entre el Individuo y la Organización es necesario que ingresen personas para convertirse en participantes organizacionales, y que a su vez algunas de estas personas, por distintos motivos, egresen de la Organización. La materia que ahora nos ocupa es el proceso por el cual **algunos** de estos profesionales (capaces, con iniciativa, dispuestos a tomar riesgos Empresariales, expertos en sus especialidades) dejan de permanecer en sus Empresas, mientras que otros, según algunos criterios diferentes, siendo aparentemente menos capaces, siguen permaneciendo a la Organización.

En la primera parte vimos cómo gran parte de la literatura en el área de Comportamiento Organizacional y Desarrollo Organizacional ha sido dedicada a los procesos de Selección y

Reclutamiento de Personal, mientras que se conoce muy poco en lo relacionado con el egreso de profesionales de las Organizaciones.

Donald Cole nos ha sugerido que existen distintos estilos gerenciales en una Organización y que en el tiempo los mismos se suceden en este orden :

1. Administración Científica;
2. Relaciones Humanas;
3. Por Compromiso del Subordinado (estilo prevaleciente a partir del fin de la guerra en Corea).

Este estilo gerencial por Compromiso del Subordinado es "destructivo para profesionales brillantes, con iniciativa, realmente comprometidos con la Organización", y es eventualmente destructivo también para la propia Empresa (ver explicación sobre Clima Organizacional).

Como responsable de liderar diversas intervenciones de performance improvement en Empresas correspondientes a los distintos sectores industriales, he considerado importante desarrollar un modelo conceptual de efectividad y eficiencia organizacional. Habiendo colaborado en equipos de trabajo con otros asesores de Empresas, he presenciado y participado en reuniones donde, a decir verdad, los propios consultores del equipo de trabajo, no tenían idea de hacia donde debían dirigir la Empresa como resultado de la intervención.

Para encontrar respuesta o, por lo menos plantearme las preguntas correctas, comencé a pensar en un modelo de efectividad y eficiencia organizacional que, idealmente, exhibiera las diferencias y semejanzas sistemáticas entre las Empresas.

Como resultado de dichas intervenciones de consultoría en diferentes Empresas en Latinoamérica, y la paciencia y colaboración de los propios Clientes quienes siempre han realizado contribuciones por encima de otros consultores del equipo de trabajo, he desarrollado un modelo de efectividad y eficiencia organizacional cuya validez, como la de cualquier modelo, depende en gran medida de una variable "moderadora". Y es esta variable "moderadora", que interviene entre las variables independientes y dependientes, la que eventualmente nos lleva al estilo gerencial de Compromiso del Subordinado, que puede resultar fatal para profesionales capaces, con iniciativa y sumamente comprometidos con la Empresa.

Modelo de efectividad y eficiencia organizacional

¿A qué se debe que sea tan importante para un profesional tener en cuenta un modelo de efectividad y eficiencia organizacional? Pocos counselors prestan atención a este punto cuando dan asistencia a profesionales que encuentran su sustento económico en las Empresas. En mi opinión, es un tema de suma importancia; tan importante es, que muy probablemente la Empresa adopte una forma organizacional que impacte sobre su relación con los individuos, justamente como consecuencia de su propio "modelo" de efectividad y eficiencia organizacional.

En las intervenciones de consultoría realizadas en diversos países latinoamericanos, en distintos tipos de Empresas y correspondientes a diferentes sectores "industriales" he encontrado evidencias de una forma organizacional que se encontraba **en transición**, precisamente entre los tipos 2. Relaciones Humanas y 3. Por Compromiso del Subordinado arriba mencionados.

En los casos estudiados, he encontrado evidencia de un estilo gerencial basado en lo que se conoce como el Modelo Burocrático. En realidad, tal como fuera concebido por el sociólogo alemán Max Weber ("The Theory of Social & Economic Organization", 1947), la Burocracia, a diferencia de la concepción popular prevaleciente, era el modelo más eficiente para organizar una Empresa. Y dicho modelo estaba basado en dos variables fundamentales :

a. Racional (si o no)

b. Formal – Legal (si o no).

Según puede apreciarse en el Gráfico 1, la combinación de estas dos variables nos da como resultado 4 arreglos organizacionales. La Burocracia, siempre siguiendo a Max Weber, sería aquella forma organizacional ubicada en el cuadrante I. Aquellos profesionales posicionados en este cuadrante son, al mismo tiempo, racionales y detentores de la "jerarquía".

En el cuadrante II podemos posicionar a aquellos que tienen el "conocimiento y deseos para mejorar" pero que no tienen la jerarquía.

En el cuadrante III encontramos a los que tienen la jerarquía pero que no tienen "el conocimiento y los deseos para mejorar".

Finalmente, en el cuadrante IV se localizan aquellas posiciones / personas que son exactamente el polo opuesto del cuadrante I, pues está compuesto básicamente por los que "asisten" a la Empresa pero que "no producen" (March, James & Simon, Herbert, 1958) y que eventualmente ni siquiera asisten a la Empresa pero de todas maneras cobran un salario mensualmente[2].

De todas maneras existen estas 4 categorías en toda Organización, independientemente del tipo organizacional. La diferencia es la proporción de personas que se ubican en cada uno de estos 4 cuadrantes para cada Empresa.

[2] En la Argentina son los típicos empleados ñoquis, categoría a la cual pertenecen ciertos empleados públicos; el apelativo de ñoqui está ligado al hecho de que los restaurantes en la Argentina incluyen los ñoquis en sus menús para los días 29, siendo que ese mismo día reaparecen estos personajes en sus reparticiones para cobrar su sueldo al día siguiente.

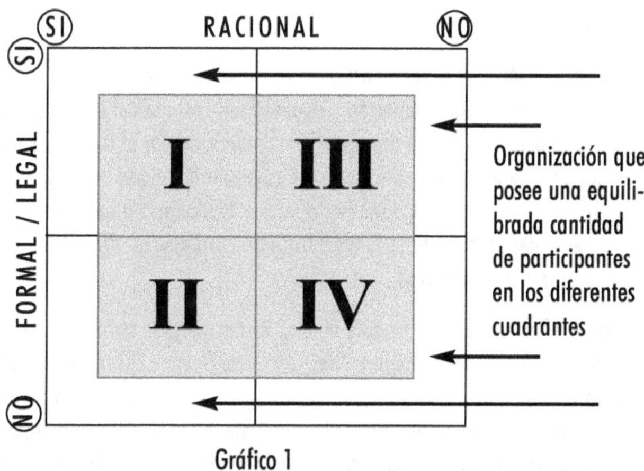

Gráfico 1

Hace una década he realizado un trabajo de campo (Gaynor, Eric : "Modelos de Efectividad y Eficiencia Organizacional", 1992) considerando la siguiente tipología organizacional:

a. Privada , filial de multinacional

b. Pública nacional, provincial y municipal

c. Privada , Empresa nacional.

Las Empresas bajo la primera categoría privilegiaban la localización de su personal en los cuadrantes I y II a diferencia de las Organizaciones públicas nacionales, provinciales o municipales en las cuales se encontraban muchos participantes organizacionales posicionados en los cuadrantes III y IV. Para los economistas y sociólogos que manejan las variables macro y asesoran a los gobernantes de turno, este esquema aparece como funcional, ya que tenemos a todas las personas "ocupadas" (recordar a March & Simon, 1958 : "Organizaciones"; el concepto y práctica : "decisión de participar"). Sin embargo, las consecuencias negativas de estas prácticas Empresariales en las economías de los países latinoamericanos están a la vista. Los resultados negativos existentes hasta el año 1990 se transformaron en letales a partir del proceso conocido con el nombre de "globalización".

A su vez, las Empresas bajo la tercera categoría, o sea las privadas de capital nacional, contaban con una localización de participantes organizacionales "más distribuida" entre todos los cuadrantes.

Como lo manifestara el dueño de una Empresa privada nacional "... *Ya sé que mi yerno está localizado en el cuadrante III (tiene la jerarquía pero no tiene el conocimiento para mejorar las cosas en la Empresa) ... pero yo lo tengo en esa posición en mi Empresa porque de todas maneras tendría que mantener a mi hija y a mis nietos ... él no consigue trabajo en ninguna otra parte"...*

La distorsión en cuanto al excesivo número de participantes organizacionales ubicados en el cuadrante IV en las Organizaciones públicas tiene su origen en los gobiernos populistas altamente demagógicos de Latinoamérica. En la cúspide de la pirámide ubican a los demás miembros de su propia "banda" y en los niveles inferiores otorgan subsidios a aquellos incapaces de ser autónomos y de auto-sostenerse.

Por supuesto, los tecnócratas latinoamericanos en su calidad de jerarcas y también asesores gubernamentales jugaron un papel importante apelando al "estado del arte" de las ciencias económicas para consolidar la ineficiencia organizacional producida por el fuerte posicionamiento de participantes organizacionales en el cuadrante IV. Y como no hay nada mejor que tomar algo de un "gurú" que hizo su fortuna con negocios financieros y trasladarlo a Latinoamérica, qué mejor que adoptar y luego poner en práctica la famosa frase de Lord Keynes: "Qué hay mejor que hacer pozos en las calles para luego llenarlos".

La combinación del extraordinario trabajo de Max Weber sobre la burocracia - pero aplicado al revés y la interpretación de Keynes *(podemos "destruir"... al final de cuentas es mejor que no hacer nada, y a la larga esto generará "trabajo")*, sentó las bases teóricas y conceptuales para justificar la creación y el desarrollo sin igual de una tipología organizacional NUEVA en Latinoamérica que resultó primero incipiente, luego prevaleciente y finalmente juega un rol devastador. Y lo más interesante para tener en cuenta es que el número de profesionales en este tipo de Organización burocrática ha ido también creciendo de un papel incipiente a prevaleciente , resultando en estos últimos años devastador.

Entonces, ¿qué es lo que ha pasado de distinto en Latinoamérica – en cuanto a estilos gerenciales – para llegar a la situación actual? ¿Cuál es el impacto sobre los profesionales a diferencia de lo que ocurre en los EE.UU., Canadá o Europa?

Como ya lo expresamos, el excelente trabajo del Dr. Donald Cole muestra evidencia sobre la existencia de una transición de estilos gerenciales en el tiempo, comenzando por la Administración Científica, siguiendo por Relaciones Humanas y convergiendo en el estilo "Por compromiso del Subordinado", mostrando finalmente las consecuencias disfuncionales tanto para el individuo como para la Organización en esta última fase.

Nuestros trabajos en Latinoamérica sugieren que DESPUÉS del estilo gerencial de Relaciones Humanas, han emergido OTROS estilos gerenciales ANTES de llegar al de "Por Compromiso del subordinado". Y sobre esa base, es posible que el estilo gerencial "Por Compromiso del Subordinado" muestre su presencia en algunas Organizaciones y bajo algunas características y manifestaciones parcialmente distintas. Lo que a su vez muestra consecuencias distintas para los profesionales.

Tal es así que el modelo burocrático muestra una presencia en Latinoamérica sin igual al compararlo con las Organizaciones en los EE.UU., Canadá o Europa. Especialmente en los EE.UU. aprendieron muy rápidamente las consecuencias negativas y disfuncionales de la Organización burocrática manejada estrictamente por normas y regulaciones. Los trabajos de Selznick (1948) y Gouldner (1954) dieron su golpe de gracia a la Organización burocrática. Por otro lado, al modelo vigente por aquel entonces, el de Relaciones Humanas, también le fue asestado su golpe final.

En "Organizaciones" (March & Simon, 1958) mediante una extensa y frondosa revisión de trabajos de campo y de investigación se ha documentado la falacia de que *"un trabajador satisfecho era un trabajador productivo"* y además sentaron las bases para una teoría organizacional cognitiva basada en la "Teoría de las Decisiones" donde los participantes podían decidir entre dos opciones al vincularse con la Empresa:

a. Asistir a la Empresa (o participar)

b. Producir.

Ha sido sumamente desafortunado para las Empresas latinoamericanas optar por una combinación "fatal":

I. Adoptar y aplicar equivocadamente la Organización Burocrática de Max Weber

II. Ignorar los trabajos de Philip Selznick y Gouldner con sus críticas a la Organización burocrática.

III. Ignorar los hallazgos de March & Simon (1958) en cuanto a las relaciones entre niveles de satisfacción del personal y su productividad

IV. Ignorar las consecuencias disfuncionales que iluminan March & Simon al hacer referencia a la opción nefasta que puede hacer uso un participante organizacional

V. Ignorar los trabajos de Amitai Etzioni (1961) y de Víctor Thompson (1961) en cuanto al impacto y al relacionamiento de los profesionales en las Empresas.

A veces me pregunto dónde han estado durante tantos años los académicos, profesores, investigadores y consultores de Empresas en Latinoamérica y cómo es posible que con todas sus trayectorias hayan ignorado hechos en materia de comportamiento organizacional que han tenido tanto impacto en los resultados, comportamientos y actitudes de profesionales y Empresas.

Ignorar o aplicar equivocadamente los trabajos de Max Weber, Philip Selznick, Gouldner, March & Simon (1958), Amitai Etzioni (1961) y Víctor Thompson (1961) provoca un alto precio; si a esto le sumamos la nefasta aplicación resultante de la interpretación de Lord Keynes (en Latinoamérica NO hace falta destruir para volver a hacer; en realidad está todo POR HACER), nos encontramos con una forma organizacional particular donde el profesional ha estado acostumbrado a "recibirse y tener un título con la seguridad de tener un ingreso de por vida".

No es casual que en varios países de Latinoamérica algunos padres acostumbraban dejar una propiedad en vida a sus hijos ANTES de que aparecieran las profesiones; la propiedad se deprecia contablemente en 30 años y por lo tanto se espera que el profesional tenga también una vida útil de 30 años... Por ello, parece razonable que en lugar de dejarle a sus hijos una casa, les "dejara" una profesión.

Este "engorde" de los profesionales en Latinoamérica durante los últimos 50 años los encuentra indefensos ante la "globalización" y la competitividad Empresaria que aparece con fuerza en este subcontinente en los años '90. Los profesionales que trabajan en Empresas privadas, filiales de multinacionales, encuentran que muchas de ellas siguen el estilo de Relaciones Humanas y operan bajo el sistema de "costo + un plus". Por lo tanto, con la globalización tanto los profesionales como las Empresas se ven obligados a producir una fuerte transformación o de lo contrario retirarse del país (su propio equipo de profesionales y directivos no sabe cómo sobrevivir bajo situaciones de alta competitividad).

Y se pone de manifiesto que la gordura ha sido resultado de la falta de entrenamiento cotidiano en la continua misión de renovarse, cuestionarse, servir a otros, y dejar actuar en libertad tanto a los Clientes internos como externos.

Y más dramático aun, es que estos profesionales pertenecientes a Empresas líderes en el mundo según los analistas económicos y financieros, NO encuentran una forma efectiva de fortalecer el relacionamiento con sus Empresas y comienzan a presentar síntomas de suicidio profesional ... o de asesinato organizacional. Más grave aún, después de alejarse de la Empresa no vislumbran opciones laborales y deambulan sin rumbo, a pesar - o quizás gracias a ello - de sus profesiones y estudios de post-grado en las universidades extranjeras de mayor prestigio.

Los profesionales se dan cuenta de que el modelo organizacional (con el cual esperan ganarse la vida) que tienen en su mente no se corresponde con la realidad organizacional en que viven.

Al trabajar en las Empresas, los profesionales tienen por lo general un "modelo" en su mente que, por lo general, no coincide con la realidad.

Su ingreso a las Organizaciones se produce, por lo general, a través de Empresas especializadas en selección de personal que enfatizan, entre otros aspectos la creatividad e innovación, la autonomía, el liderazgo, la capacidad de manejarse bajo incertidumbre y el trabajo en equipo.

Con el correr del tiempo, y asumiendo que la Empresa haya sido eficiente en identificar las "cualidades" mencionadas, se producen ciertas transformaciones. La capacidad de manejarse bajo incertidumbre se ve reducida ya que el manual de políticas, normas y procedimientos establece demasiadas regulaciones respecto de lo que no se debe hacer.

El trabajo en equipo confronta con la existencia de depredadores en la Empresa (ver los capítulos anteriores del Dr. Donald Cole). Y por otro lado, la creatividad e innovación, el liderazgo y la autonomía de los profesionales va desapareciendo año tras año, ya que su supervivencia en la Organización depende en gran medida a su grado de tolerancia y su subordinación al superior y a las normas y procedimientos.

En pocas palabras, y por decir lo menos, la Empresa busca "reducir la variabilidad del comportamiento" del profesional ...

¡El sistema es tan eficiente que efectivamente lo consigue!

Y cuando después de un par de años la Empresa lo consigue, siempre aparece algún directivo dispuesto a llamarlo al ya no tan joven profesional, para hacerle saber que justamente LE FALTA AUTONOMÍA, CREATIVIDAD E INNOVACIÓN. Y lo peor de todo, es ¡que la Empresa está en lo cierto!

A los jóvenes profesionales que tratan de insertarse en una Organización, se les presenta una situación adicional que altera aún más la distorsión entre el "modelo" que tienen en su mente antes de ingresar a la Empresa y la realidad. Los profesores universitarios se han convertido, cada vez más, en los mejores especialistas... en actividades y áreas que NO tienen en cuenta el negocio de la Empresa.

A esto se agrega una carencia cada vez mayor de "actividades Empresariales" por parte del cuerpo docente, a lo que le sumamos el hecho de que reciben una compensación por hora o por actividad, lo cual contrasta con los hallazgos de March & Simon mencionados anteriormente.

Pareciera que la famosa frase del extraordinario pensador George Bernard Shaw tuviera hoy más vigencia que nunca cuando afirmara que *"... interrumpí mi educación cuando comencé mis estudios formales"*. Dado que todo está en expansión, si Shaw viviera tal vez agregaría *"... y la reinicié cuando llegué al final de mis estudios formales"*.

Algunos factores que han precipitado la expulsión – o auto expulsión - de profesionales de las Organizaciones.

El concepto de Racionalidad de March and Simon y de Max Weber "acompaña" el ingreso de profesionales en las Organizaciones, juntamente con el desarrollo de una clase media creciente a partir de mediados de los años 1950.

Sobre la base de los supuestos sobre el hombre: Taylor (los miembros del cuerpo), Relaciones Humanas (el corazón) , y luego Max Weber (racional – legal) con March & Simon (desarrollo cognitivo) pareciera que no existe nada mejor que agregar profesionales en las Empresas, si es que se desea hacerlas racionales.

Pero se ha demostrado que la cúpula Empresarial tiene otros planes. Ellos parten de la concepción Organización-eficiente de March and Simon pero luego, teniendo en cuenta los hallazgos de Selznick y Gouldner, descubren que existen consecuencias disfuncionales para la Empresa como resultado de normativas (unanticipated consequences):

1. Que las Empresas no maximizan; solamente satisfacen;

2. Que hay "límites" en la cadena de medios y fines;

3. Las ventajas de los programas a través de la tecnología informática.

El impacto del punto 3 ha sido devastador para los profesionales al incorporar las Empresas tecnología informática para la toma de decisiones sustentado en un sistema binario. De aquí en más los colores comenzaron a desaparecer, y el "arco iris" de opciones y complejidad en la toma de decisiones es reemplazado por el sistema binario "de blanco y negro". No es casualidad que el televisor saliera en sus primeras versiones y en esa misma época en blanco y negro ...

A los estudiosos de las ciencias del comportamiento les ha de parecer fascinante que el mundo Empresarial se maneje cada vez más con un criterio que da como opciones básicas el 0 y el 1. Ya no existe el 0,1 , 0,2 ... 0,7 etc. Y, por lo tanto, acompañando a este nuevo esquema, el mundo de los profesionales dentro de las Organizaciones – si es que éstos esperan agregar criterio y racionalidad en la toma de decisiones - comienza a limitarse en lugar de expandirse.

El muy interesante experimento de Shepard (ver Hélice Boulding, "Conflict Management in Organizations", 1961) muestra que los grupos con personas creativas aportan soluciones más enriquecedoras, pero, cuando el grupo se encuentra ante la disyuntiva de tener que "excluir" a uno de sus miembros, elige a los más creativos ! El profesor Philip Marcus (1973), a cargo de mi "comprehensive examination" en Sociología de las Organizaciones, les recordaba a sus alumnos, futuros profesionales, que los obreros y operarios son tan creativos que se necesitan rutinas estrictas, mientras que los profesionales desarrollan ELLOS MISMOS sus propias rutinas de trabajo", lo cual pone en duda su supuesta creatividad!

¿Cuál es el tipo organizacional que los profesionales tienen como preferencia para insertarse y trabajar? ¿Qué forma organizacional es la más típica que adopta ese tipo organizacional?

Los profesionales que han elegido trabajar en Organizaciones tienen distintas opciones a la luz del espectro organizacional presente en el contexto en el cual viven y se desenvuelven. Encuestas e investigaciones realizadas en Latinoamérica han demostrado en forma sistemática que los profesionales prefieren insertarse en Empresas que son "filiales de multinacionales" donde existe la percepción, que se conjuga a veces con la realidad, de que se le otorgarán una serie de beneficios respecto de otros tipos organizacionales, como ser la Empresa privada "nacional" o entidades públicas: nacionales, provinciales o municipales.

Dichas encuestas sugieren que los profesionales las prefieren por:

- Contar con sueldos más altos que en otros tipos organizacionales;
- Tener la posibilidad de desarrollar su carrera laboral más allá de los ámbitos nacionales;
- Recibir entrenamiento y capacitación "internacional";
- Poder llegar a la cúspide organizacional en su país e incluso trascender esta misma posición;
- Acceder a los puntos anteriores, supuestamente en base al "mérito";
- Justificar su éxito en base a ser los más "fuertes" (supervivencia del más fuerte).

Esta percepción de los profesionales antes de ingresar a la Empresa se encuentra "validada" por conocer su existencia real por informaciones difundidos en los medios. Lo que los medios por lo general no difunden, o difunden a medias, es la cantidad de personas que "quedan en el camino" en esta carrera laboral que emprenden los profesionales en este tipo de Empresas, y más aún, desconocen el proceso por cual alguno de ellos en particular ha quedado en el camino.

En este tipo organizacional, que podríamos definir como de alta "competitividad" la forma organizacional adoptada en el quehacer diario privilegia una conformación particular.

El modelo organizacional, ¿puede ser compatible con los estilos gerenciales del Dr. Donald Cole?

En la primera parte del libro, nos hemos referido al desarrollo de un "modelo organizacional" que sirviera para interpretar cómo las Organizaciones toman formas o arreglos organizacionales particulares por los cuales se diferencian. Habíamos visto que dicho modelo estaba basado en dos variables fundamentales :

1. Racional (si o no); y
2. Formal – Legal (si o no).

Como resultado de la combinación de estas dos variables, se da n 4 opciones posibles en cuanto a forma o arreglo organizacional. Contar con un buen número de participantes organizacionales en el cuadrante I (Racional: Si; Formal / Legal: Si) nos acerca a una Organización eficiente (ver gráfico 1). De todas maneras, el hecho de hacer las cosas efectiva y eficientemente nos asegura un corto plazo eficaz, pero nos hace vulnerables en el largo plazo.

¿Qué queremos decir con esto? Pues que todo lo que estamos haciendo hoy, posiblemente lo tengamos que hacer distinto y mejor mañana. Una característica natural de todo sistema, para cualquier unidad de análisis, sea esta individual, grupal u organizacional, es su natural deterioro. Por lo tanto, algo debemos hacer para mantener las cosas en el estado anterior, y mucho más es lo que tendremos que esforzarnos para obtener mejoras reales por encima del nivel de ayer. Y aquí es donde es necesaria e imprescindible la presencia de participantes organizacionales en el Cuadrante II (Racional: Si; Formal / Legal: No). Estos profesionales tienen el conocimiento y la curiosidad para "cuestionar" lo actual en aras de mejorar los procesos vigentes, para lo cual hace falta modificarlos.

Pero sucede que estas profesionales dentro de la Empresa tienen voz pero parece que no tienen el voto, es decir, sus ideas y sugerencias no llegan a implementarse, y por lo tanto, se puede producir un estancamiento en cuanto a efectividad organizacional.

Las Empresas privadas filiales de multinacionales toman este perfil, y lo que es más importante, desarrollan mecanismos formales e informales para que este arreglo organizacional sea prevaleciente. Bajo esta forma, la mayor parte de los profesionales se encuentran localizados en los cuadrantes I y II y un número significativamente menor se encuentra en los Cuadrantes III y IV (Ver gráfico 2)

Recordemos lo que habíamos visto en el comienzo del libro, donde se mencionaba que en el cuadrante II encontramos profesionales que tienen el "conocimiento y las ideas y deseos para mejorar / cambiar el estado de las cosas" pero que no tienen la jerarquía. La conjunción de las competencias de los profesionales en el cuadrante II junto con la jerarquía (al tope) organizacional, pertenece a aquellos profesionales posicionados en el cuadrante I.

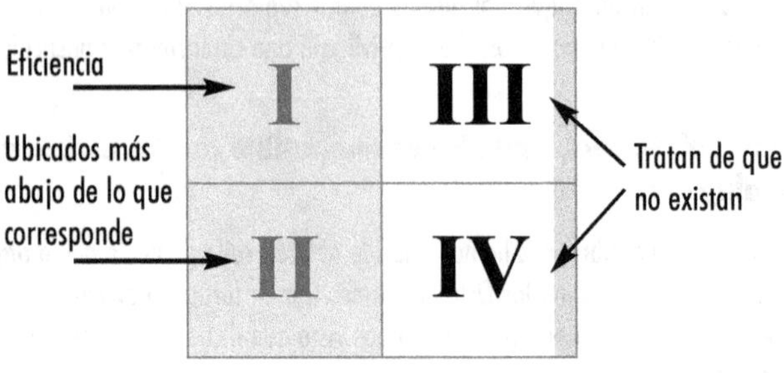

Gráfico 2

De todas maneras, y como lo más natural es el deterioro, para lo cual a veces sólo hace falta el transcurso del tiempo (Chesterton), las Organizaciones tienen una tendencia natural a que se incremente el número de participantes en los cuadrantes III y IV, lo que influye negativamente sobre la eficiencia organizacional.

Es aquí donde nuestro Modelo de Eficiencia Organizacional se hace totalmente compatible con los estilos gerenciales prevalecientes a que hace mención el Dr. Donald Cole. Como hemos visto, el Dr. Cole sugiere que luego de los estilos gerenciales de Administración Científica y de Relaciones Humanas, el estilo prevaleciente que les ha seguido en el tiempo es el de "Compromiso del Subordinado".

Ya veremos más adelante qué es lo que sucede con nuestro Modelo de Eficiencia Organizacional en **otras** formas organizacionales, como ser entidades gubernamentales o Empresas privadas nacionales. Si asumimos que el modelo es válido, deben surgirles algunas consecuencias "distintas" a esos participantes organizacionales.

Al mencionar que el Modelo de Eficiencia Organizacional es compatible con los hallazgos del Dr. Cole estamos sugiriendo que algunas Organizaciones en particular, para ser más exactos las Empresas privadas filiales de multinacionales, en su necesidad de mantener "alta competitividad" y "altos rendimientos", DEBEN obligatoriamente desarrollar mecanismos formales para eliminar la posibilidad de contar con profesionales en los cuadrantes III y IV. Y esto tiene un costo, ya que significa la exclusión en el tiempo de cierto número de participantes organizacionales.

Personalmente, he encontrado (Gaynor, Eric; 1968, 1976) evidencia que demuestra que, a diferencia de las Empresas privadas multinacionales, en entidades públicas nacionales, provinciales o municipales de Latinoamérica, el mayor número de participantes organizacionales estaba localizado en los cuadrantes III y IV (ver Gráfico 3). Siguiendo nuestro modelo de Eficiencia organizacional, aquellas Empresas con mayor número de participantes organizacionales en los cuadrantes III y IV han de ser las Organizaciones menos eficientes.

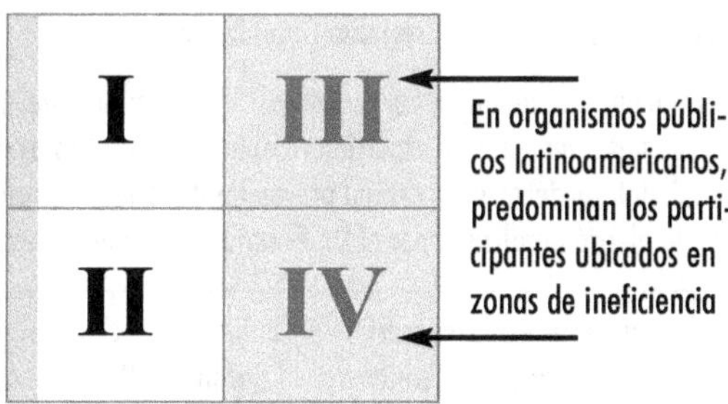

Gráfico 3

En estos mismos estudios, la tercera tipología organizacional (Empresa privada nacional) se diferenciaba de los dos arreglos organizacionales ya descriptos pues contaban con una distribución de profesionales en TODOS los cuadrantes, es decir, No se privilegiaban grandemente unos sobre otros (ver Gráfico 4).

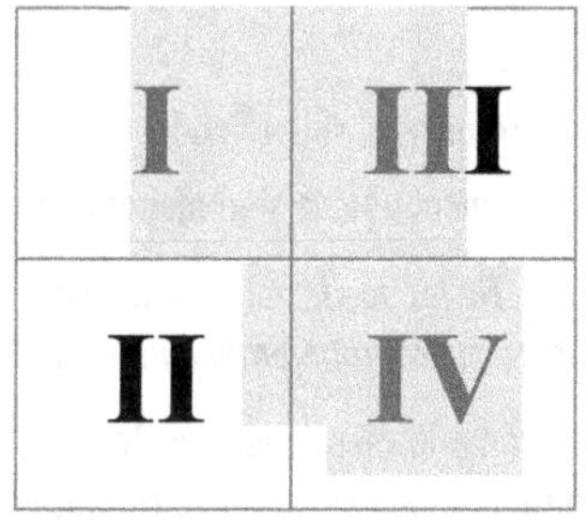

Gráfico 4

Volviendo a la Empresa privada filial de multinacional (Gráfico 2), al contar con una fuerte presión de excluir a profesionales de los cuadrantes III y IV, tienen la necesidad imperiosa de desarrollar mecanismos formales y a veces otros que les resultan fuera de control, para librarse de los profesionales ubicados en los cuadrantes III y IV. El Dr. Cole describe en detalle el proceso suicida que se acelera en el profesional cuando encuentra un conflicto dentro de sí mismo. Esto se acentúa al no encontrar una respuesta ni apoyo por parte de su superior ni de sus pares, dando como resultado la formación del síntoma suicida.

El profesional (cuadrante III), que tiene la jerarquía pero que No privilegia los cambios y las mejoras propuestos por aquellos que tienen las ideas y deseos de mejorar y cambiar (cuadrante II), se ve forzado a lo que algunos han llamado Up or Out. Para nosotros, y también para el Dr. Donald Cole, es un fenómeno mucho más complejo.

Estos profesionales no tienen posibilidad de regresar al cuadrante II ya que ésto implicaría la necesidad de generar ideas e implementar mejoras. Si en el corto tiempo no pueden "pasar" al cuadrante I, es posible que empiece una carrera terminal que termina resolviéndose bajo el dilema de Suicidio Profesional... o Asesinato Organizacional.

Su permanencia es limitada, aunque quizá "temporariamente" podría ubicarse en el cuadrante IV, pero de todas maneras su expulsión (o auto-expulsión) es irreversible. Y no puedo imaginar una mejor definición del estilo gerencial prevaleciente en las Empresas de este tipo y con esta orientación que la elección realizada por el Dr. Donald Cole: "Por Compromiso del Subordinado".

> Bajo este estilo gerencial se "habla" y se exige el "Compromiso del Subordinado"... mientras que la Gerencia / Dirección no se compromete.

A los profesionales se les va asignando permanentemente tareas cada vez más difíciles... hasta que llega el momento en que en una asignación particular, para la cual se requiere ayuda de otros, fracasa. Es posible que en ese momento su superior le dedique tiempo y le pregunte: *"¿Cómo es que ME has fallado?"* mirándolo sorprendido y esperando que el subordinado reconozca su error, haciendo caso omiso al hecho de que el superior le ha asignado al profesional una "misión imposible" ya que:

- Los objetivos no estaban claros
- Le asignaba cada vez menos recursos al subordinado
- Cada vez debía hacer todo con menos gente y en menos tiempo

Como mencionara un superior: *"No les puedo decir cuáles son los objetivos de la Empresa, pues si lo hiciera posiblemente los subordinados trabajarían en contra de estos mismos objetivos".*

Las personas comprometidas, como lo mencionara el Dr. Cole, seguirán "peleando" hasta el final, incluso sabiendo que el resultado pueda ser en su contra. Esto ha sucedido con los pilotos Kamikaze en la segunda guerra mundial. El adelgazamiento continuo de las Empresas que adoptan esta forma organizacional y su consistente estilo gerencial, hace que presten poca o ninguna atención a los programas de desarrollo de carrera o de desarrollo de líderes. Al fin de cuentas, como lo manifestara un directivo: *" Para qué vamos a gastar tanto dinero en entrenar a alguien si lo podemos conseguir de afuera, quizás a un costo menor de lo que estamos pagando actualmente por mes".*

Bajo este estilo gerencial se acepta la filosofía que cada uno debe manejarse en el "día a día", crisis tras crisis. La idea es ser oportunista ... para estar atento a las oportunidades.

Este estilo gerencial y esta forma organizacional se basa en la concepción de "supervivencia del más fuerte" falsamente atribuida a Charles Darwin. Como Darwin está en su tumba no puede dar respuesta a esta insensatez; sabemos que en realidad la concepción de "supervivencia del más fuerte" pertenece a Spencer. La teoría de Darwin es evolucionista (ver International Encyclopedia of the Social Sciences, 1991).

¿Qué sucede en el tiempo con el modelo organizacional "efectivo y eficiente"

Ya hemos visto que el modelo organizacional que privilegia la dimensión racional (Racional: Sí; Legal / Formal: Si y No) y que por consiguiente desarrolla los cuadrantes I y II, es aquél que guarda mayor correspondencia con los hallazgos del Dr. Donald Cole. En Latinoamérica es el modelo prevaleciente en las filiales de Empresas multinacionales.

También sabemos que si bien este modelo privilegia la dimensión racional, su forma organizacional a través del tiempo desarrolla también, aunque parcialmente, los otros dos cuadrantes correspondientes a la dimensión Racional: No; Legal / Formal: Si y No (cuadrantes III y IV). Deberíamos preguntarnos qué hace la cúspide de la pirámide para librarse de estos últimos participantes organizacionales o, como nos manifestara un directivo *"¿Que es lo que NO hace la Empresa y, por lo tanto, lo deja en las manos de algunos participantes organizacionales?"* (en términos del Dr. Cole: *"en manos de los depredadores en lugar de los humanitarios"*).

En el Gráfico 1 se muestra una forma organizacional en la cual los participantes organizacionales se encuentran distribuidos en forma "equitativa" en cada uno de los cuadrantes. En el Gráfico 2 se observa cómo las Organizaciones en búsqueda de su "efectividad y eficiencia organizacional" intentan tener participantes organizacionales solamente en los cuadrantes I y II, hecho que es imposible en la práctica ya que de todas maneras han de existir, aunque sea mínimamente, participantes en los cuadrantes III y IV.

Estas Organizaciones se caracterizan por tomar como indicador de efectividad y eficiencia organizacional el "head count", bajo la hipótesis de que el menor número de personal posible les ha de aumentar sus rendimientos. De modo que la combinación de su hipótesis del "head count" con el modelo organizacional que es privilegiado, impone el desarrollo de mecanismos formales, y a veces también informales, que son descriptos magistralmente por el Dr. Cole.

Bajo nuestras experiencias en intervenciones organizacionales, y en el transcurso del tiempo, hemos observado cómo la forma organizacional expuesta en el Gráfico 1, en su proceso de llegar al arreglo organizacional "ideal" que se muestra en el Gráfico 2, sufre distintas transiciones y en algunos momentos transformaciones.

A cualquier consultor medianamente avezado le ha de resultar sencillo distinguir aquellos participantes organizacionales posicionados en el cuadrante IV a quienes, para decir lo menos, lo más conveniente es invitarlos a formar parte de la Empresa competidora (no hay nada más destructivo que el enemigo interno Lincoln, Abraham – Presidente de los EE.UU.).

El problema principal que confrontan los consultores o quienes están empeñados en mejorar la Organización, radica en librarse de los participantes localizados en el cuadrante III (tienen la jerarquía pero no tienen el conocimiento ni la motivación, ni la iniciativa). De hecho las transformaciones y mejoras organizacionales más productivas son aquellas que se focalizan en este nivel de participantes organizacionales, y no con las personas que dependen de ellos, es decir sus subordinados.

Y ahora sí llegamos a "la madre del cordero". Cualquiera puede identificar aquellas personas que están en los cuadrantes I y IV donde sus resultados y producción resultan bastante obvios. Algunos son altamente efectivos y otros altamente inefectivos. La mayor dificultad radica entonces en identificar y distinguir al personal que se encuentra en los cuadrantes II y III. Más aún, y según mis hallazgos, diría que la efectividad y eficiencia organizacional tiene que ver con la forma en que la cúspide se relaciona con lo que sucede entre el personal radicado en estos cuadrantes II y III. Y lo mas lamentable es que la dirección de la Empresa, por lo general, no se da cuenta de la importancia de este hecho.

Si la Alta Dirección sigue consolidando a los participantes ubicados en el cuadrante III y privilegiando sus prácticas por encima de las ideas e innovaciones de los participantes ubicados en el cuadrante II es posible que la Empresa se encamine hacia su natural deterioro. Ya hemos visto que no hay nada más natural que el deterioro, y por lo tanto, si no hacemos algo minuto a minuto EN la Organización, presenciaremos su extinción. Inclusive, haciendo "algo" es posible que sólo volvamos a lo que era la Organización hasta el "momento anterior" ... pero las Organizaciones necesitan algo más que fuerzas transicionales, son las que llamamos fuerzas transformacionales. No olvidemos que cada contendor nuevo que entra aplica el principio del "último cuarto de milla", por el cual entra fresco y sin el esfuerzo de la carga del 75 % restante.

Es por ello que, en base a nuestros hallazgos, ponemos especial énfasis en lo que sucede dentro de la Empresa en cuanto al relacionamiento entre los participantes ubicados dentro del cuadrante II (innovación, creatividad, riesgo) y aquellos ubicados en el cuadrante III (estabilidad, normas, políticas y procedimientos). Si la Empresa tiende a privilegiar a los estabilizadores por encima de los creativos podemos decir que va "organizadamente a la ruina". Seguramente su Contador le podrá decir la fecha exacta de la convocatoria de acreedores y el monto preciso en que en ese día el pasivo ha de superar al activo.

Sobre la base de los trabajos realizados durante los últimos 25 años he observado que las Organizaciones menos eficientes al iniciar la intervención de consultoría son aquellas donde existe un número importante de participantes organizacionales en los cuadrantes III y IV.

Esta es una situación sumamente dramática para las que son llamadas peyorativa e injustamente Pequeñas y Medianas Empresas (PyMEs)[3]. Los líderes en estas Empresas conocen esta situación pero no pueden a veces corregirla porque una expulsión de los participantes ubicados en el cuadrante IV les significaría una erogación de dinero que perjudicaría fuertemente la continuidad del negocio ya que incidiría directamente sobre el capital de trabajo. Por lo tanto, lo que hacen generalmente es ¡no hacer nada! Bajo esta circunstancia y en una primera instancia en el tiempo, la Empresa sobrevive; sin embargo, la carga del personal en el cuadrante IV la llevará inexorablemente a su extinción.

Más aún, nuestras observaciones muestran que bajo esta situación deja de existir una adecuada relación entre los comportamientos y las recompensas. Se recompensa a todos, independiente-

[3] Creo que sería más justo llamar a estas Organizaciones, que son realmente las generadoras de fuentes de trabajo, "Empresas Generadoras de Empleo".

mente de su productividad, en forma "pareja". Por lo tanto, el número de personas ubicadas en el cuadrante IV tiende a aumentar en el tiempo

En el proceso de transformar la Empresa hacia una forma organizacional como se muestra en el Gráfico 2, la Empresa con un arreglo organizacional típico con participantes en todos los cuadrantes y a su vez con una distribución bastante pareja (Gráfico 1), DEBE necesariamente hacer algo todos los días, ya que corre el peligro de asumir finalmente la forma tipo que se exhibe en el Gráfico 3. Esta última forma organizacional no es sustentable en el tiempo ya que la Empresa NO es auto-suficiente; hemos encontrado evidencia de la existencia de este tipo de forma Empresarial principalmente en organismos públicos nacionales, provinciales y municipales.

Qué sucede DENTRO de la Empresa que debe ser autosuficiente si quiere sostenerse en el tiempo (PROCESO).

Así planteado el problema, debemos preguntarnos qué es lo que deben hacer las Empresas auto-suficientes (no se sostienen con subsidios y donaciones) en el día a día para tomar una forma organizacional "similar" a la expuesta en el Gráfico 2. La otra cuestión es ¿qué sucedería si no se hiciera absolutamente nada para producir mejoras y transformaciones?

Nuestras observaciones muestran que existe bajo esta última opción un camino inexorable en el tiempo, que es independiente de la distribución de participantes organizacionales que tenía la Empresa al principio (Gráfico 1).

Al no relacionar los comportamientos con las recompensas, o en otros términos cuando la Empresa atiende las "necesidades" del personal independientemente de lo que cada una de las personas "merece", la forma organizacional inicial se modifica. Los Gráficos 1a y 1b son ejemplos de estas modificaciones iniciales en el tiempo al aumentar proporcionalmente el personal ubicado en los cuadrantes III y IV.

Gráfico 1a

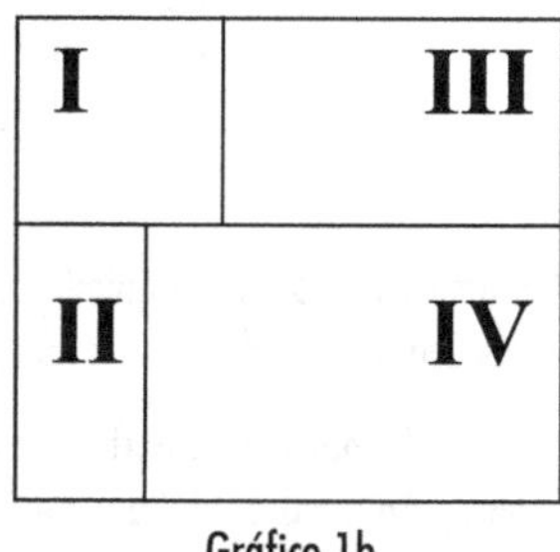

Gráfico 1b

La situación en el tiempo puede tornarse aún más dramática cuando las personas más efectivas y eficientes, ubicadas en el cuadrante I, empiezan a cuestionarse si deben permanecer en Empresas de este tipo o si deben buscar otra Empresa donde ejercer su profesión (ver Gráfico 1c). Y debemos recordar que

¡Ninguna Empresa puede darse el lujo de perder profesionales localizados en el cuadrante I!

A su vez, esta situación puede tornarse aún más dramática si los profesionales con ideas, iniciativa y deseos de correr riesgos introduciendo mejoras, es decir aquellos posicionados en el Cuadrante II, buscan posibilidades ocupacionales también fuera de la Empresa (Gráfico 1d)

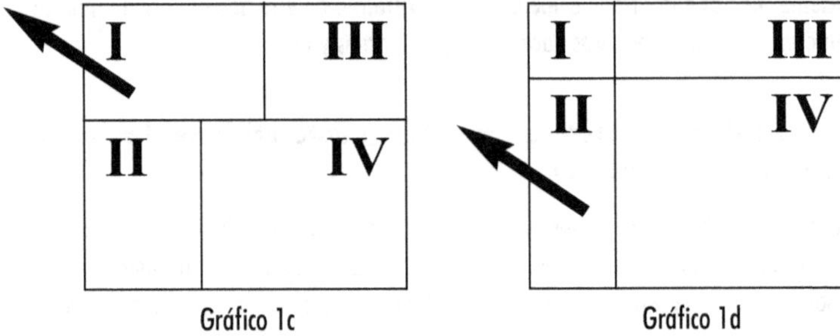

Gráfico 1c

Gráfico 1d

Existe aún una opción peor; aquella donde estos profesionales, desmotivados y desilusionados con lo que sucede dentro de la Empresa, deciden "pasarse" al cuadrante IV con lo cual incrementan la carga negativa que existía hasta ese momento (Gráfico 1e)

Gráfico 1e

De no tomarse las medidas apropiadas, la forma organizacional más probable a adoptar es la expuesta en los Gráfico 1c, 1d y 1e que representan situaciones cuasi-terminales para la Empresa.

Ahora bien, ya hemos visto anteriormente que las Organizaciones tienen desarrollados mecanismos formales para mejorar el día a día en búsqueda de la efectividad y eficiencia Empresarial. Y también hemos observado que muchas veces estos mecanismos existen y aparecen como creados por una mano invisible; en realidad no existe ninguna mano invisible, son personas de carne y hueso, con perfil más de depredadores que de humanitarios que unidos, ligados, y desunidos en coaliciones, ponen en marcha mecanismos de auto-protección y supervivencia para ellos mismos por encima de los intereses de la Empresa. Y lo más fascinante, es que el poder de estos mecanismos es muchas veces más poderoso que el impacto de los mecanismos formales.

Un consultor, profesional dentro de la propia Empresa, lector u observador avezado, a estas alturas ya tiene en mente que ES lo que se debe o debería hacer para superar los resultados que son consecuencia del NO hacer y que lleva a los resultados negativos descriptos más arriba. Ello es compartido en la sección siguiente, en la que trato el tema de la Política Organizacional para el Cambio y Mejora Continua.

Política organizacional para el Cambio y Mejora Continua.

Si realmente estamos convencidos de que el deterioro en el tiempo es lo más natural para los individuos, grupos y Organizaciones bajo la eventualidad de no hacer absolutamente nada, debemos poner foco a las políticas y prácticas que debemos implantar para asegurar el crecimiento sostenido de estas tres unidades de análisis.

Para el caso de Políticas, partimos del "Gráfico 1 – Políticas", etapa en la cual "encontramos" a la Empresa en el momento incial. Resulta obvio que la Empresa debe obligatoriamente adelgazarse expulsando a los participantes organizacionales ubicados en el cuadrante IV. Esta es una tarea relativamente fácil de desarrollar en especial por el hecho de que estas personas están siendo beneficiadas por encima de sus contribuciones a la Empresa. Encontramos sustento teórico de ello en el trabajo de March and Simon (1958) y en la teoría motivacional de Adams, denominada "Equity Theory" (1965) entre otros.

El lector avezado ya ha identificado EN QUÉ LUGAR se presenta el cuello de botella del mejoramiento relacional de los participantes internos en la búsqueda de la efectividad y eficiencia organizacional, dando por hecho la obvia y vital importancia de no sólo conservar y proteger a los participantes organizacionales ubicados en el cuadrante I, sino también la de asegurarles continuos incentivos y beneficios individuales para retenerlos dentro de la Empresa.

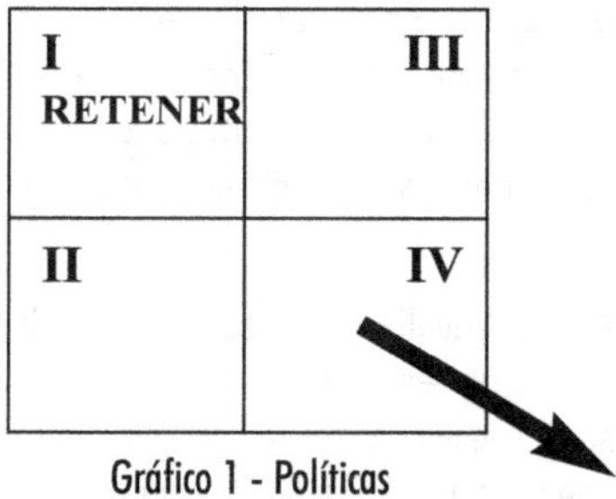

Gráfico 1 - Políticas

Los diversos trabajos de campo nos han mostrado evidencia que sugiere centrar la atención en el proceso por el cual se mantiene y desarrolla el relacionamiento entre los participantes organizacionales del cuadrante II con aquellos posicionados en el cuadrante III (ver Gráfico 2 – Políticas). Este dilema, sobre una relación conflictual, representa posiblemente uno de los aspectos más significativos y que más debiera tener en cuenta la dirección de la Empresa. Y que, por lo general, no es atendida en la medida de su importancia.

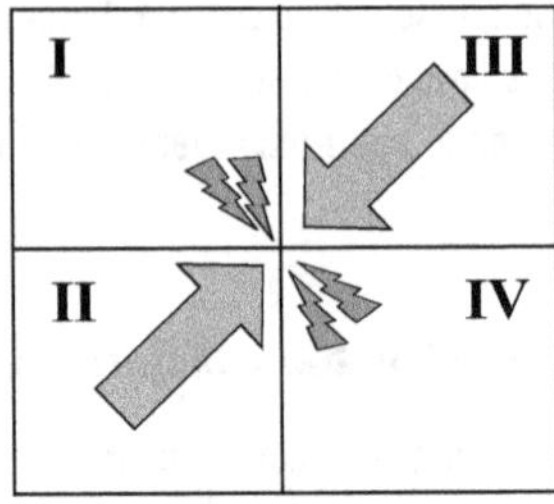

Gráfico 2 - Políticas

Los jerárquicos, privilegiados a veces en base a su "seniority" en la Empresa (cuadrante III), se han acostumbrado a lo que ellos dicen:

> "Aquí, en esta Empresa, se hacen las cosas de ESTA manera"
> "Siempre las hemos hecho así... y nos ha dado resultado".

A su vez, aquellos participantes ubicados en el cuadrante II, por lo general con voz pero sin voto, muchas veces siendo jóvenes profesionales reclutados en base a su conocimiento, su iniciativa y autonomía para operar, encuentran que las normas y regulaciones actúan a veces en contra de la propia Empresa. En su afán de modificar esta situación mantienen una relación conflictiva en la que no privilegian el aprendizaje que pudiera emerger de este tipo de situación. El jerárquico asume posiciones defensivas ante el "ataque" del innovador, y el resultado esperado tiende a perpetuar el arreglo organizacional pre-existente donde prevalece la estabilidad por encima del cambio y la transformación.

Victor Thompson (1961) realiza una interesante descripción de este proceso en el que chocan dos fuerzas antagónicas que, en lugar de capitalizar sobre sus virtudes produciendo sinergia, terminan en un proceso "entrópico". Thompson describe este proceso conflictivo y sus consecuencias negativas basándose en la relación que se mantiene dentro de la Empresa entre el "administrador" y el profesional.

Los modelos nos sirven para visualizar y conceptualizar posibles situaciones y hechos que han de tener, como en este caso, consecuencias para el desarrollo laboral de los profesionales en las Empresas. Y hasta aquí había llegado nuestro trabajo con experiencias en Empresas latinoamericanas. Conocíamos este fenómeno pero nos faltaba llegar a conocer algunos detalles sobre:

- Los procesos relacionales dentro de las Organizaciones
- Sus consecuencias funcionales y disfuncionales para los participantes y la Organización misma
- La secuencia que inicia la relación entre el individuo y que luego continua en un rompimiento

◆ Las características de los participantes como asimismo de la Organización, que contribuyen al proceso de Suicidio profesional o Asesinato organizacional.

Lo más importante es QUÉ es lo que se puede hacer para beneficiar tanto a los profesionales como a las propias Empresas. Eso lo hemos de revisar en la sección siguiente.

Implicancias prácticas para los profesionales interesados en su desarrollo laboral dentro de la Empresa.

Se sugiere que el lector revise el índice de este libro y ponga foco a las secciones desarrolladas por el Dr. Donald Cole, es decir, todas aquellas comprendidas entre "El problema" y "El antídoto".

En ese trabajo magistral del Dr. Donald Cole se describe en detalle una serie de implicancias prácticas, experiencias, conceptos e investigaciones que, de tenerse en cuenta por los profesionales inicialmente interesados en desarrollar una carrera laboral en una Empresa, han de asistirle para integrar su crecimiento laboral con su desarrollo individual extra laboral.

Efectivamente, el modelo que los profesionales tienen en su mente cuando ingresan a la Empresa respecto de cómo suceden las cosas allí, no coincide generalmente con los procesos relacionales del día a día. Esto es especialmente dramático para los jóvenes profesionales graduados con las mejores calificaciones en las mejores universidades, que dan por supuesto que han sido seleccionados por ser los mejores[4].

El ego de estos profesionales puede sugerirles que si han sido seleccionados por su anterior "exitoso" desempeño en los claustros al tener las mejores calificaciones, el modelo mental que desarrollan es que pueden llegar a la cúspide sobre la base "del mérito". Posible y paradójicamente, el modelo funcione exactamente al revés. Es probable que algunas Empresas contraten a los jóvenes profesionales con las mejores calificaciones "porque son los que están en mejores condiciones de repetir – fehacientemente – lo que el superior le "dice que haga". En realidad, en los claustros universitarios esto era lo que realmente sucedía y el profesional no se daba cuenta; recibía las mejores notas por repetir como un excelente mimo, lo que el profesor (ahora en la Empresa es el superior), de él esperaba.

En la sección anterior hemos visto que uno de los aspectos más significativos y a la que debe prestarle suma atención la dirección de la Empresa es el tipo de relacionamiento entre los participantes organizacionales ubicados en el cuadrante II con aquellos posicionados en el cuadrante 3 (volver a ver Gráfico 2 – Políticas).

Esta relación conflictual con sus ulteriores consecuencias, es por lo general desatendida por la dirección de la Empresa. Este hecho tiene profundas implicancias negativas para la Organización ya que, de no tomar las medidas apropiadas, ha de comenzar a desarrollar cada vez más participantes organizacionales que se posicionan en los cuadrantes "no racionales".

[4] En realidad aquellos que han sacado las mejores calificaciones son los que han dado la respuesta "exacta" que el profesor exigía como respuesta "correcta"

La dirección de la Empresa, aquella que opera racionalmente y localizada en el cuadrante I, prefiere comunicarse y relacionarse en el día a día con los profesionales "jerárquicos" localizados en el cuadrante III, en lugar de aquellos que están en el cuadrante II (que son los creativos, innovadores y dispuestos a tomar riesgos). Y esto limita la capacidad de cuestionamiento respecto de la forma de actuar, tratando de perpetuar los procesos y acciones vigentes (ver C. Weick, 1968). Por lo tanto, una medida práctica y directa que está a disposición de la dirección de la Empresa, es la de fortalecer periódicamente el relacionamiento de los profesionales ubicados en el cuadrante I con aquellos posicionados en el cuadrante II.

Recordemos que privilegiando el cuadrante III nos acercamos el arreglo organizacional que es típico de las Empresas públicas nacionales, provinciales o municipales. Hoy en día muchas de ellas han sido transformadas en Empresas privatizadas o entes descentralizados, que NO pueden subsistir por sí solas. Su subsistencia y existencia depende de subsidios, donaciones o contribuciones de "otros". Estos "otros" son Empresas que SI deben competir por recursos y generar los mismos, para seguir siendo autónomos. Las Empresas "privadas" No pueden darse estos lujos.

Aquellos profesionales que se encuentren posicionados en el cuadrante I pueden encontrar alertas importantes en las palabras del Dr. Cole, especialmente en lo que se relaciona con la calidad de vida y en fortalecer el relacionamiento con "otros" (intra e inter personal competence), que, por el momento, en lo relativo a su propia carrera laboral "aparenta" ser bueno. De todas maneras, estos profesionales han de encontrar varias sugerencias respecto de qué cosas puede hacer la cúspide de la pirámide para lidiar con el dilema de Suicidio Profesional o Asesinato Organizacional. El Dr. Cole hace referencia a varias propuestas que pueden ser positivas para todos los demás profesionales.

Asimismo, y esto es algo que por lo general los directivos prestan menor atención pero que de todas maneras es sumamente importante para el crecimiento sostenido y continuado tanto del personal como de la Empresa, la dirección debe liderar el desarrollo de mecanismos formales que faciliten un relacionamiento fluido y enriquecedor entre los participantes organizacionales posicionados en el cuadrante II con aquellos ubicados en el cuadrante III.

No es nuestro propósito asistir a los participantes organizacionales latinoamericanos ubicados en el cuadrante IV. Estos individuos muchas veces representan una cantidad proporcionalmente demasiado importante, dadas las regulaciones estatales que privilegian a aquellos que "asisten" a la Empresa por encima de los que realmente "producen" (March and Simon, 1958).

Son personas que consumen recursos Empresariales como resultado de la coalición de uniones sindicales con los gobernantes que obsequian recursos que no son generados por ellos. Por el momento, no tenemos intención de asistirlos ya que están sobreprotegidos y resultan actualmente una carga demasiado excesiva para todos aquellos que realmente SI tienen interés en trabajar y además son productivos dentro de las Empresas.

Y ahora sí, ingresamos a la médula de Suicidio Profesional o Asesinato Organizacional donde el trabajo magistral del Dr. Cole nos da respuesta a los mayores interrogantes sobre el proceso de desvinculación de los profesionales de las Empresas. Y esto es particularmente cierto y aplicable para la abrumadora mayoría de participantes organizacionales localizados en los cuadrantes II y III.

Estos profesionales están ante una situación de "alto riesgo" en cuanto a su continuidad laboral en la Organización. Para estos profesionales, la única forma segura de crecimiento sostenido en la Empresa o de consolidarse en la misma, es la de DESPLAZARSE de su cuadrante, fuera éste el II o el III.

Los participantes de AMBOS cuadrantes deben entonces necesariamente desplazarse hacia el cuadrante I porque es obvio que en el cuadrante IV, su permanencia en la Empresa sería muy corta ya que, como hemos visto anteriormente, éstos están en su fase terminal. Favor de ver "Gráfico 3 – Políticas".

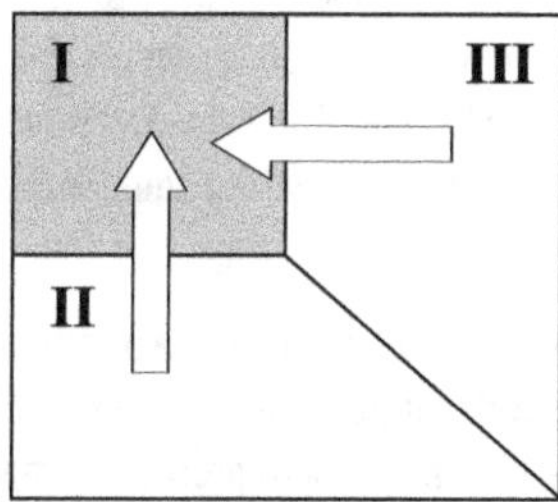

Gráfico 3 - Políticas

Como el lector / profesional ya estará imaginando, a los profesionales situados en el cuadrante II no les ha de resultar sencillo desplazarse al cuadrante I. La Organización "hace ciertas cosas" para que estas personas creativas, ingeniosas, dispuestas a correr riesgos y que representan el polo de "cambio y crecimiento" que se opone al de estabilidad, NO tengan la jerarquía. Para ello no hace falta ser muy inteligente; la dirección de la Empresa por lo general se maneja muy bien bajo esta situación - puede hacer cosas realmente "sencillas" como por ejemplo NO crear nuevos roles o posiciones -

Otra cosa que hace la dirección de la Empresa, y que también hace muy bien por lo general, es permitirle a los jerárquicos (sean estos tanto los que están en el cuadrante I como los del III), "robarles las ideas creativas" a los profesionales ubicados en el cuadrante II, lo que representa una magnífica forma de desestimularlos.

Por supuesto, si el profesional supera estas situaciones el mecanismo presente en la Empresa y que representa el "golpe de gracia" a la supervivencia de los profesionales es la combinación de una trilogía letal que tan bien es descripta por el Dr. Cole:

1. Se le asignan objetivos muy vagos
2. Con límite de recursos
3. En tiempos difíciles de alcanzar

¡El proceso suicida ya está en marcha! Y como todo lo que se hace sin saber POR QUÉ ni PARA QUÉ seguramente el proceso suicida ¡NO FALLARÁ!

A su vez, a los profesionales posicionados en el cuadrante III, les espera una batalla dramática. Por lo general ya se les ha pasado el momento de desplazarse al cuadrante I. Aunque ellos mismos no lo crean, "para la Organización" están posicionados más "alto de donde deberían estar", e incluso reciben compensaciones por encima de sus contribuciones.

Muchos de estos profesionales, en base a "lo que la Empresa tiene en su cabeza", han llegado allí por el simple transcurso del tiempo, por "buenas épocas" que ha tenido la Empresa, por ser una Empresa mono u oligopólica que pudo disfrutar de esta situación, o simplemente por méritos que se han ido desvaneciendo en el tiempo.

Estos profesionales están convencidos de haber realizado contribuciones muy importantes cuando ellos mismos estaban, en el pasado, posicionados en el cuadrante II. Pero luego han sido ascendidos y ahora se encuentran en el Cuadrante III. Y aquí ya empiezan a sentir el "aliento en la nuca" de los jóvenes y talentosos profesionales, altamente creativos, que empiezan a querer – según ellos – "patearle el tablero".

Esto es muy excitante y desafiante para los jóvenes del cuadrante II, pero para los profesionales jerárquicos posicionados después de largos años en el cuadrante III , es un atrevimiento y una osadía, con ideas que, según ellos, suelen ser "poco prácticas e imposibles de implantar". Los profesionales del cuadrante III AHORA adoran la estabilidad y sugieren que "aquí en esta Empresa, se hacen las cosas de esta manera", es decir, no se cambian los procesos ni operatorias.

Estos profesionales posicionados en los cuadrantes II y III, se encuentran en lo que denominamos la "pole position" para el proceso de Suicidio Profesional o Asesinato Organizacional. Y el lector se da rápidamente cuenta de esto al echarle una ojeada al "Gráfico 4 – Políticas".

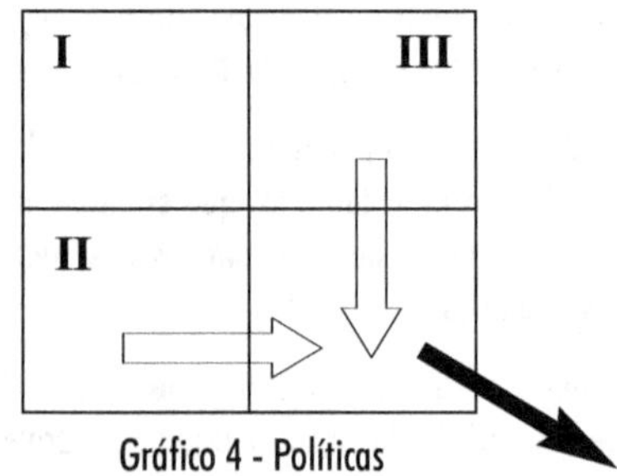

Gráfico 4 - Políticas

En realidad esto también lo saben los profesionales en los cuadrantes II y III quienes en su esfuerzo por llegar al cuadrante I del "Gráfico – 3 Políticas", pueden en cambio "vivir" su desplazamiento al cuadrante IV (expulsión o auto-expulsión del "Gráfico 4 – Políticas"). El Dr. Donald Cole hace mención a una variedad de mecanismos tanto formales como informales, que encaminan a estos profesionales a la fase terminal del proceso suicida.

Mi experiencia particular me inclina a sugerir que estos profesionales regularmente niegan encontrarse en esta posición, a pesar que éste es el modelo que tiene la Empresa (y otros participantes organizacionales relevantes) en su mente respecto de ellos. Siguen en su intento de perpetuarse como consumidores de recursos haciendo hincapié en los beneficios y contribuciones que hicieron a la Empresa años atrás, desconociendo, entre otras cosas, que esas contribuciones transformadas en dividendos ya han sido distribuidos a los accionistas.

Se encuentran además un tanto desfasados en el tiempo en cuanto a su propia profesión. La mayor parte de ellos ha realizado una importantísima inversión en energía, tiempo y dinero como hemos visto en el capítulo introductorio, y considera que la "vaca lechera" tiene que seguir dando más de 20 litros por día... lo que no se da cuenta es que la propia vaca, a veces por enfermedades cortas o por otras situaciones absolutamente normales, a veces produce por debajo de este límite. La conclusión obvia es que si produce por debajo de este límite la vaca lechera debe transformarse... ¡y pasa a ser faenada !

Este esfuerzo titánico para estos participantes organizacionales es el que genera una enorme tensión dentro de la Empresa y su resolución puede acabar con muchos de ellos. Por lo general, por encima de las habilidades, competencias, destrezas, aptitudes, méritos y niveles de productividad y resultados, son los depredadores los que devoran a los humanitarios.

Las implicancias por supuesto a largo plazo de ésta práctica "informal" pueden ser letales para la propia Organización – y también muchas veces para otros depredadores (nadie tiene corona de rey en el mundo organizacional). Recuerdo un alto directivo de un Banco extranjero que me manifestara, después de terminar su relación de más de 25 años en el Banco, *"cómo puede ser que la entidad terminara conmigo cuando en realidad yo le di mi vida al Banco"*. Me miró atónito cuando yo le respondí con la siguiente pregunta: *¿"Me podría decir quién es la persona del Banco que le PIDIÓ a Usted que le diera su vida, y en segundo término: ¿Podría además responderme (o responderse, como usted prefiera), cuántas veces usted mismo decidió e implementó que OTROS terminaran a su vez de trabajar en el Banco? "*.

Es aquí donde ningún profesional puede ignorar las sugerencias del Dr. Cole a menos que privilegie ser un héroe o un mártir en su relacionamiento con la Empresa. The Organization Development Institute es un instituto sin fines de lucro que ha deslumbrado al mundo tanto por sus hallazgos en ciencias del comportamiento como por su generosidad en compartir la importancia del relacionamiento privilegiando el desarrollo de las habilidades intra e interpersonales.

A veces parece que los profesionales quieren ser héroes y mártires por una causa "laboral" lo cual tiene poco sentido ya que va contra su salud individual y también la de su familia. Cuando elige este camino de ignorar la calidad de relacionamiento (en este caso entre su profesión y la Empresa) da pié a una frase que repito frecuentemente:

"Siempre hay una forma mejor... de hacer las cosas peor".

Sugerimos por lo tanto hacer uso de este trabajo del Dr. Cole ya que en ningún otro tratado, dentro de esta especialidad, se incluye un material del calibre que comparte el Dr. Cole con nosotros.

Por ello, si usted desea enriquecer su relacionamiento profesional dentro de su Empresa tiene a su disposición un verdadero arsenal de conocimientos, prácticas, experiencias e investigaciones que le permitirán aprender sobre:

1. Cómo el Clima Organizacional incide en la relación Profesional vis a vis la Organización
2. El impacto del estilo gerencial "Por Compromiso del Subordinado" en la expulsión o auto-expulsión del profesional
3. Las ventajas del estilo gerencial "Por Compromiso del Equipo"
4. El desarrollo secuencial del Proceso Suicida
5. Las características y diferencias sistemáticas de cada una de las etapas del Proceso Suicida
6. La formación del síntoma de Suicidio Profesional

A su vez el Dr. Cole sugiere que este proceso suicida se presenta y precipita cuando se dan algunas características, tanto a nivel individual como organizacional. Es la interacción de éstas, y el soporte de una junto a las otras, lo que prepara el camino hacia la fase terminal del proceso suicida.

Este enriquecedor trabajo encuentra además fundamento en trabajos de investigación relevantes que muestran cómo estudios sobre personas (en este caso aplicables por extensión a profesionales) en aislamiento por períodos extensos de tiempo, o en situaciones de conflicto / cooperación grupal, o de estrés en otras especies (aquí agrega una contribución adicional el Dr. Cole al exponer lo que puede significar la vanidad del "hombre" como especie diferencial"), y otros trabajos puntuales, que sustentan los hallazgos en la Empresa "high tech" bajo estudio.

Como RPS (Respetado Pionero Social) el Dr. Cole presenta en una de sus últimas secciones el Antídoto para el proceso / conflicto / dilema de Suicidio Profesional o Asesinato Organizacional, con sugerencias y recomendaciones puntuales que , de tenerse en cuenta en las Empresas puede llegar a compatibilizarse la efectividad y eficiencia tanto individual como organizacional, con la salud individual de sus participantes.

Con la humildad que caracteriza a los grandes servidores en esta vida, el Dr. Cole finalmente comparte con nosotros en la última sección algunos límites a su trabajo agregando cuestionamiento a su propio trabajo (¡!) Esto es inusual en una época donde se privilegia la "venta editorial" y se da sólo en aquellas personas que son servidores de verdad.

Personalmente no conozco trabajo alguno que se exprese con tal riqueza y minuciosidad sobre el proceso suicida como resultado de la relación laboral entre las profesionales y las Organizaciones, como este trabajo del Dr. Cole. Puedo asegurar que cuando esta problemática ha sido abordada por distintos profesionales, una abrumadora mayoría ha manifestado que de haber leído el libro del Dr. Cole habrían podido elegir continuar trabajando en su Empresa o, en caso contrario, retirarse de la misma, pero siempre poder hacerlo sintiéndose "en libertad, sin resentimientos ... y hasta con alegría en muchos casos".

Y es por ello que en la seguridad de salir usted beneficiado como profesional con la lectura de este libro, le prometemos devolver lo que usted ha invertido en el mismo, siempre que lo haga dentro de las 72 horas de su compra.

El Antídoto – Consideraciones a tener en cuenta por los profesionales en Latinoamérica

Hemos sugerido que el proceso suicida se dispara por distintos motivos, siendo uno de ellos el relacionado con el modelo de carrera laboral que tiene el profesional en su mente.

Y aquí nos cabe una responsabilidad a TODOS; a cada uno de nosotros ! No es posible que SABIENDO lo que sucede con los profesionales, y conociendo que en el futuro esta situación no ha de mejorar, que nos quedemos de brazos cruzados. Porque bajo esa situación, terminamos siendo responsables de un suicidio colectivo de un número importante de profesionales que han invertido muchos de los mejores años de su vida, empleado dinero de sus padres que les fue cedido con mucho sacrificio a sus hijos para pagar sus estudios, y dedicado muchos de sus años (unos dieciséis en promedio) para repetir en forma casi perfecta lo que maestros y profesores pretendían como respuesta correcta. Y qué decir de las ilusiones, esperanzas e ideales de estos profesionales a lo cual es muy difícil colocarle un precio y aún más difícil un valor.

Por lo tanto en esta última sección es MI responsabilidad la de compartir con los lectores (profesionales, profesionales-por-ser, padres, etc.) hechos y alguna que otra idea sustentada con evidencias con el propósito de impedir y poner freno a este genocidio al que, aparentemente, se le pone tan poca atención. Algunas de ellas son :

1. Los profesionales que estén interesados en ingresar a Empresas con el propósito de desarrollar una carrera laboral continuada y sostenida deben saber que las estadísticas muestran una dispersión cada vez mayor entre la oferta de estos profesionales y la demanda requerida por las Empresas. Las estadísticas muestran que no más del 1 % de la PEA está conformada por profesionales empleados en filiales de Empresas multinacionales, mientras que la proporción de profesionales dentro del total de la población supera dicha cifra en más del 200 por ciento!

2. Como resultado de la mayor oferta de profesionales en relación a la demanda de los mismos por parte de las Empresas, los procesos de selección, permanencia y deselección han de ser cada vez más exigentes por la mayor competitividad entre los propios profesionales.

3. La deselección de profesionales bajo la tipología organizacional que corresponde a la forma organizacional efectiva y eficiente, es varias veces mayor a la de los profesionales ubicados en los otros dos tipos organizacionales (Empresas públicas y Empresas privadas nacionales). Por lo general los primeros de ellos permanecen en sus Empresas un promedio de 3 a 4 años, que contrasta fuertemente con los últimos.

4. La implementación de tecnología informática cada vez más sofisticada y basada en el sistema binario donde su mundo de 0 y 1 presupone la existencia de un mundo blanco y negro, produce consecuencias negativas al mundo discrecional del profesional.

5. El mundo discrecional del profesional, existente por la necesidad de agregar racionalidad a la toma de decisiones Empresarial, se hace cada vez más innecesario. Mas aún, es posible que este mundo racional y discrecional que el profesional tiene en su mente no sólo no actúa a su favor sino que comienza a actuar en su contra.

6. Si la discrecionalidad y racionalidad es limitada, y cada vez las Organizaciones requieren menos de cada una de ellas (March & Simon, 1958), estas entidades han de poner énfasis en la necesidad de contar con personal que NO sea profesional.

7. El muy interesante experimento de Shepard que se mencionara anteriormente, donde ante la disyuntiva de excluir a una persona de un grupo, siempre se elige al más creativo, tiene sus implicancias para el profesional que espera trabajos creativos, con autonomía e independencia en el trabajo dentro de la Empresa.

8. Casi nos podemos atrever a mencionar que la creatividad ha de venir cada vez más y más de afuera de la Empresa. Y aquí también hay un llamado de atención para los consultores. Creo que es bueno que tengan en cuenta las conclusiones de un trabajo de consultoría donde los consultores "aprendieron" que lo que ellos escucharon de los ejecutivos de la Empresa Cliente, NO concordaba con lo que los propios ejecutivos decían que les habían dicho (Donald Cole, 1999).

9. Los profesionales parecen orientados a diferenciar el mundo del trabajo con el mundo del aprendizaje, asumiendo que ambos mundos se desarrollan en distintos momentos. Existe la tendencia a creer que luego de terminada su carrera DEBEN encontrar un trabajo en una Empresa que les asegure una continuada carrera laboral. Este modelo que tienen en su mente No parece ser el mejor y tampoco el correcto.

10. Los profesionales tienden a privilegiar su área de especialidad o contenido. The Organization Development Institute es líder en el mundo en los procesos de aprendizaje entre los individuos y las Organizaciones, y cuenta con bastante evidencia donde se demuestra que el crecimiento personal y profesional REQUIERE el desarrollo de habilidades Intra e Inter. Personales.

11. El profesional tiende a comprender la importancia de desarrollar habilidades Intra e Inter.-personales cuando su situación laboral se ha tornado difícil, por no decir, dramática. En The Organization Development Institute ya sabemos que el aprendizaje en los momentos "difíciles" a veces no son acompañados de la necesaria permeabilidad que requiere el aprendizaje de nuevas concepciones, ideas, y prácticas.

12. El mundo creado por los medios donde se presenta como tipología organizacional a : las Empresas filiales de multinacionales, las Empresas privadas nacionales y las Empresas públicas, parece insuficiente para el desarrollo individual, organizacional y comunitario / nacional en Latinoamérica. Y la "instalación" de esta tipología organizacional en la mente de los profesionales les limita el alcance de los servicios a prestar como profesionales.

13. Esta tipología sugiere, y tal es así que resulta en los trabajos de campo que he realizado y mencionado en las secciones anteriores, que la efectividad y eficiencia organizacional está relacionada con las Empresas que son filiales de multinacionales. Y los economistas, sociólogos y políticos (con una orientación "macro") encuentran sustento en validar la existencia de esta tipología organizacional donde un tipo de Empresa es eficiente y efectiva (filiales de Empresas multinacionales) mientras que otro tipo de Empresa (públicas) son ineficientes e inefectivas.

14. En los últimos cinco años The Organization Development Institute International ha prestado servicios de Career Development a un número de ejecutivos que han manifestado su interés en continuar estudios de post-grado (EEUU o Europa preferentemente). Es nuestro deber compartir con los lectores el hecho que cierto número de estos profesionales no ha mejorado el desarrollo de su carrera laboral al regresar a su Empresa en Latinoamérica; más bien, algunos de ellos han manifestado que no ha sido una buena decisión la tomada ya que su carrera laboral se ha visto "acortada" (por el tiempo de permanencia en el extranjero) lo que no le ha significado un retorno a su "inversión".

15. Algunos profesionales que continuaron estudios de post-grado en EEUU o Europa se han encontrado con que los conocimientos y prácticas tienen poca o ninguna aplicabilidad en una filial de multinacional. Reconocen que si, efectivamente son útiles, desde la Casa Central de la Corporación. Por lo tanto, cuando su carrera laboral en la filial de la Empresa multinacional se ve "interrumpida", tiene dos problemas: **1.** actualizarse respecto de QUE ES LO QUE DEBE HACER de distinto; y **2.** desaprender conocimientos y prácticas que actúan en contra de su efectiva inserción laboral (en Empresas pertenecientes a las tipologías organizacionales tanto públicas como privadas nacionales.)

16. Aparentemente los profesionales tienen en su mente un modelo de estudiar por un número importante de años y de allí en adelante dedicarse solo a trabajar para ganar dinero y compensar la "inversión inicial". Este modelo parece ser desarrollado, fortalecido y aprendido al participar en Universidades extranjeras con prestigio y reconocimiento. Parece ser que cada vez más y más estas Universidades "Certifican a Graduados" privilegiando su permanencia y continuidad. Como lo señalara un distinguido disertenate de The Organization Development Institute en el Congreso Mundial del año 1999 ante la pregunta de un participante respecto de qué es lo que tenía que hacer una persona para recibir un Doctorado en estas prestigiosas Universidades del extranjero (para los latinoamericanos): "... es muy fácil; en lugar de hacer cosas interesantes que son importantes para uno y entretenerse en la vida, uno debe (aburrirse un poco) y sentarse en una silla (universitaria) por un período razonable de alrededor de tres a cuatro años".

17. El Estilo gerencial que los profesionales han de encontrar en las Empresas que hemos denominado efectivas y eficientes, tiene una característica de Gerenciamiento por Proyecto, práctica ésta con la cual NO están familiarizados. Sugerimos que los profesionales interesados en desarrollar su carrera laboral en esta tipología organizacional conozca las distintas etapas previstas bajo el estilo de Gerenciamiento por Proyecto.

18. La tipología organizacional que el profesional latinoamericano tiene en su mente – que es la descripta en los capítulos anteriores – parametriza su comportamiento y su estilo de relacionamiento tanto intra como inter-organizacional. Los trabajos realizados en Career Development muestran evidencia que la tipología organizacional "menos atractiva" es la de Empresa privada nacional. Por lo tanto, lo que el profesional "evoca" en su toma de decisiones es la elección de uno de los otros dos modelos : filial de Empresa multinacional o Empresa pública. Aquí sugerimos que el profesional tenga en cuenta las implicancias prácticas que tienen los hallazgos de March & Simon (1958). Estos autores hacen una contribución extraordinaria al mundo Empresarial y también profesional, al distinguir dos opciones prevalecientes en los profesionales cuando interactúan con la Empresa:

a. la decisión de participar (o asistir), y

b. la decisión de producir.

Los países subdesarrollados han integrado los conceptos compartidos en este punto de la peor manera posible. Las Empresas públicas tanto nacionales como provinciales y municipales han recompensado a los participantes por "asistir" a la Empresa privilegiando las "necesidades" de los mismos, negando racionalidad a la toma de decisiones, lo que culmina en el deterioro organizacional como resultado de su ineficiencia e ineficacia. Por otro lado, las Empresas filiales de multinacionales en su búsqueda de mayor efectividad y eficiencia incorporan racionalidad en la toma de decisiones y se orientan a recompensar a sus participantes en base al "mérito" y por "producir" en la Empresa. Es de hacer notar que los estudiosos a nivel macro viven "sin advertir", por decir lo menos, las consecuencias negativas de este fenómeno que completa su universo organizacional donde privilegian y focalizan en estos dos tipos Empresariales.

En este mundo "simplista" los profesionales parecen tener dos tipos de problemas que se diferencian claramente de acuerdo con el tipo organizacional prevaleciente. En las filiales de multinacionales parecen encontrarse muy motivados y cómodos mientras permanecen en ellas y obtienen los recursos que estas están dispuestas a cederles; este no es el caso cuando estos mismos profesionales son expulsados o auto-expulsados de la Empresa como consecuencia del proceso suicida a que hace mención el Dr. Donald Cole. En las Empresas públicas, que se caracterizan por tener una forma organizacional similar a una pirámide en sus comienzos, los profesionales se encuentran cómodos pero sin la necesaria motivación. El nivel de estrés es distinto en ambos tipos organizacionales, y el proceso suicida que en la Empresa privada termina con la expulsión o auto-expulsión del profesional, se manifiesta distinto en la Empresa pública donde el profesional opera como si hubiera sido expulsado o auto-expulsado AUN PERMANECIENDO dentro de la Organización.

The Organization Development Institute International, al lidiar con esta diversidad. ha desarrollado metodologías de asistencia en Career Development para estos profesionales que pertenecen a distintas categorías organizacionales. Y, por supuesto, el tercer tipo organizacional, el de la Empresa privada nacional, requiere metodologías de apoyo diferente a los dos anteriores, poniendo especial énfasis en el contraste existente entre las "mejores teorías" del profesional con las "mejores prácticas" del Empresario privado nacional (Gaynor, Eric; 1995).

19. Una característica que es también típica de los profesionales en Latinoamérica está relacionada con el "servicio". Muchas veces los honorarios profesionales son prefijados en base a realizar "una tarea" y no en relación a "alcanzar un resultado". Realizar una tarea se asemeja a lo que March & Simon llaman decisión de asistir mientras que el logro de resultados está mas bien relacionado con la "decisión de producir".

20. El profesional como "hombre independiente", tiene en su mente un ciclo de siembra – cosecha que no es el tradicional. Considera que YA HA sembrado y por lo tanto, con el título bajo el brazo, sólo le queda por cosechar. Está aprendiendo duramente la lección opuesta al modelo que tiene en su mente y, posiblemente, va a ser necesario que también actúe en consecuencia.

21. El profesional latinoamericano es casi la antítesis del Empresario. Podemos considerar que existen varios tipos de personas:

a. aquellos que son autosuficientes y generan trabajo para sí mismos;

b. aquellos que trabajan para "otros";

c. aquellos que generan trabajo para otros.

Las estadísticas muestran la disminución proporcional en el tiempo de profesionales "independientes" que son autosuficientes. También muestran su orientación a trabajar para "otros", es decir, en otras Empresas que no son la propia. Y como consecuencia es cada vez menor el número de profesionales que es capaz de generar trabajo para sí mismos y también para otros. Esta última categoría es la de Empresarios. Rogamos al lector no incluir en esta categoría aquellos Empresarios que trabajan bajo el sistema de costo – sus ineficiencias – más un plus (sus utilidades provenientes de alianzas y lobby), como es el caso de los contratistas del Estado.

Esta última categoría a la cual nos referimos como Empresarios genuinos para diferenciarlos de los Empresarios que son contratistas del Estado, requiere el desarrollo de habilidades, competencias, destrezas, vocaciones y orientaciones que el profesional parece NO poseer. Y esto es lamentable ya que las estadísticas mundiales muestran que los países más desarrollados tienen un número muy importante de Empresarios genuinos que generan trabajo hasta para unas 10 a 15 personas. Y esto lo veremos con mayor detalle en el punto siguiente.

22. Los profesionales tienen en su cabeza un modelo que soporta la idea de que son más creativos, autónomos e independientes que el resto de las personas. Con este modelo en sus cabezas, presuponen que tienen que tener tareas y actividades en las Empresas acorde con la creatividad, autonomía e independencia en el trabajo. Lamentablemente esto no es lo que realmente sucede en la mayor parte de las Organizaciones. Las utilidades obtenidas en las Empresas son por lo general el resultado de productos y servicios "estándar" que son ofrecidos a varios miles de personas. Sugerimos que los profesionales deben tener en cuenta que una de las características de las Empresas es la de "parametrizar el comportamiento de sus miembros". Y es difícil encontrar una fuente continua de energía creativa cuando los profesionales han encontrado que sus comportamientos han sido parametrizados.

23. El punto anterior tiene una vigencia mayor cuando recién ingresan los profesionales a las Empresas. Trabajos de campo han mostrado evidencias donde, durante el proceso de selección los profesionales "parecían ser reclutados en base a su autonomía y creatividad". Profesionales recién ingresados nos manifestaron que "... lo sucedido durante la selección contrastaba duramente con las tareas que les eran asignadas inicialmente ... por lo general , familiarizarse con los Manuales de la Empresa ..." Lo paradójico de esta situación radica en que, estos jóvenes profesionales que son reclutados por su creatividad e iniciativa luego son asignados a tareas rutinarias y repetitivas, y luego un par de años después, son excluidos o auto-excluídos (suicidio profesional o asesinato organizacional) de la Empresa por su falta de iniciativa y autonomía. Lo más dramático de esta situación es que posiblemente el veredicto sobre esta transformación sucedida dentro del profesional posiblemente sea CIERTA !

24. Otra característica que está en la cabeza de los profesionales es la idea de una Organización piramidal donde el Gerente General o el CEO es el que decide los designios de la Empresa, y que esto es realizado a través de la línea jerárquica. Los profesionales en Latinoamérica desconocen una "figura" que existe en las Empresas y Organizaciones más eficientes a nivel mundial: la del "stakeholder". Una encuesta a estudiantes universitarios de la carrera de Business Administration ha mostrado la ignorancia de los alumnos universitarios respecto a esta posición que tiene tanta relevancia en los resultados de la Empresa.

25. Los sistemas de incentivos en las Empresas latinoamericanas se hallan influídas por la orientación de privilegiar a las necesidades del personal por encima del mérito. Al ser los profesionales un eslabón importante en conectar la estrategia de la alta dirección de la Empresa con el resto del personal. Este dilema que es tan relevante para la efectividad y eficiencia organizacional, ha encontrado respuesta a nivel de ciencias del comportamiento pero aparentemente los estudiosos a nivel "macro" (economistas, sociólogos y políticos) siguen "conversando y dialogando" sobre el tema sin encontrar una solución práctica. Para ello hemos preparado en el Gráfico Z que se detalla a continuación una matriz donde se combinan las dos variables bajo 2 opciones lo que nos da 4 opciones posibles en total. Lo que los estudiosos a nivel "macro" siguen discutiendo sin resolver ha sido resuelto magistralmente hace muchos años por los practitioners organizacionales (Taylor, 1911), y enriquecido por los académicos e investigadores en ciencias del comportamiento.

Gráfico Z

Una respuesta simple pero efectiva la ha dado Saint Simon cuando señala: ...dar "a cada uno según su capacidad, y a cada capacidad según sus obras". El socialismo se ha empeñado en privilegiar el cuadrante II del Gráfico Z donde se recompensa en base a las necesidades y no se tiene en cuenta el mérito; por otro lado en el Cuadrante III parecería estar ubicado el capitalismo donde se privilegia al mérito y no se tiene en cuenta las necesidades. El Empresario (ese que tiene unas 10 o 15 personas) debe tener la suficiente sabiduría – entre otras cosas – para compensar al personal teniendo en cuenta tanto sus necesidades como sus méritos, tal cual lo señalara Saint Simon.

Desafortunadamente, las rigideces de la corporación política y sindical en los países latinoamericanos se empeñan en recompensar a los participantes en base a la peor combinación posible, aquella posicionada en el cuadrante IV : i no tiene en cuenta ni las necesidades ni el mérito! Y han dejado a las Organizaciones y los Empresarios latinoamericanos que las lideran (por supuesto excluyo a los contratistas del estado de la categoría de Empresarios), la pesada carga de decidir como distribuir los recursos teniendo en cuenta tanto:

a. las necesidades de los participantes, como

b. el mérito por los resultados alcanzados.

26. Se sugiere que los profesionales latinoamericanos se familiaricen con el trabajo de Schumpeter, J y su teoría económica sobre el desarrollo económico donde privilegia el concepto y la práctica del Empresario innovador. Un profesional que ha tomado un curso con nuestra firma , perteneciente a una Empresa líder en tecnología informática en el mundo, a solicitud de él mismo en cuanto a qué teorías económicas eran más efectivas para países subdesarrollados, le manifesté el trabajo de Schumpeter. Cuando compartió esta idea con un Profesor de una prestigiosa Universidad este le informó que la teoría de Schumpeter (que es la del verdadero motor de la economía) era "anticuada" ...

27. Los profesionales en Latinoamérica, especialmente aquellos que perciben que pertenecen al área de las "ciencias duras", van a tener necesidad de dedicar energías, tiempo y dinero para aprender "fuera de su área de especialización" lo concerniente a "relaciones intra e interpersonales". The Organization Development Institute es líder mundial en esta disciplina y sus hallazgos y experiencias han de ser tenidos en cuenta tanto por los profesionales como por las Organizaciones que están interesados en un desarrollo continuo y sostenido en el tiempo. Como lo manifestara un ejecutivo de una Empresa líder en el sector industrial: "... los gerentes de finanzas cuando privilegian exclusivamente su área de especialización, están preparando su propio proceso de expulsión o autoexpulsión: por un lado postergan los pagos a los proveedores y servidores (con lo cual se pelean con la mitad de la Empresa) y por otro lado intentan adelantar los cobros por las ventas (con lo cual se pelean con el 50 % restante)".

Si tenemos en cuenta que una escucha atenta de "los intereses de los demás" es muy importante al igual que tener "conocimiento de uno mismo" como así también "de otros", y que estas habilidades se aprenden mostrando y vivenciando, podemos visualizar el trabajo de transformación que los profesionales han de emprender.

28. Existe un área sobre el cual deseo también alertar a los profesionales latinoamericanos, especialmente teniendo en cuenta que el individualismo se ha ido transformando en los últimos años en un mayor egoísmo. Es difícil que en el nuevo mundo que se gesta, un profesional pueda ser exitoso "sin la participación activa, libre, independiente, y con alegría de los demás". Y que todo ello sea desarrollado sin dar ANTES de recibir.

Acostumbrados a ganar en el primer ciclo, los profesionales latinoamericanos van a tener la necesidad creciente de aprender a sembrar antes de cosechar. Y, por supuesto, no tomar como siembra todas las energías, el tiempo y el dinero dedicado a conseguir un título. Van a tener que sembrar en la relación cotidiana con los Clientes, y en muchos casos, sin la reciprocidad inmediata del cobro. Esto es algo que tampoco es enseñado en las Universidades, y por lo tanto la transformación de dar para luego recibir implica cambios profundos en el profesional especialmente a nivel de valores que son los más difíciles de trastocar.

A estas alturas los lectores, profesionales latinoamericanos en su mayoría, han de preguntarse quizás, qué mal habrán hecho en este mundo para tener que vivir con las situaciones descriptas más arriba. Todas ellas implican desafíos, cambios de conducta, y transformaciones, en muchos casos sumamente profundas. Pues es allí donde exactamente radica la belleza de lo que vive y confronta hoy día el profesional; ya no va a TENER un título sino que tiene la hermosa oportunidad de SER y de VIVIR como un profesional al SERVICIO DE OTROS.

Este desafío es sin igual, es único e irrepetible para cada uno de los profesionales latinoamericanos, y depende exclusivamente de lo que cada profesional quiera hacer de su vida.

Por nuestra parte ponemos nuestras direcciones, correo electrónico, nuestra Empresa, y nuestras unidades de servicio a disposición de aquellos que están interesados en este proceso de transformación. No hay lugar para quejas para aquellos profesionales que no intenten esta hermosa y gratificante oportunidad de transformarse a sí mismo y de ayudar a otros.

- website : www.theodinstitute.org
- email : info@theodinstitute.org
- Sede central : Florida 141, Piso 2 (1005) - Buenos Aires, Argentina

29. En The Organization Development Institute estamos trabajando desde hace más de 20 años tratando de crear una tipología organizacional que ayude al crecimiento de las cuatro unidades de análisis : el individuo, los grupos, las Empresas u Organizaciones, y las comunidades o países.

La tipología en cuestión cubre 3 categorías como mínimo :

- Empresas generativas : son aquellas que constantemente generan trabajo, poniendo productos y servicios a disposición de los Clientes y privilegiando la creación de fuerza de trabajo.
- Empresas regenerativas : son aquellas que asisten a las Empresas generativas en tener un crecimiento continuo y sostenido (investigadores, inventores, desarrolladores de nuevos productos y servicios, desarrolladores de nuevos procesos, etc.).
- Empresas de-generativas : son aquellas que se orientan a reducir constantemente la fuerza de trabajo reemplazando las mismas por tecnología informática y robotización.

En mi entender, esta tipología organizacional satisface una hipótesis básica que requiere toda comunidad o país : el crecimiento y desarrollo equilibrado y balanceado de TODAS las unidades de análisis. La tipología tradicional / convencional de Empresas privadas nacionales, privadas filiales de multinacionales y públicas permite el crecimiento de unas A EXPENSAS DE LAS OTRAS , como así también de alguna unidad de análisis por encima de otra.

Pedimos asistencia y colaboración a los lectores y profesionales en este tema y quedamos desde ya agradecidos. Favor de comunicarse a las direcciones mencionadas más arriba. Muchas Gracias.

30. En la actualidad, las Organizaciones incorporan cada vez más el estilo de gestión "de gerenciamiento por proyecto". Blake & Mouton (1959) ya habían transformado la Organización jerárquica tradicional al diseñar la Organización matricial donde cada uno de los profesionales comenzaba a reportar dos personas. Y esto no sólo crea un stress adicional sino que también va contra el pasaje bíblico de amar a un solo Dios (Donald Cole, 1999), y da surgimiento a una nueva profesión : Desarrollo Organizacional. Siguiendo los pasos a la Organización matricial, se impone fuertemente en los países latinoamericanos "por encima" de este nueva forma organizacional el estilo de gestión de "Gerenciamiento por Proyecto" lo que tiene un nuevo y mayor impacto en el modelo de desarrollo laboral que los profesionales tienen en su mente.

Los profesionales latinoamericanos, al pertenecer a una Empresa, tenían en su cabeza un modelo de carrera laboral con un horizonte largo, y ahora se les dice que su permanencia depende de la duración de un proyecto! Y ese proyecto es muy posible que no dependa del propio profesional !

The Organization Development Institute International ha prestado suficiente consideración a las implicancias de este nuevo tipo de gestión y de sus consecuencias en las vidas de los profesionales latinoamericanos. Por razones de espacio, se presenta una apretada síntesis de lo que nuestra experiencia nos ha demostrado en más de 170 intervenciones a Empresas , respecto de lo que el profesional puede "encontrar" durante el desarrollo "del proyecto". Se describen a continuación como antídoto a ser usado por el profesional; algunos profesionales lo han denominado "kit de supervivencia."

Si Usted como profesional participa de un estilo gerencial por proyecto tenga en cuenta las posibles fases del mismo:

1. La Fase del Entusiasmo

2. La Fase de la Verdad

3. La Fase de la Confusión

4. La Fase del Pánico

5. La Fuga de los Responsables

6. La Búsqueda de los Culpables

7. El Castigo de los Inocentes

8. La Condecoración de los "Colados"

9. Los Aplausos de la Platea

10. La Pesadilla de mantener el Éxito

Los lectores que a estas alturas han integrado dentro de sí mismos el magistral trabajo del Dr. Donald Cole con sus propias experiencias, tienen una nueva oportunidad de consolidar los mismos al tener en cuenta las distintas fases del gerenciamiento por proyecto más arriba descriptas.

31. Con la creciente globalización Empresaria y la centralización de la información y la toma de decisiones en las Casas Centrales en el extranjero, me han preguntado los profesionales latinoamericanos si existe alguna gerencia que no pueda ser manejada por Casa Central, y por consiguiente haría necesaria la presencia de personal latinoamericana en la filial. Y junto a ello me han preguntado cuál es. En mi opinión, es la gerencia "cultural", aquella que conoce exactamente cómo realmente son los Clientes, los proveedores, y el personal de la Empresa. Esta tarea es muy difícil de desarrollar con la asistencia de la robotización y tecnología informática ya que, afortunadamente, la diversidad de comportamientos y conductas está siempre presente y "no hay nada más injusto que tratar igual a personas diferentes".

Los países latinoamericanos, a través de sus profesionales, parecen adoptar con relativa facilidad los adelantos en tecnología. Sin embargo, no siempre toman en cuenta el impacto de esos cambios tecnológicos sobre las personas. A título de ejemplo, el Dr. Cole (Argentina, 2001) menciona el hecho de que Empresarios de la India exitosos enviaron a sus hijos a Harvard donde muchos de ellos "aprendieron" respecto de un estilo gerencial por especialidad y trataron a su regreso a la India de imponer estas prácticas de descentralización y especialización en las Empresas de sus padres con las consiguientes consecuencias negativas. Estos profesionales se olvidaron que en la India, y desde varios siglos atrás, el estilo Empresarial tradicional era el de Gestión por Equipos de Trabajo, algo que Harvard comenzó a tener en cuenta sólo hace unos años atrás ...

32. Al comienzo de este libro hago mención a la enorme fuente inspiradora recibida en mi infancia a través de lecturas de Thoreau, Emerson, José Ingenieros. Hay una frase que es de Thoreau, Henry David (Walden, 1854) que usualmente comparto con aquellos que solicitan nuestros servicios de Career Development y deseo hacerla partícipe a ustedes.

"But men labor under a mistake. By a seeming fate, commonly called necessity, they are employed, as it says in an old book, laying up treasures which moth and dust will corrupt, and thieves break through and steal".

("Las personas trabajan cometiendo un error. Por un aparente destino, comúnmente denominado necesidad, las personas trabajan como empleados. Y como un viejo refrán señala, trabajando como empleados pueden llegar a guardar tesoros que serán corrompidos por el moho y el polvo, hasta el momento en que entren los ladrones y se los roben").

Si algún profesional latinoamericano necesita dinamita para energizarse en una nueva dirección con libertad y alegría, puede montarse sobre las palabras arriba mencionadas de Thoreau.

33. El profesional latinoamericano tiende a dirimir, apreciar, juzgar y decidir a través de lo que comúnmente se llama "Racionalidad". En el mundo actual, donde el cambio y la transformación son una constante, aprenderá muy rápidamente sobre lo que hemos denominado "los límites de la racionalidad". Tendrá que tomar cada día más y más en cuenta la frase de Bernard Shaw: "El hombre racional es aquél que se adapta al mundo. El hombre irracional es aquél que, en cambio, quiere transformarlo. Por lo tanto, todo el progreso del hombre depende del hombre irracional".

34. Otro factor a tener en cuenta por el profesional latinoamericano es su "anclaje" al valor de la "educación - inversión recibida". Unos dieciséis años de "aprendizaje" con su consiguiente inversión de tiempo, energía y dinero, tienden a convertir al profesional en un apóstol del proceso educativo. Y en calidad de tal tiende a perpetuarlo.

El profesional en las Organizaciones actuales ha de ser capaz de transformar hoy todo lo que ha estado haciendo hasta ayer, y estar listo para transformar mañana, todo lo que está haciendo (supuestamente bien) hoy. Mi experiencia en desarrollo individual muestra evidencia empírica del hecho de que los profesionales tienen algunas dificultades en "desaprender" lo "aprendido". Y por lo tanto, tienden a tratar inequívocamente todo lo que previamente han archivado cognitivamente "como correcto". Y de esta manera, tienden a repetir comportamientos.

Las asociaciones y colegios profesionales han puesto énfasis en el desarrollo de "Best Practices", y acompañando a éstas por oposición, han dado nacimiento a las malas prácticas (por ejemplo en la Medicina). Es posible que los profesionales latinoamericanos necesiten poner foco en la causa de los problemas / situaciones y no en los efectos y, por lo tanto, deban dedicar tiempo, energía y recursos para desarrollar "Best Practices en los procesos de Aprendizaje desde muy temprana edad". Como mencionara un alto directivo de una Empresa industrial: " ... es muy poco lo que podemos hacer con las personas en el trabajo, cuando han pasado 10 o 15 años "formándose" (o deformándose) con maestros y profesores.

35. Los estudiosos de ciencias del comportamiento reconocemos que una de nuestras mayores dificultades radica en las transiciones y transformaciones. Ya hemos mencionado que tanto los practitioners como los investigadores encuentran sus límites y dificultades en los trabajos longitudinales ya que no se pueden controlar todas las variables en el tiempo.

Aquí también queremos mencionar, aunque sea a título de ejemplo por razones de límite temático y de espacio, que las teorías y marcos conceptuales desarrollados en los claustros educativos y aprendidos por los profesionales, son aplicables muchas veces a lo que hoy se conoce bajo el nombre de "situación límite" (es decir, una situación que casi NUNCA se presenta). Esto ha pasado con la teoría clásica en Economía, la cuarta unidad de análisis, y también con teorías organizacionales como la Burocracia, tercera unidad de análisis. En ambos casos son "situaciones límite", es decir situaciones extremas que NO se presentan en la realidad como tales. Hemos visto en los capítulos anteriores que la burocracia SÓLO está representada en un cuadrante de 4 opciones posibles.

No es fácil para el profesional latinoamericano, después de que ha sido recompensado positivamente en la Universidad por un profesor, al dar "la respuesta" que éste esperaba de él, considerar que gran parte de lo que tiene en su cabeza y en su mente, puede ser aplicado a situaciones límite que muy pocas veces se dan en la realidad.

36. El gráfico que sigue a continuación es el resultado de un trabajo de campo realizado a principios de la década de los 70 donde se muestra que de las tres tipologías organizacionales tradicionales, la Empresa privada multinacional es aquélla donde los participantes sienten mayor grado de estrés (en comparación con las Organizaciones nacionales privadas y las Organizaciones públicas). Este mismo trabajo replicado unos 20 años más tarde muestra que el nivel de estrés se ha incrementado en todas las tipologías organizacionales y es algo que confrontan cada vez un mayor número de profesionales.

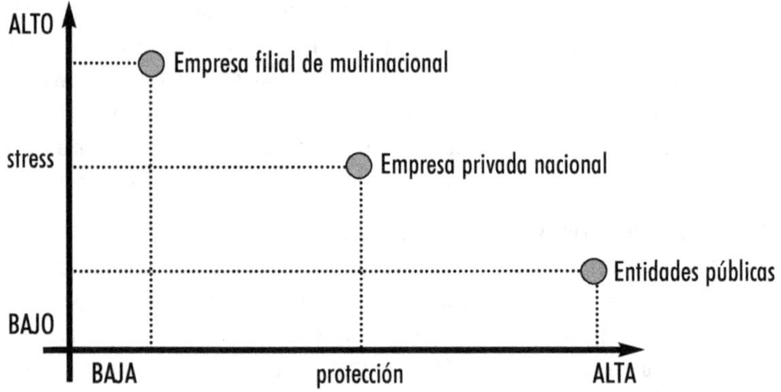

Si las opciones de desarrollo laboral sostenido y continuado para los profesionales latinoamericanos se han de encontrar en emprendimientos personales alejados del modelo convencional (recordar a Thoreau), los "depredadores exitosos" que a su turno también serán depredados, encontrarán dificultades para emprender proyectos dentro de las Empresas que ellos mismos generen y crean ya que sólo a través de la participación activa y humanitaria de la totalidad de sus miembros han de poder sobrevivir las llamadas Pequeñas y Medianas Empresas. El modelo cooperativo aparece entonces como de un enorme potencial; el desafío en este caso de los profesionales ha de radicar en transformarse de depredadores que han sido depredados - trabajando en Empresas de otros - en seres humanitarios que estén interesados en generar para sí mismos y también para otros - trabajando en su propia Empresa.

POST FACIO

Cada uno de los puntos arriba mencionados puede ser observado por los profesionales latinoamericanos como limitantes o como oportunidades sin igual. En el Congreso Mundial de Austria (2001) el Dr. Donald Cole ha manifestado que está profundamente agradecido por tener siempre cosas desafiantes para hacer en beneficio de otros. Y que no quisiera imaginarse un mundo donde todo está hecho!

Si los profesionales latinoamericanos adoptan esta posición podrán vivenciar que tienen una oportunidad sin igual, que jamás han tenido los profesionales en el pasado. La conjunción de oportunidades que emergen de cada uno de los puntos expuestos junto a la capacidad de dar y servir, y una visión de una nueva tipología organizacional focalizada en Empresas generativas (de creación de trabajo) les darán a los profesionales recompensas inmensas derivadas del enorme placer de DAR por encima del disfrute de recibir. Está todo allí para Ustedes, profesionales latinoamericanos, es su elección, y a nadie debemos culpar de lo que no nos hemos atrevido a HACER y a MOSTRAR. Muchas gracias por compartir.

Como contribución final al profesional latinoamericano quisiera compartir el comentario y pregunta que me formulara un profesional antes de concluir un programa de Career Development, que estaba interesado en QUÉ HACER CON SU CARRERA PROFESIONAL para ganarse la vida.

Su comentario fue: "Ahora sí, quiero hacerlo simple. Si las Organizaciones en su mayoría son como usted las describe, entonces tengo dos opciones: existe la posibilidad de que la Organización me asesine o que yo suicide mi profesión. Teniendo en cuenta que bajo estas opciones sería sumamente difícil reinsertarme (era un directivo de 51 años de edad) y que, en el caso de reinsertarme la nueva Organización sería muy similar a la desvinculante, entonces mi pregunta es: ¿Qué hago en esta vida para ganarme la vida?"

Mi respuesta a este dilema del profesional latinoamericano se aleja un tanto del modelo psicoanalítico tradicional. Le he sugerido al directivo que tenga en cuenta la bella y fina frase de Thoreau :

"Las personas trabajan cometiendo un error. Por un aparente destino, comúnmente denominado necesidad, las personas trabajan como empleados. Y como un viejo refrán señala, trabajando como empleados pueden llegar a guardar tesoros que serán corrompidos por el moho y el polvo, hasta el momento en que entren los ladrones y se los roben". Y que por favor tenga en cuenta que a la frase anterior después de la palabra necesidad le agregue además "y comodidad".

Nuevamente, muchas gracias por compartir.

Dr. Donald W. Cole es reconocido como Líder mundial en Desarrollo Organizacional. Ha estudiado en Smith College, Boston University, Columbia University, University of Rhode Island, Universidad de Zurich y se recibió su Doctorado en Washington University, Saint Louis. Ha diseñado y desarrollado más de 200 programas de desarrollo gerencial para más de 30 Empresas. Es autor de diversos tratados en Ciencias del Comportamiento con especialización en Desarrollo Organizacional y en su calidad de Conferencista internacional ha realizado presentaciones en más de 30 países de los cinco continentes.

Es Presidente de The Organization Development Institute - worldwide, con sede en Ohio, USA, y editor de The O.D. Journal que es la publicación más citada en el mundo en Desarrollo Organizacional. En la actualidad dedica muchas de sus energías hacia el desarrollo e implementación de programas resolución de conflictos bajo medios pacíficos, y ha sido recientemente galardonado en Austria, 2001, como RSP (Respected Social Pioneer).

Eric Gaynor Butterfield tiene una reconocida trayectoria en Latinoamérica como implementador de soluciones y de mejoras tanto a nivel de desarrollo individual como organizacional, poniendo foco en la Transformación Individual. Es Ph.D. en Business Administration (abd) de Michigan State University con especialización en Career Development y Organizational Development. Ha sido Visiting Professor de Tufts University y research fellow de la Interamerican Foundation.

Ha liderado y diseñado más de 150 intervenciones de consultoría en diversos países de Latinoamérica. Es autor de diversos publicaciones en revistas de Management y Business en temas relacionados con las Ciencias del Comportamiento. Como ejecutivo y profesional se ha desempeñado en Empresas líderes en el mundo (Exxon, Chrysler, General Motors, Price Waterhouse, entre otras). En su calidad de Conferencista internacional ha disertado en varios países de Latinoamérica siendo reconocido como "Distinguished Lecturer".

Es Presidente de The Organization Development Institute, Argentina. En los últimos 10 años dedica muchas de sus energías al estudio y la práctica de cómo los profesionales pueden consolidar su posicionamiento en las Organizaciones. Y en la actualidad se especializa en asistir y orientar en el redireccionamiento que deben adoptar necesariamente los profesionales que deseen extender sus carreras laborales. Es Presidente de International Consulting Plus (Argentina) y Partner de International Consulting Plus Inc., USA.

www.ingramcontent.com/pod-product-compliance
Lightning Source LLC
LaVergne TN
LVHW050543160826
845677LV00011B/2160